우리
시대의
미술가들

우리 시대의 미술가들

오광수 지음

김봉태 김상구 김종학
김청정 김태호 박석원
박종배 송영방 심경자
원문자 윤명로 이승조
이왈종 이종각 이태현
전광영 정[illegible] 조문자
하동철 한만영 홍정희
황창배

SIGONGART

서문

여기 담겨진 내용은 한국 근, 현대미술의 대표적인 작가들을 엮은 『21인의 한국 현대미술가를 찾아서』(2003, 시공사)에 이은 두 번째 작가론집이다. 주로 개인 화집에 수록된 것으로 50대에서 70대에 이르는, 그리고 1960년대에서 2000년대에 걸쳐 활동하고 있는 작가들이 대상이다. 이미 확고한 자기 세계를 다지고 있는가 하면, 아직도 왕성한 실험의지를 늦추지 않는 작가들이기도 하다.

'미술사란 미술가의 역사다'라는 관점에서 이들 작가들은 개별이면서 동시에 우리 현대미술의 한 단면을 이루고 있는 전체적 문맥으로도 바라보지 않으면 안 된다. 많은 부침과 질곡으로 점철되는 우리 현대미술을 온몸으로 살아온 산증인이기도 한 점에서 이들의 표상과 형식과 정신적 풍경은 우리 미술의 특성을 가늠해주는 인자임을 간과할 수 없으며 우리 미술의 향방을 점치는 기표가 될 것이라는 점도 의심치 않는다.

더불어 살아온 이들에게 저자로서의 신뢰와 고마움을 표한다. 그리고 한 권의 단행본으로 엮어준 한국미술연구소, 시공사 여러분께 진심으로 감사를 드린다.

2011년 3월
오광수

차례

구 조 와 상 형

전 통 과 현 대

형 성 과 환 원

김봉태 분석과 종합의 길
김태호 생성과 구성
이승조 파이프의 조형
이태현 생성과 질서
전광영 형식으로서의 개념
하동철 빛에로의 열망

김봉태

KIM BONGTAE

1961 서울대학교 미술대학 회화과 졸업
1966 로스앤젤레스 오티스 미술대학 대학원 졸업

대한민국 미술대전 운영위원 심사위원
중앙미술대전 심사위원장
국립현대미술관 운영위원
서울시립미술관 운영위원
조선일보 이중섭미술상 심사위원
제5회 서울국제 미디어아트 비엔날레 자문위원회 위원장
공간국제판화전 운영위원 및 심사위원장
제2회 ASYAAF(아시아 대학생 청년작가미술축제) 심사위원장

개인전

1970 그래픽스갤러리 샌프란시스코 미국
1973 퍼시픽아시아 박물관 로스앤젤레스 미국
에이디아이갤러리 샌프란시스코 미국
1977 진화랑 서울
1979 피셔갤러리 로스앤젤레스 미국
1990 한국미술관 서울
1997 박영덕화랑 서울
2000 갤러리아시아 홍콩
2004 가나아트센터 서울
2005 미술세계화랑 동경
2008 갤러리현대 서울

단체전

1960 60년 미술가협회 창립전 덕수궁벽 서울
1961 연립전 경복궁미술관 서울
1962 악튀엘 창립전 경복궁미술관 서울
조선일보 주최 현대작가초대전 덕수궁미술관 서울
1963 제3회 파리비엔날레 파리 프랑스
1968 백악관 대여작품전 워싱턴 미국
1974 국제교류전 트론헤임 노르웨이
카운실 오브 이라이 하우스전 런던 영국
1977 제3회 마이애미 판화비엔날레 마이애미 미국
1979 로스앤스젤레스 카운티미술관 로스앤젤레스 미국
1979 착각의 실제 덴버미술관 덴버
피셔갤러리 로스앤젤레스 미국
1981 한국 현대드로잉전 브룩클린미술관 뉴욕 미국
1982 재외작가초대전 국립현대미술관 서울
1985 60년대전 워커힐미술관 서울
한국현대판화 어제와 오늘 호암미술관 서울
1987 제2회 국제현대미술제 로스앤젤레스 미국
1988 서울88올림픽 기념전 국립현대미술관 과천
1991 한국현대미술 초대전 선재현대미술관 경주
1992 현대미술 9인전 한국미술관 서울
1994 NICAF 요코하마 '94 갤러리아미 요코하마 일본
1994 현대 한국미술 빛과 색 호암아트홀 서울
1995 한국미술50인전 유네스코 초대전 파리 프랑스
홍콩아트페어 홍콩컨벤션센터 홍콩
1996 마이애미아트페어 마이애미컨벤션센터 마이애미 미국
1996 제28회 카뉴국제회화제 카뉴 프랑스
1997 제11회 SAGA 국제전 에스파스 에펠 브랑리 파리 프랑스
1998 정부소장미술품 특별전 국립현대미술관 과천
제6회 호주현대미술제 멜버른 호주
2000 한국현대미술의 시원 국립현대미술관 과천
한국과 서구의 전후 추상: 격정과 표현 호암미술관 서울
새천년 3·24전 서울시립미술관 서울
2001 아시아작가전 브라이튼 포리테크닉갤러리 브라이튼턴 영국
2002 한국의 색 서울시립미술관 서울 오사카근대미술관
아이치 현립미술관 일본
2003 드로잉의 새로운 지평 국립현대미술관 덕수궁 서울
2004 서울미술협회전 로마건축가협회센터 로마 이탈리아
2005 일·한 교환전 아시아미술관 후쿠오카 일본
2007 추상미술 그 경계에서의 유희 서울시립미술관
남서울분관 서울
2008 브리지 아트페어 뉴욕 미국
2010 홍콩 아트페어 뉴욕 미국
SAFA 아트페어 코엑스 서울
성남아트센터 개관기념 한국현대미술 성남아트센터 성남

수상

1969 산타바바라 소형 이미지전 산타바바라 캘리포니아
1972 제15회 제한없는 미술공모전 다우니 미술관 캘리포니아
1975 제3회 전국판화공모전 피셔갤러리 남가주대학
로스앤젤레스
2007 제1회 대한민국 미술인상 (서양화) 한국미협 주최

작품 소장

서울시립미술관 서울
국립현대미술관 과천
호암미술관 서울
헌법재판소 서울
프랑스정부 파리 프랑스
스위스 한국대사관 스위스
시모노세키미술관 시모노세키 일본
백악관 대여소장품 워싱턴 미국
대영박물관 영국

분석과 종합의 길

김봉태金鳳台의 작가편력은 크게 서울시대와 L.A시대, 그리고 다시 서울시대로 삼분해 볼 수 있다. 데뷔시절인 처음 서울시대는 1960년대 초반이 되는데 시간상으로 따지면 불과 3, 4년에 지나지 않아 하나의 시대로 묶기에는 다소 무리가 없지 않다.

그의 1960년대 초반, 미술학교를 나와 활동을 막 시작할 무렵에 미국으로 유학길에 올랐기 때문에 초기의 서울시대는 데뷔시기로서의 의미밖에 어떤 뚜렷한 편력을 기술할 만한 자료적 내역을 갖추지 못했다. 그럼에도 불구하고 데뷔시절 일반적인 타블로tableau작업 외에 판화작업을 했다는 것은 화가로서의 출발에 중요한 의미를 던지고 있음을 간과해서는 안 될 것 같다. 두 번째로 한국이 참여하는 1963년 파리비엔날레에 그가 판화로서 참여했다는 것은, 한 사람의 판화가로서의 출발을 선명히 해주고 있기 때문이다. 그의 판화 30년은 여기서 시작되는 것이며, 판화가로서의 그의 활동은 그러한 시간의 무게에 비례해서 알차고도 눈부신 것이었다고 할 수 있다.

김봉태는 판화만을 주종으로 하는 순수한 판화가가 아니다. 일반의 회화작업과 판화작업을 병행하고 있다. 어떤 이들은 이 같은 경우를 두고 겸업이라고 하는데, 사실 이런 인식은 판화라는 매체를 일반 타블로의 종속적 관념 아니면 부수적인 작업쯤으로 이해하고 있는 데서 빚어진 것으로 옳은 태도는 아니라고 할 수 있다. 언제나 본격적인 작업과 부차적인 작업을 구획하려고 하는 분류의 인식자체가 잘못된 것이다. 타블로는 타블로로서의 가치가 있는 것이고, 판화는 판화대로, 드로잉은 드로잉대로 그 가치가 따로 있는 것이다. 그것을 비교적인 차원에서 등급화한다는 것은 매체 자체가 갖고 있는 특수성과 그 본래적 가치를 그만큼 무화시킬 위험이 없지 않다. 특히 이런 관념은 우리 미술계에 깊게 잠재되어 있어 한 작가가 다양한 매체를 자유롭게 다루는 데 있어 많은 방해요인이 되고 있는 터이다.

김봉태에 있어 판화작업은, 사실 우리들에게 있어서는 일반 타블로보다 더 친숙한 일면을 지닌다. 꾸준히 타블로와 판화작업을 병행해오긴 했으나 그간 국내에서 심어진 이미지는 판화 쪽에 훨씬 무게가 많이 주어지고 있다는 것이다. 그도 그럴 것이 L.A시대의 주요한 작품활동이 주로 판화를 통해 드러나고 있을 뿐 아니라 국내에 간간히 발표된 작품의 내용도 거의 판화에 치우쳐 있었기 때문이다. 그가 판화만을 추구하고 있는 작가가 아니라 판화 못지않게 타블로 작업을 하고 있다는 활동내역은 극히 최근인, 1980년대 중반 이후부터 알려지기 시작했다고 할 수 있다. 두 번째 서울시대가 되는 1980년대 중반 이후 발표내역은 오히려 유화작품 쪽에 그 비중이 주어지고 있다. 이런 여러 사정을 감안해보면, 그는 단순한 판화가로 머물고 있는 것도 아닌 반면, 그렇다고 판화를 부수적으로 다루고 있는 예도 아니다. 말하자면, 판화만을 고집하는 전문판화가는 아니지만, 그러한 전문판화가에 못지않은 전문판화가라고 할 수 있을 것 같다. 자칫하면 언어의 유희에 빠질지도 모르지만, 이렇게 말하면 어떨까. 화가로서 판화가이자 판화가로서 화가라고.

판화가 기술적인 특수한 조건을 갖추고는 있으나 회화란 커다란 영역 속에 드는 것은 틀림없다. 공정의 까다로운 조건과 제약이 따르긴 하지만 어디까지나 회화로서의 요건을 갖춘 것이 되지 않으면 안 된다. 따

〈Shadow series II〉 1978년 아쿼틴트 릴리프 에칭 71x100cm

라서 판화도 본질적으로 회화로서 먼저 따지지 않으면 안 된다. 회화성이 없는 판화는 그것이 아무리 뛰어난 기술적 조건을 만족시켜준다고 하더라도 하나의 작품으로서는 결격이다. 따라서 판화는 회화로서 시작되어 회화로 돌아오지 않으면 안 된다. 이런 점에서 보았을 때, 김봉태의 판화작업은 그의 회화의 순수한 연장선상에서 파악되어야 할 것이며, 애써 판화로서의 구획보다는 회화라고 하는 전체적 문맥에서 인식되지 않으면 안 된다.

김봉태의 판화 30년은 어떻게 보면 한국현대판화 30년과 그 맥락을 같이한다고 해도 지나치지 않다. 여기서 한국현대판화란 1960년대에 접어들면서 본격화하기 시작한 현대적 판법의 확산과, 시대적 미의식의 견인에서 부여되는 개념임을 미리 밝혀둘 필요가 있을 것 같다. 1960년대 이전에도 판화활동이 없었던 것은 아니었으며, 판화에 집중적인 관심을 기울였던 작가가 없었던 것도 아니었다. 1950년대 중반부터 이항성李恒星, 최영림崔榮林, 정규鄭圭, 유강렬劉康烈등의 활동이 이어지고 있었으며 이들 중에 해외의 유수한 판화전에 출품하여 입상의 경력을 쌓은 이도 있었다. 그럼에도 불구하고 현대판화의 출범을 통상 1960년대로 하향시키는 이유는, 현대회화로서의 판화에 대한 인식이 1960년대 들어와 다양한 표현매체의 확대와 조형실험을 통해 비로소 선명해졌으며, 1950년대까지만 하더라도 개인적 단위의 취미적 성향에서 크게 벗어나지 못했던 판화에 대한 방법적 접근이 1960년대에 들어오면서 본격적인 공정과 현대적 조형으로서의 의식을 가다듬기 시작했기 때문에서다.

현대적 조형으로서의 집단성은 방법의 보편화현상으로 이미 그것은 개인적 취향의 수준에서 벗어난 것이라고 할 수 있다. 1960년대 초, 배륭裵隆, 강환섭康煥燮, 윤명로尹明老, 김종학金宗學, 김봉태 등에 의해 시도된 새로운 실크스크린 판법은 쉽사리 보편적인 조형적 방법으로 확산될 수 있었으며, 여기서 머물지 않은 갖가지 혼합기법의 원용은 현대미술 일반의 다양한 매체확대와 상응되면서 현대회화로서의 판화의 인식을 확고히 다졌다고 할 수 있다. 당시를 회고한 윤명로의 다음과 같은 기술에서도 1960년대를 분수령으로 하는 판화의 새로운 방법적 전개를 충분히 시사받는다.

“대부분 1950년대 가장 많이 다루었던 판화는 주로 목판이었다. 일부 리놀륨linoleum판이나 고무판, 석판 등을 사용하기도 하였으나 낮은 기법과 저질의 판화잉크를 사용함으로써 작품의 주제나 내용에 비해서 기법적으로 선명도가 늘 뒤떨어져 보였다.”

이처럼 1950년대까지 판화의 수준이란 전통적인 각법의 목판이 주류를 이루고 있었을 뿐 다른 방법의 판화는 아직도 기술적인 면에서 뒤떨어져 있었으며, 이에 따라 판화의 일반적 인식도 대단히 초보적인 단계에서 벗어나지 못했다.

화가들 사이에서도 판화가 회화의 영역보다는 공예의 영역쯤으로 치부하고 있었으며 실제로 1960년대 초까지만 하더라도 대학에서의 판화수업이 공예과에 머물러 있었던 사실도 전반적인 판화인식의 수준을 가늠해주기에 충분하다.

김봉태를 위시한, 1960년대 초에 등단한 젊은 작가들이 판화에 대한 적극적인 관심을 쏟기 시작한 것은 1950년대 판화의 연장선에서가 아니라, 당시 주한미국공보원을 통해서 흘러나온 실크스크린 같은 새로운 판법이 주는 신선한 충격에서였다고 할 수 있으며, 그것이 단순히 취미적인 수준이 아니라 자신의 조형적 작업의 확대라는 차원에서 이루어졌다는 데서, 1960년대가 현대판화의 분수령이 된다는 저간의 사정을 포착할 수 있다. 현재 드러나 있는 당시 김봉태의 판화활동은 파리비엔날레의 출품 외에, 같은 해(1963) 국립박물관에서 기획한 판화초대전에 강환섭, 윤명로, 김종학, 한용진韓鏞進 등과 함께 출품한 것으로 기록된다.

당시 작품으로 남아있는 것은 불과 몇 점에 지나지 않는다. 이 몇 점들은 리소그래프lithograph와 실크를 응용한 혼합기법이며, 격렬한 붓질에 의해 이루어진 묵상적墨象的 구성의 내용들이다. 1960년대 초반 뜨거운 추상표현의 열기를 느끼게 하는 작품이다. 김봉태와 더불어 판화를 시작한 동년배들이 1960년 《미술가협회》의 동인들이었다는 점, 《현대미협》과 더불어 1960년대 초반 격정적인 표현의 세계를 추구하고 있었다는 사실을 유추시키기에 충분하다.

미국 유학의 길에 오른 그가 쉽사리 판화에 빠질 수 있었던 것도 한국에서의 판화작업의 극히 자연스러운 연장에서 가능할 수 있었다고 보아진다. 더욱 완벽한 기법의 숙련과 풍부한 재료의 활용이 적극적인 판화활동을 가능하게 하였다고 할 수 있다.

그러나 L.A시대 초기작으로 볼 수 있는 1967년, 68년경의 작품들에

〈Nonorientable90-3〉 1990년 포토 실크스크린 61x61cm

서 드러나는 표현의 방법은 서울시대의 그것과는 퍽 대조를 이루고 있음을 발견한다. 대체로 서울시대의 표현 문맥이 뜨거운 추상 쪽으로 경도되어 있었다면, L.A시대 작품군에서 나타나는 일반적 경향은 기하학적 패턴의 단순한 구성이 두드러진다는 점이다. 아마도 이 같은 변화는 1960년대 후반의 전체적인 미술추세가 표현적인 데서 팝Pop이나 옵티컬Optical한 경향으로 진행되고 있었다는 기운과 무관하지 않다. 이 점은 공교롭게도 1960년대 후반에 들어오면서 그와 같은 판화를 시작한 동년배 작가들 작품에서도 나타나는 공통된 변화적 현상이다. 1968년, 69년에 오면, 추상표현주의의 격렬한 몸짓들이 식상하게 느껴지면서 기하학적인 구성의 이지적 추상이 젊은 세대의 작가들을 중심으로 추구되기 시작했으며, 《현대미협》이나 《60년미협》의 일부 작가들도 변모를 시도하였다. 《60년미협》의 동인이면서 김봉태와 처음으로 판화작업을 주도한 윤명로, 김종학의 화면에서도 옵티컬한 구성요소와 팝적인 내용이 드러나기 시작했다.

김봉태의 L.A시대의 작품으로는 1967년작이 가장 이른 것으로 남아있지만, 1968년 이후의 어떤 일관된 패턴의 구성적 원리는 아직 뚜렷하게 점검되지 않는다. 사각과 원의 간결한 구성만이 이후의 작품경향을 맥락지우게 할 뿐이다. 김봉태의 틀잡힌 자기세계를 엿보게 하는 것은 대체로 1968년경 작품에서라고 할 수 있다. 이중구조의 패턴, 예컨대 사각형 안에 하나의 사각형이, 삼각형 안에 또 하나의 삼각형이 드러나는 중복성은 그의 극히 최근 작품에까지도 연맥되는 형태구성의 가장 기본적인 논리로서 작용하고 있음을 엿볼 수 있기 때문이다. 이 같은 도형 속의 도형의 구도는 일종의 시각적 일루전을 유도하는 옵티컬 아트의 일반적 문맥에 닿아있으면서도 동시에 끊임없는 반복의 구성을 가능하게 함으로써 시스테믹한 형태로 전개될 소지를 안고 있다. 1970년대 초반의 일부 작품은 반복구조의 극히 자연스런 발전적 패턴으로서 하드

에지Hard Edge풍의 시스테믹한 구성을 드러내고 있음을 엿볼 수 있다. 지그재그로 진행되는 단순한 몇 개의 색띠로서 이루어지는 구성이다. 그러나 일반적인 시스테믹 페인팅에서 엿볼 수 있는 평면적 구성과는 달리, 그의 경우에 있어 시스테믹 구조가 항시 도형 속의 도형이라는 패턴의 발전으로서 입체적 성향을 띄고 있음을 간과해서는 안 될 것이다. 그러니까 시스테믹한 구조가 안과 밖으로 서로 엇물리는 전개를 보임으로서 단순한 평면적 구성에 머물지 않고 시각적 일루전을 통한 입체적 구조물로 드러내놓는다는 것이다. 대단히 간결하고 단순한 기하학적 패턴이면서도 풍부한 시각성을 드러내는 것은 여기서 연유한 것이라 할 수 있다. 입방체를 서로 엇물리게 펼쳐놓는다든지, 상자와 같은 평방구조체를 서로 엇물리게 배치한다든지, 그것이 단순하게 엇물리는 것이 아니라 원환円環의 구도로 이어진다든지 하는 변화는 공간 속의 입방체로서의 구조를 강하게 인상시킨다. 그것은 삼각 속의 삼각, 사각 속의 사각이란 도형 자체 속의 안과 밖뿐만 아니라 전체적 구성단위가 안과 밖이라는 이원구조에 의해 성립되어지고 있음을 말한다. 단순하지만 변화가 풍부한 것은 시각적 일루전과 더불어 안과 밖이라는 대비성이 가져오는 극적 전환에서 기인되고 있음을 엿볼 수 있다. 이 시기 판법은 에칭etching, 애쿼틴트aquatint와 릴리프relief의 복합이 중심을 이루는데 기하학적 패턴의 구성과 평면 속의 입체화 성향에 걸맞는다.

김봉태에게 있어 1970년대는 가장 왕성한 판화제작의 시대로 보여진다. 화가로서보다 판화가라는 인상이 더 강할 정도로 판화에 집중적인 활동을 펼쳐보였다. 그 당시 미주와의 교통이 활발하지 않았던 시기였음에도 그의 작업내면은 국내에까지도 널리 알려지고 있었다. 무엇보다 국내 화가들의 판화전을 미국에 적극적으로 유도한 그의 공로는 그만큼 왕성한 활동의 결과물이라고 해도 과언이 아니다. 1973년《로스앤젤레스 판화협회》와 공동주최로 교환판화전이 파사데나미술관Pasadena Art

Museum에서 열리게 된 것을 계기로 수차에 걸친 한국과의 판화교류전이 실현되는데 그의 중재역할이 컸음은 잘 알려진 사실이다. 이를 계기로 한국현대판화가 비교적 활발히 미국 서부지역에 소개될 수 있었다.

김봉태의 작가편력을 서울시대, L.A시대, 그리고 다시 서울시대로 나누었는데, 이 후반의 서울시대는 그가 서울에 교환교수덕성여대로 오면서부터 시작되고 있으며 작품의 경향에서도 이전의 L.A.시대와 현격한 변모의 양상을 보이고 있다. 그의 생애에 있어서나 작품상에 있어 하나의 전환기로 보아도 무리가 없을 듯하다.

이같은 변화의 기미는 이미 1980년대 초반에 나타나고 있었다. 1980년에서 1985년 사이의 경향은 앞선 작품의 연장에 있으면서도 이미 변화의 내면을 분명히 드러내고 있음을 간과할 수는 없을 것이기 때문이다. 그것은 같은 시스테믹한 구조체를 띤 것이면서도 실체와 그림자라는 이원적 화면구성을 시도함으로써 단순한 도형의 전개가 아니라 사물로서의 도형, 단순한 기하학적 구조체가 아니라 구조체로서의 사물의 인식을 더욱 강하게 드러내고 있음이다.

도형은 화면상의 도형으로 머물지 않고 존재로서의 모습을 더욱 뚜렷이 하고 있다. 1980년대 이전의 작품에서 받는 인상이 입체성이 강한 평면구조라고 한다면, 1980년대 이후의 작품에 와서는 바로 화면 밖으로 가져올 수 있는 입체물로서의 존재라는 점이다.

실체와 그림자의 세계, 실상과 허상으로 대비되는 세계는 어떤 면에서 존재에 대한 인식의 편린을 보여주는 것이 아닌가 생각된다. 그것은 음과 양으로 이루어진 동양적 사상체계로서의 우주관을 반영하는 것으로 조만간 국내에서 펼쳐질 작품의 내면을 흥미롭게 검증케하는 단서이다. 1985년 이후 작품의 내면은 자기환원, 또는 자신의 아이덴티티를 발견해가는 여정으로 짜여지고 있음을 파악했을 때, 1980년대 전반의 작품 속에 내재하는 변화적 욕구는 바로 이 자기환원에 맞추어지는 것이라고 보아야 할 것이다.

1985년 이후 서울시대는, 따라서 변혁의 시도이자 동시에 자기발전, 근원으로서의 환원이라는 차원에서 더욱 각별한 의미를 더해주고 있다. 30년이란 시간의 띠로 보았을 때 김봉태의 작품상의 변모란 사실 미미한 것에 지나지 않는다. 그와 같은 시대를 산 주변의 작가들과 비교해 보았을 때 특히 이 점을 강하게 느낀다. 초기 1960년대 초반의 몇 년을 제외하고 L.A시대는 거의 일관된 주조를 이루고 있다고 해도 과언이 아니며, 이점은 1985년 이후 새로운 서울시대의 작품이 L.A시대와 크게 대조된다고 해도 사실은 L.A시대 작품의 근간 위에서의 변모이지, 이전의 경향을 완전히 제거해내는 전체적인 변신의 양상은 아니라는 점에서 더욱 그렇다. 이는 그만큼 자신이 쌓아온 세계에 대한 무게를 스스로 지탱하고 있음을 말한다.

1985년 이후의 김봉태의 작품이 보여주는 전체적 인상은, L.A시대의 그것에 비해 대단히 서정적이고 부드러운 기운이 지배하고 있다는 것이다. 강인하고 이지적이었던 구성논리와 치밀한 밀도에서 오는 차가운 인상이 가시고 섬세하면서도 은은한 여운이 그 자리를 대신해주면서 여과된 세월의 정밀靜謐을 느끼게 해주고 있다.

1985년 이후 서울시대의 전체적 구성단위는 원환의 띠다. 정방형의 화면에는 완전한 원형으로, 직사각형으로 옆 혹은 상하로 길어진 경우, 타원형으로 나타나는 원판의 띠가 화면중심에 자리잡고, 이 검은 띠 속에 여러 작은 색면들이 시스테믹하게 펼쳐지는 구성이다. 그리고 때때로 원환의 안팎을 역시 단속적인 띠 모양으로 둘러친다.

이전의 작품과 연결시킬 수 있는 조형적 단위는 띠 속에 펼쳐지는 색면의 구성체이다. 접혔다 펴지는 색종이처럼 길게 연결되는 색면의 구성체는 평면적 구성이면서 항상 입방체의 구조를 암시해주었던, 이전의 형태들이 지니고 있었던 전개의 논리에 고스란히 겹쳐진다. 그러면서

원환이 지니는, 꽉 들어찬 요지부동의 화면 속에 숨결인 양 파닥이는 이 작은 색면들은 이전의 작품에서는 좀처럼 발견되지 않았던 삶의 환희로서 명멸된다. 밝고 건강하고 아름다운 이 요소들은 어디서 연유한 것인가. 그가 한국에 다시 돌아올 무렵 심취했던 '한恨' 사상의 영향이 아니었을까. 한국과 한민족이 세계의 중심이 된다는 이 특이한 사상체계는 그의 예술을 더욱 여유롭고 밝게 한 것만은 틀림없는 것 같다. 언제나 논리적이고 합리적이고 분석적이었던 서구의 체험이 원숙과 종합으로의 동양적 선험으로 되돌아오면서 발견한 세계, 그것은 언제나 밝고 건강하고 아름다운 내면을 지니는 세계가 아닌가.

지금까지의 전체 작품에 깔려있는 기조로서 중심이 강한 구성을 들 수 있는데, 최근의 작품들에서는 더욱 이러한 체계가 두드러진다. 원환 자체가 강한 중심구성체라고 할 수 있다. 원환은 언제나 중심으로의 환원을 기도하지만 시작과 끝이 없는 지속의 무브망mouvement으로 이루어진 구성체이다. 시작과 끝이 없다는 것은 동시에 시작이고 끝인 세계를 말한다. 끊임없는 생성이자 동시에 완성을 지향한 세계를 이름이다. 그것은 상대적인 세계가 아니라 절대적인 세계, 분석적인 세계가 아니라 종합적인 세계이다.

원환은 또한 화해와 축제의 구도다. 모든 것이 안으로 녹아드는 구도이며, 생명의 환희에 떠는 노래의 구도이다. 둥근 달 아래 둥글게 둥글게 손잡고 돌아가는 강강수월래의 저 조용하고도 힘찬 아름다움을 연상케 하는 구도이다. 중심이 강해지는 최근 작품의 전체적 기조는 다시 입체적인 구조체에서 평면으로의 환원을 유도해내고 있다. 안으로 환원되는 세계에서 필연되는 현상이다. 따라서 그에게 있어 화해와 축제는 먼저 조형상에서의 평면의 인식과 구성의 아름다움으로 치환되는 세계이다. 또한 그것은 심미적으로는 자기에게로 돌아온 세계에 대한 푸근함과 안도를 시사해주는 것이기도 하다. 따라서, 1985년 이후의 일련의 작품들은 일종의 관조적인 내면풍경이라고 말할 수 있을 것이다. 오랜 항해에서 돌아와 항구에 정박한 범선의 돛단배처럼 우리를 한없이 안도하게 하는 세계로서 말이다.

『김봉태 판화30년』 1993년 화집

〈Dancing Box〉 2006년 반투명 플렉시 유리에 아크릴과 테잎 90×120cm

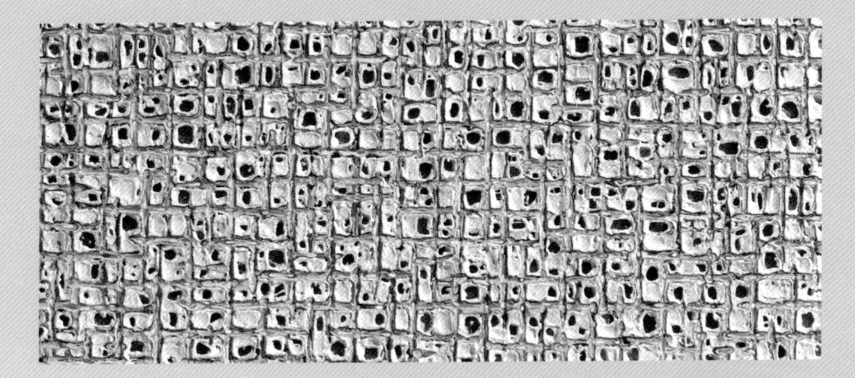

김태호

KIM TAEHO

1948 부산 생
1972 홍익대학교 미술대학 서양화과 졸업
현재 홍익대학교 미술대학 회화과 교수

개인전

1977-2010 개인전 26회 서울, 일본, 미국, 독일

주요 단체전

1990 '90 현대미술초대전 국립현대미술관 서울
1993 한국현대미술12인 미야자키현미술관 일본
1999 아세아 국제미술전람회 후쿠오카아세아미술관 일본
2000 "정신"으로서의 평면성전 부산시립미술관 부산
광주비엔날레 특별전-한·일 현대미술의 단면
광주시립미술관 광주
2001 아시아 국제미술전람회 광동현대미술관 중국
2002 추상화의 이해 성곡미술관 서울
2003 서울미술대전 서울시립미술관 서울
2004 중국 국제화랑박람회 중국국제과기회전중심 북경
한국 국제아트페어2004 COEX 서울
2005 시카고 아트페어 시카고 미국
2006 Amitié nommée peinture um regard sur l'art contemporain en Corée galerie Jean Fournier Pari
2007 1970년대 한국미술 국전과 민전 예술의전당 서울
2008 돌아와요 부산항 부산시립미술관 부산
한국추상회화1958-2008 서울시립미술관 서울
화랑미술제 부산
2009 한국의 모노크롬전 Wellside Gallery 상해 중국
한국미술의 대표작가 초대전 '오늘'
세종문화회관 미술관 서울
2010 부산국제아트페어 부산문화회관 전시실 부산
KIAF 2010 COEX 서울

수상

1971 한국 판화전 금상 문화공보부 장관상 서울
1973 국전 22회 문화공보부장관상 문화공보부 서울
1976 한국미술대상전 특별상 한국일보사
국립현대미술관 서울
1978 국전 27회 문화공보부장관상 문화공보부 서울
1980 제7회 한국미술대상전 최우수 프론티어상
한국일보사 국립현대미술관 서울
1982 공간판화대상전 대상 공간미술관 서울
1984 제 3회 미술기자상 한국미술기자협회 서울
1986 동아국제판화BIENNALE전 대상 동아일보사 서울
1995 오리진 미술상 오리진 미술협회 서울
2003 부일미술대상 부산일보사 부산

작품 소장

국립현대미술관 서울
대전 시립미술관 대전
부산 시립미술관 부산
서울 시립미술관 서울
연세대학교박물관 서울
워커힐미술관 서울
토탈 미술관 서울
下關市立美術館 일본
호암미술관 용인
홍익대학교박물관 서울
경남도립미술관 창원
Museum of Guangzhou Academy of Fine Arts 중국

생성과 구성

김태호金泰浩의 지금까지 조형적 편력은 대체로 세 개의 시대와 방법으로 분류될 수 있을 것 같다. 1970년대 후반부터 1980년대에 걸쳐 지속해온 〈형상form〉 시리즈가 그 하나요, 1980년대 후반에 시도된 종이 작업과 그것을 통한 전면화의 작업이 또 하나며, 2000년에 오면서 그리드grid의 구조 속에 치밀한 내재적 리듬을 추구해오고 있는 근작이 또 하나다. 30년을 상회하는 작가의 편력으로서는 비교적 간략한 편이다. 변화가 심하지 않다는 것이다. 그것은 어떻게 보면 자신에 충실해왔다는 반증이기도 하다. 특히 지난 30년의 우리 현대미술의 기상도를 참작해볼 때 더욱 그런 인상을 준다. 그의 작가로서의 데뷔 시기인 1970년대만 하더라도 한국 현대미술은 금욕적인 단색이 주조가 되면서 화면에서 일체의 일루전을 기피하던 시대였다. 그러한 상황에서 그가 형상에 몰두해왔다고 하는 것은 놀라운 일이 아닐 수 없다.

시대적 미의식에 쉽사리 함몰되지 않고 자신의 조형언어를 고집스럽게 추구해왔다고 하는 것은 단연 이채로움과 더불어 자신에 대한 신념을 피력한 것이지 않을 수 없다. 더욱이나 현대미술의 중심에 위치하면서도 주류에서 벗어나 있었다는 것은 자신과 용기가 아니면 불가능한 일이다. 그의 데뷔시절과 이후의 전개양상이 결코 만만치 않다는 사실이 이로서 시사된다. 이 시기를 통해 많은 전시에서의 수상이 이를 증거하고 있다. 그만큼 화려한 수상경력을 지닌 작가도 많지 않을 것이다.

그의 초기의 〈형상〉 시리즈는 형식적인 면에서 대비적이라 할 수 있는 수직과 수평이라는 직조와 일루전으로서의 인체의 이미지와 무기적인 블라인드의 결합이라는 매우 이색적인 면모를 보인 것이었다. 구체적으로 감지되는 여체의 이미지가 어두운 화면의 바탕에서 명멸되었다. 다분히 연극적인 표상의 방법이라고나 할까. 깜깜한 속에 스포트라이트를 받으면서 등장하는 배우의 모습을 충분히 연상시킬 수 있다. 그런데 등장된 인체는 자신을 완전히 드러내지 않고 극히 부분적인 현전에 치우쳐 있는 편이다. 그러기에 더욱 신비로운 예감을 지닌다. 그것은 또한 여체라는 분명한 지시적 내용이면서도 단순한 여체가 아닌, 해석된 이미지의 또 다른 구현이라는 점에서 독특한 구조성을 띤 것이었다. 수직으로 등장하는 여체에 무수히 가로지르는 블라인드의 수평선이 미묘하게 직조되면서 극적인 상황을 유도해준 것이었기 때문이다.

블라인드의 이쪽과 저쪽이라는 시각적 차원이 마련되면서 이른바 공간의 이원성이 화면의 기조가 되고 있다. 이 공간의 이원성은 그 외양과 형식을 달리 하면서도 이후의 그의 작품의 근간으로 부단히 작용하고 있음을 파악할 수 있는데 아마도 그의 작품이 갖는 극적 상황은 여기서 비롯된다 해도 과언이 아닐 듯하다. 감추어진 것과 드러난 것의 끊임없는 직조는 구조적이자 동시에 심미적인 요소를 함축한 것이 된다. 이 안과 밖의 구조를 두고 김복영은 비정한 시대의 경직된 사회상을 읽으려고 하는가 하면,[1] 이일은 "분명한 형태와 정연한 구성, 그리고 그것을 물들이고 있는 경질성의 환한 색채에도 불구하고 어딘가 환상적인 여운을"[2]을 발견하고 있다. 그라인드의 무기적인 질료가 드러내는 비판적이고 냉소적인 시각성에 대비되게 여체라는 생명의 유기적 이미지가 미묘하게 공존하고 있는 화면은 그만큼 경직된 시대의 내면도 감지케 하며 동시에 환상적인 시각의 풍요로움으로 작용하기도 한다. 메카닉한

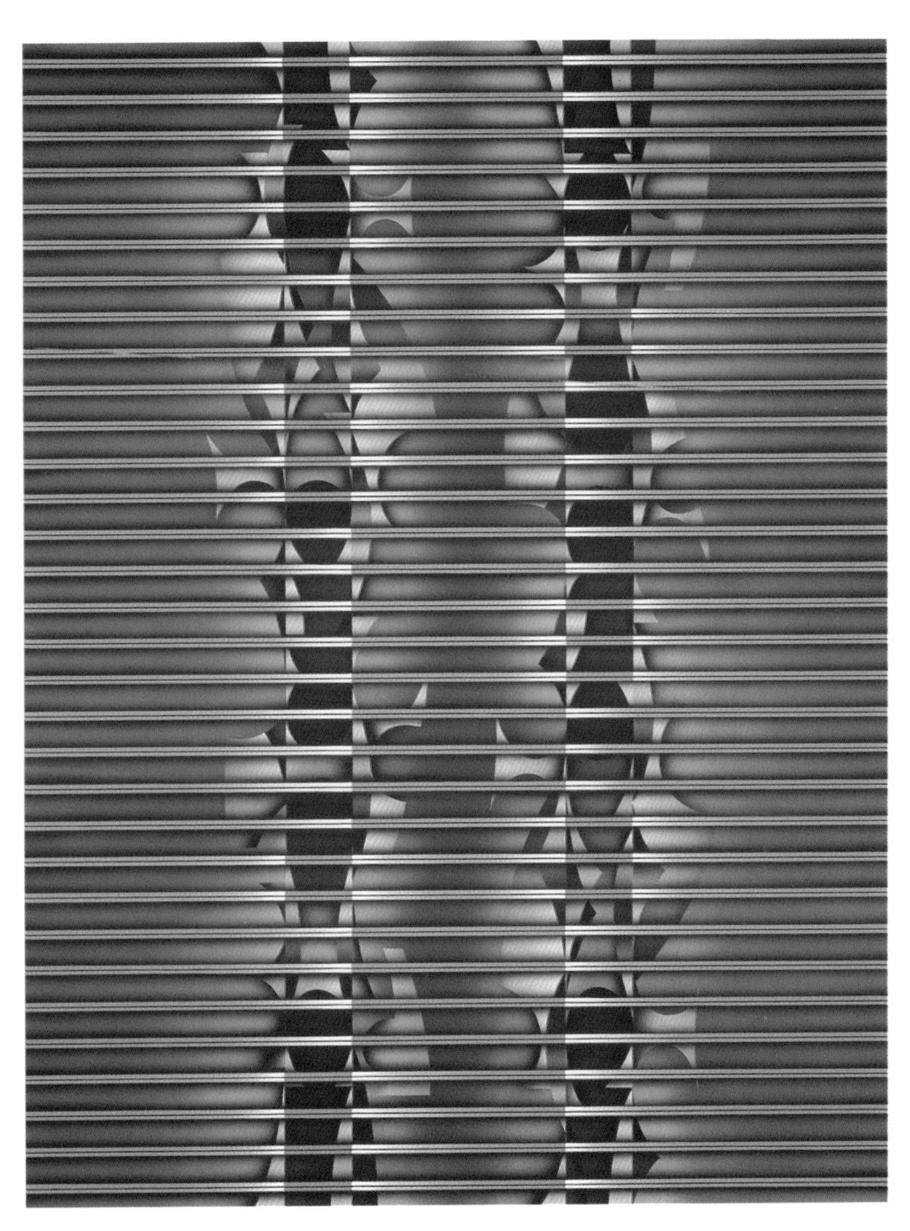

〈form85-22〉 1985년 캔버스에 아크릴 162x130cm

구조의 견고성에 대비적인 인체의 환상적 공존은 그의 근작에로 이어지는 밖의 구조와 안의 리듬이라는 기본적 패턴에 그대로 상응하고 있다. 언젠가 나는 그의 작품을 두고 "지속 가운데의 변모"라는 지적을 한 적이 있는데 이를 두고 한 말이다. 안과 밖은 이미 초기의 작품 속에도 짙게 인식되지만 동시에 근작에도 그대로 적용시킬 수 있기 때문이다.

많은 논평자들이 그를 두고 "철저한 장인기질"[3]의 소유자로 평가하고 있음은 어쩌면 이 일관성에 그대로 연계된다 할 수 있다. 결코 우연성에 의지하지 않는 치밀한 계획과 실천이 철저한 장인적 기질에 의하지 않고는 불가능하게 보인다. 그가 한 시대의 미의식에 쉽게 휩쓸리지 않고 자신의 고유한 형상세계를 천착해온 것도 이에 말미암은 것은 말할 나위도 없다. 예술가는 있어도 장인은 없다라는 말이 우리 미술계에 회자되고 있다. 예술가로서의 겉멋만 횡행하고 있지, 예술을 지탱시켜줄 철저한 장인정신이 뒷받침되지 않는다는 이야기다. 장인적 기질이 없는 예술가들의 말로를 우리는 너무나도 많이 보아온 터이다. 손쉽게 기계적 작업에 의존하는 측면이 많아지고 있는 현대에 올수록 이 같은 현상은 더욱 두드러지게 드러나고 있다. 이 점에 있어서도 그의 작업태도는 교훈으로서 높이 사지 않을 수 없다. 시인 조정권趙鼎權이 그를 두고 "머리 속에서 작품을 구상하는 과정에서부터 완결성을 미리 염두에 두는 면밀한 사고형의 작가"[4]라는 지적 역시 철저한 장인정신을 소유한 작가라는 의미를 함축한 것이다. 작가에 따라 굴곡이 심한 경우가 있다. 때로 뛰어난 작품이 창작되다가도 때로는 타작을 남발하는 경우 말이다. 이 일관성의 결여는 말할 나위도 없이 장인정신이 뒷받침되지 않는 데서 나타나는 현상에 다름 아니다. 김태호의 작품이 초기에서부터 근작에 이르기까지 고른 호흡을 유지하고 있는 것도 다름 아닌 철저한 장인정신에서 비롯된 것임은 두말할 나위도 없다.

1980년대에 오면 형상과 구성이 더욱 내밀화되어 가는 특징을 드러내고 있다. 그런만큼 심미적인 요소가 풍부해지고 있다. 이일은 이를 두고 "이런 것 같기도 하고 저런 것 같기도 한 미묘한 연상작용을 불러일으키게"[5] 한다고 지적하고 있다. 분명히 지시적이었던 여체는 1980년대로 들어오면서는 지시성을 극복하면서 이미 여체가 아닌 또 다른 형상의 창조로 진행되고 있다. 여전히 유기적인 곡면과 생성의 리듬이 지배하고 있지만 그것을 여체라는 특정한 이미지로 귀속시키기에는 그 자체가 이미지화되고 있음을 발견한다. 구체적인 영상의 내용성을 탈각했을 때 화면은 그 자체의 구성 논리 위에 사립하게 된다. 여체라는 지시적 내용성이 선명히 부각되었던 초기의 작품들은 이 점에서 아직 화면 자체의 구조적 논리성을 충분히 획득하지 못했던 것이라 할 수 있다. 지금까지 나타났던 개폐의 이원성도 극적인 대비보다는 대비와 화해의 공존을 통해 더욱 밀도 높은 시각적 충일로 이어지는 것도 그의 조형의 성숙을 시사하는 것이다.

성숙은 또 다른 모색의 장으로 진행될 때 그것의 참다운 의미를 수렴할 수 있다. 이 무렵 그가 한지와 판화 작업에 기울어진 것도 결코 우연의 산물이 아니다. 한지의 작업과 판화의 작업은 상호 견인적 현상이라 해도 과언이 아니다. 판화를 찍어내면서 종이의 속성이 갖는 특성을 쉽게 파악할 수 있고 그것이 한지를 바탕으로 한 작품의 제작으로 자연스레 이어질 수 있었던 것이다. 한편, 1980년대로 접어들면서 현대작가들에 의한 한지의 선호도가 보편화되고 있었던 점도 떠올릴 수 있다. 지지체로서의 한지의 발견은 단순한 소지의 발견이라는 차원을 넘어서고 있다. 한지에 함축되어 있는 우리 고유한 정서가 현대작가들에게 공감됨으로써 고유한 정서와 미술의 정체성이 보다 구체적으로 논의의 선상에 오르게 된 것이다. 한지란 단순한 매개물이라기보다 신체성으로서의 존재라 해도 과언이 아니다. 한지에 에워싸인 공간에서 태어나 자란 한국인들에게 한지는 단순한 재료 이상의 것이지 않을 수 없다. 그가 한지

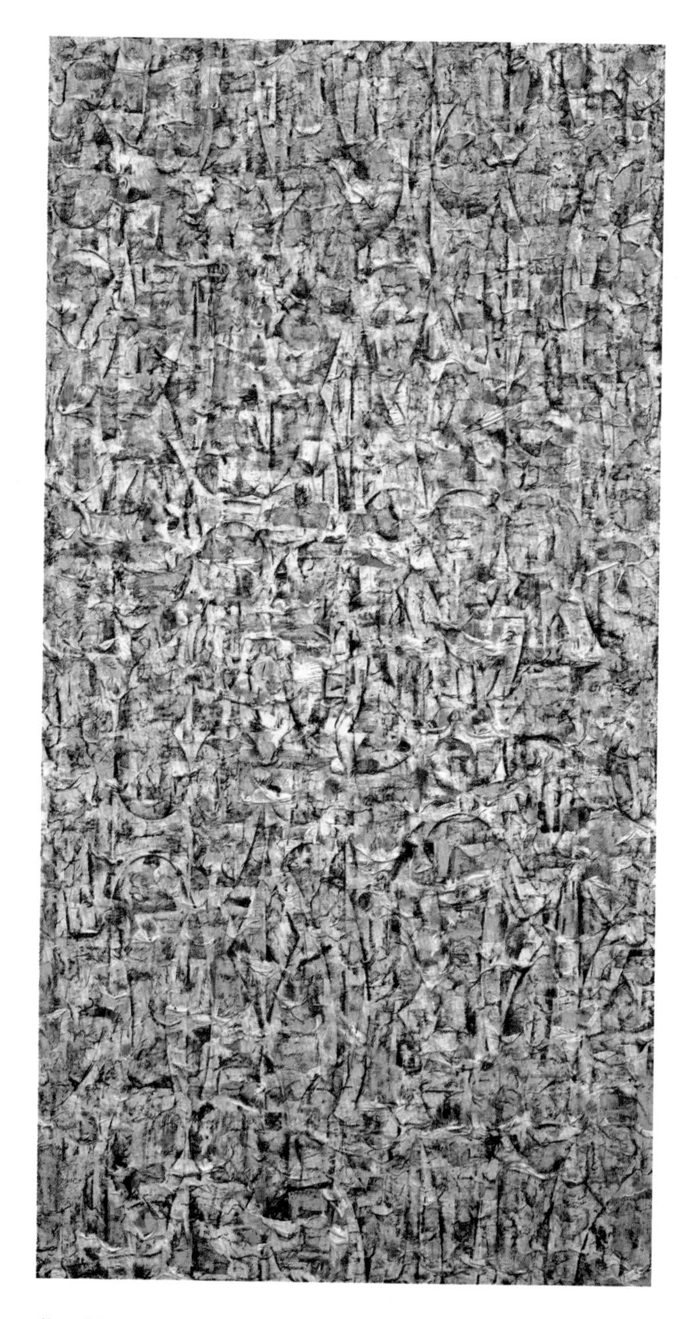

〈form89-705〉 1989년 한지 위에 혼합매체 184×93cm

를 지지체로 선택하게 되는 이면에는 종이의 물성에 대한 일정한 체험에도 연유하지만 우리 고유의 정서의 회복이라는 문화적 자각현상과도 깊게 맥락된다고 할 수 있다.

이미 지적한 바 있듯이 김태호의 작가적 역량이 장인기질에서 크게 연유된다는 점을 떠올려볼 때 판화에의 집중적인 작업성과는 놀랄 만한 결과를 예고한 것이라 해도 과언이 아니다. 1986년 《서울 국제판화비엔날레》에서의 대상과 이어지는 해외전과 판화 개인전은 판화가로서의 그의 위상을 확고히 해준 것이라 할 수 있다. 그의 한지의 사용은 판화를 통한 충분한 개연성을 내장한 것이었다고 해도 과언이 아니다. 종이가 갖는 질료의 특수성은 그대로 한지로 이어지기 때문이다. 한지를 바탕으로 한 그의 작업은 캔버스 위의 작업과 괴를 같이하면서도 종이의 물성에 대한 반응이 두드러지고 있다는 점에서 독특한 내면을 살필 수 있다. 이는 종이를 단순한 지지체로 사용하는 것이 아니라 행위와 질료의 반응이라는 상호 교차적인 관계에 더욱 관심을 갖는다는 것이기도 하다. 종이 위에 그어지는 필선과 필선의 자국에 의해 종이가 밀리면서 부분적으로 찢어지고 부분적으로 밀린 자국이 선명하게 드러나는 화면은 무언가 화면 위에서 펼쳐진 대결의 장을 연상케 하고 있다. 바탕과 행위의 적절한 교접은 재질의 특수성이 부단히 표현의 수단으로 수렴되면서 미묘하고도 풍부한 내면성을 띠게 된다. 어쩌면 이 같은 요소는 안과 밖의 구조를 또 다른 차원으로 이끈 것이 되었다고 해도 과언이 아니다. 단순한 시각상의 안과 밖이 아니라 구체적인 질료를 통한 안과 밖이란 구조로의 변화가 그것이다. 이일은 이를 두고 "그 이행이 단순한 재료의 변화에 그치지 않는 그의 회화세계 전체의 변모를 가져다준"[6] 것이라고 지적하고 있다. 아직도 직선과 곡선이란 대비적 조형요소로 인한 구성 패턴은 지속되지만 전면성으로 나아가는 변화적 기미는 넓이와 깊이라는 또 다른 차원을 예감시킨 것이었다고 할 수 있다.

그것의 일차적 현상이 다름 아닌 반복 패턴과 전면화 현상이다. 수직과 수평이란 구조의 반복적 핸드라이팅handwriting은 근작의 밀집된 구성을 예감시키지만 이 무렵의 작품은 근작에 비해 훨씬 평면적이다. 그린다는 행위의 반복과 동시에 평면화의 진행은 회화성의 회복과 동시에 모노크롬이라는 시대적 미의식에로 연결되게 하는 미묘한 상황을 연출해 보이고 있다. 김영순의 다음 지적이 그 적절한 해답이 될 것 같다. "그것은 김태호가 1970-80년대의 대표적 형상작가로서 고유세계를 구축했던 다색의 일루전 회화의 자취와 동시대를 주도했던 이른바 모노크롬monochrome 회화라고 불리는 한국 모더니즘 회화의 성과가 변증법적 상승 작용을 일으키며 융합된 경지이다."[7] 사실 그렇긴 하나 김태호의 모노크롬적 현상은 일반적인 그것과는 분명한 차별성을 드러내놓은 것이다. 일정한 하나의 색조로 뒤덮이는 모노크롬과는 대비적으로 그의 화면은 많은 색조들에 의해 뒤덮인 표면이다. 다색의 선조가 화면 전체를 뒤덮으면서 나타나는 다분히 생성적인 화면이다. 이 같은 화면상의 특징을 두고 나는 다음과 같이 지적한 바 있다. "그의 화면은 색 층에 의한 일정한 평면 구조로서의 밖의 풍경을 지니고 있지만 무수한 선조들에 의해 가늘게 숨쉬고 있는 생동의 안의 풍경을 동시에 보여주고 있다고 할 수 있다. 말하자면 밖의 구조와 안의 결이 미묘하게 일체화되어 있는 화면을 대하는 것이다"[8]라고. 아마도 이와 같은 과정이 없었더라면 근작의 구조는 태어나지 않았을지 모른다. 따라서 반복과 전면성이 강조된 종이 이후의 작업은 일종의 과도적 현상이라 해도 과언이 아닐 듯하다. 시차로 본다면 그의 모노크롬은 때늦은 것으로 보일지 모른다. 1970년대 후반과 1980년대로 이어진 모노크롬의 주류화라는 시각에서 보면 말이다. 그러나 그가 도달한 모노크롬은 자신의 작업의 일정한 과정의 결과로서이지 경향에 대한 일정한 반응으로서의 현상은 아니다. 그런 점에서 그의 모노크롬은 퍽 예외적이란 수식이 가능할 것 같다.

김태호의 근작은 2000년대로 들어오면서 시작된 일정한 필선과 색료의 응어리로 이루어지는 연작을 가리킨다. 우선, 표면적으로 근작은 이전의 작품들과 심한 대비현상을 이룬다. 무엇보다 안료의 두꺼운 층에 의해 이루어지는 육중한 매스가 초기의 작품에서 엿볼 수 있는 환시적인 평면성, 중기의 종이의 물성과 전면화에로의 시도와는 확연히 다른 면모이다. 먼저 작가의 작업상의 과정을 엿들어보자. "먼저 캔버스에 격자의 선을 긋는다. 선을 따라 일정한 호흡과 질서로 물감을 붓으로 쳐서 쌓아간다. 보통은 스무 가지 색면의 층을 축적해서 두껍게 쌓인 표면을 끌칼로 깎아내면 물감 층에 숨어있던 색 점들이 살아나 안의 리듬과 밖의 구조가 동시에 이루어진다. 축적 행위의 중복에 의해 짜여진 그리드 사이에는 수많은 사각의 작은 방이 지어진다. 벌집 같은 작은 방 하나 하나에서 저마다 생명을 뿜어내는 소우주를 본다." 그러니까 그의 작업의 콘셉트는 쌓기와 긁어내기로 요약될 수 있다. 그리드라는 얼개를 상정하고 여기에다 반복되는 직선을 통해 일정한 두께가 만들어지면서 그리드의 안은 작은 동공으로 밀집되게 된다. 이렇게 쌓아올린 색 층을 부분적으로 긁어냄으로써 역설적인 방법이 강구된다. 이 방법이야말로 그의 말대로 "지워냄으로써 드러나는 역설의 구조"에 다름 아니다. 많은 색채가 쌓아올려졌기 때문에 끌칼로 부분부분을 깎아내면 물감 층에 숨어있던 색 점들이 선명하게 되살아나게 된다. 마치 생명의 숨결처럼 그것은 미묘한 리듬으로 작용하게 된다. 견고한 바깥의 구조에 대비되게 섬세한 안의 리듬은 신비로운 생성의 차원을 일구어낸다. 초기의 표상의 이원성에서 방법의 이원성으로 전이되어 왔다고나 할까. 그의 작품을 보고 있으면 방법이 부단히 표상을 앞질러오는 인상을 주고 있다.

그의 방법은 바탕 만들기에서 그 과정의 치밀성을 드러낸다. 보통 20가지 색면 층을 축적시켜나가는 일 자체가 엄청난 도로徒勞에 값한다. 또한 이를 적절하게 다듬어가는 긁어내기는 더욱 도로로 비친다. 무수하게 색 층을 쌓아올리는 일도 그렇거니와 쌓아올린 색 층을 긁어낸다는 것은 더욱 황당한 일로 치부되어지기 때문이다. 아마도 긁어냄으로써 획득되는 미묘한 물감 층의 리듬이 없었더라면, 색깔들이 만드는 신비로운 광채가 없었더라면 얼마나 허무한 일이겠는가. 그리고 빼곡하게 채워지는 작은 방들의 내밀한 구성이 자아내는 웅장한 합창이 없었더라면 이 또한 얼마나 싱거운 표면이겠는가. 덕지덕지 쌓아올린 안료 층의 육중한 시각적 압도는 만약 그 내면에 끊임없이 생성되는 생명의 리듬이 없었다면 그것은 단순한 덩어리에 지나지 않을 것이다.

지바 시게오千葉成夫는 이를 두고 "물리적 평면이 아닌 회화 이외의 무언가를 만들어내려 하고 있다"[9]고 지적한 바 있는데 회화 이외의 것이란 무엇을 지칭하는 것일까. 아마도 그것은 단순한 시각적인 회화의 차원을 넘어선 현상을 예시하는 것은 아닐까. "촉감과 시각, 시간과 공간이 동일 차원에서 만나고 분산되어 중심도 끝도 없이 전개"[10]됨으로써 일반적 회화의 틀에서 벗어나려는 것으로서 말이다. 그렇다면 그의 근작은 평면으로서의 한계를 벗어날 수 없는 회화의 존재에 대한 근원적인 도전이 아닐 수 없다.

1 김복영은 「은폐와 개시의 이원성」(월간미술 2004.2)에서 "수평의 샷터와 그 속에 그려진 수직의 인간상이 만드는 그리드야말로 비정한 시대의 경직된 사회상을 지시하는 최상의 기표(시내티앙)였음이 틀림없다"고 피력하고 있다.

2 이일 1977년 김태호 개인전 서문

3 이일이 1994년 김태호 개인전 서문에서 지적한 장인적 기질도 그 중의 하나다.

4 조정권 「작가와의 대화」 월간미술 1989. 11

5 이일 1984년 김태호 개인전 서문

6 이일 위의 글

7 김영순 2001년 김태호 개인전 서문

8 오광수 「대비적인 조형에서 종합의 조형으로」 월간미술 1989. 11

9 지바 시게오 2002년 동경화랑 김태호 개인전 서문

10 김영순 2001년 위의 글

『김태호』 2006년 화집

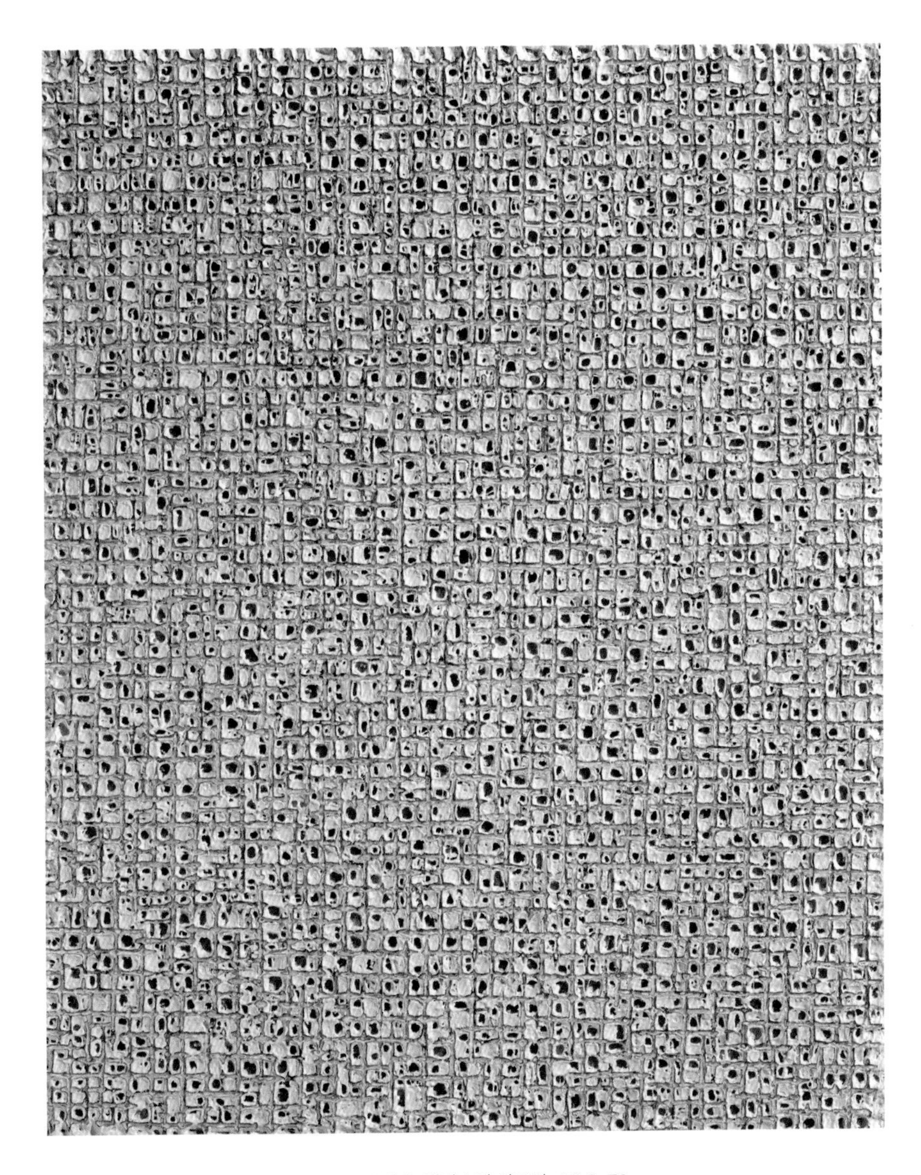

〈Internal Rhythm 2009-60〉 2009년 캔버스에 아크릴 92.3x73cm

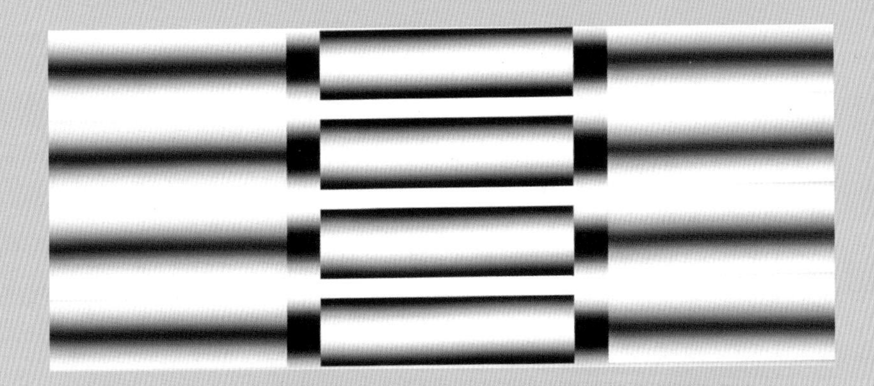

이승조

LEE SEUNGJIO

1941 평안북도 용천 생
1965·1984 홍익대학교 미술대학 회화과 졸업 동대학원 졸업
1972 국전추천작가 선정 문화관광부
1977-1980 한국미술협회 이사
1979 국전초대작가 선정 문화관광부
1981-1988 중앙대학교 예술대학 회화과 조교수
1990 작고

개인전

1973 신세계 화랑 서울
1976 명동화랑 서울
1978 한국화랑 서울
1980 관훈미술관 서울
1984 미화랑 서울
1987 두손갤러리 서울
1991 호암갤러리 서울
1996 토탈미술관 갤러리현대 서울
2000 부산시립미술관 부산
2010 20주기 회고전 기하학적 환영 선화&일주 갤러리 서울
Back to Black 샘터화랑 서울

단체전

1963-1970 Origin 동인전
1967 한국청년작가연립전 국립중앙공보관 서울
1970 한국미술대상전 한국일보사주최 서울
A.G전 '확장과 환원의 역학' 국립중앙공보관 서울
1971 A.G전 '현실과 실현' 국립현대미술관 서울
A.G 판화전 국립중앙공보관 서울
제11회 Sao Paulo Biennale 브라질
1973 제1회 Independants전 국립현대미술관 서울
한국현대미술1957-1972 조형과 반조형전 명동화랑 서울
1975 공간미술대상전 공간화랑 서울
제1회 서울현대미술제 국립현대미술관 서울
제1회 Ecole de Seoul전 국립현대미술관 서울
제7회Cagnes 회화제 Cagnes France
1991 한국현대미술의 한국성 모색 2-환원과 확장의 시기
한국현대미술의 한국성 모색 3-갈등과 대결의 시대
한원 갤러리 서울
1992 제17회 Ecole de Seoul전-이승조회백 추모특별전
관훈미술관 서울
1993 한국현대미술-격정과 도전의 세대 토탈미술관 서울
1995 국내외 작가 52인전 갤러리현대 서울
1996 70년대 한국의 모노크롬전 갤러리현대 서울
1997 김순권박사 후원 기금조성 특별전 미화랑 서울
심문섭 이승조 이강소 최명영 서승원 박석원 시공갤러리 서울
1999 5m展 종로갤러리 서울
2001 요절과 숙명의 작가전 가나아트센터 서울
전시의 풍경전 3부-장려와 연술 갤러리M 대구
2002 현대미술이라는 이름의 보물섬전 바탕골미술관 경기
사유와 감성의 시대전 국립현대미술관 서울
추상화의 이해전 성곡미술관 서울
2003 Painting & Drawing 바탕골미술관 경기
확장과 환원의 역학-기하하적 추상과 탈모던의 기록
한전아트센터 서울
2004 한국의 평면회화 어제와오늘 시립미술관 서울
2005 회복- 호남추상원류를 찾아서 우제길미술관 광주
2006 현대미술의 환원과 확산- 오리진 회화협회1962-
예술의 전당 한가람미술관 서울
2007 한국 추상회화 1958-2008 서울시립미술관 서울
2008 국립현대미술관- KAIST 공동 기획: 과학정신과
한국현대미술-Artists What is Science for You?
KAIST 대전
ASSOULINE 출판기념 한국현대미술 대표작가 9인전
노화랑 서울
2009 The Color of Nature-Monochrome Art
in Korea WELLSIDE GALLERY 상하이
2010 드로잉 30주년 소마미술관 서울

수상

1968 제1회 동아국제전 동아대학교 주최 부산
제17회 대한민국미술전 문화공보부장관상
문화공보부 주최 서울
1969 제18회 대한민국미술전 특선
1970 제19회 대한민국미술전 문화공보부장관상
1971 제20회 대한민국미술전 특선
1975 제7회 Cagnes 국제회화제 국가상
Cagnes France
1980 제6회 한국미술대상 최우수상 한국일보사 주최 서울

파이프의 조형

이승조李承祚는 파이프로 시작되어 파이프로 끝났다고 할 수 있다. 이 말은 파이프라는 주제 상의 논의에 앞서 일관된 작업의 지속을 말하는 것에 다름 아니기도 하다. 누구에게나 각인되어있는 파이프작가로서의 이승조에게 파이프 외에 어떤 이미지를 상정할 것인가. 그의 작가 생활이 25년으로 기록되어 있다. 25년간의 작업이 파이프로 일관되었다는 것은 그것이 어떠한 평가에 좌우되더라도 일단은 초지일관한 자기 세계에의 추구라는 에피세트epithet는 벗어날 수 없는 것이다.

이승조의 작가로서의 데뷔는 1964년 《오리진ORIGIN》 창립으로부터이다. 《오리진》은 1964년 홍대 서양화 출신들로 구성된 단체였다. 신기옥, 김수익, 최명영, 서승원, 이상락, 이창배, 이승조 등으로 이루어졌다. 《오리진》은 한때 발전적 해체를 거듭하여 다시 출범하였는데 현재의 《오리진》은 《오리진》 2기인 셈이 된다.

《오리진》 창립전이 국립 공보관화랑에서 열렸던 것이 기억난다. 그러나, 당시 출품작들에 대한 인상은 어쩐 일인지 하나도 남아 있지 않다. 아마도, 이들이 보여주었던 전체적인 경향이 추상표현주의의 범주에서 벗어나지 않음으로 해서, 한 시대적 미의식 속에 함몰되었었기 때문일 것이다. 1963, 64년경 데뷔하고 있는 작가들이 여전히 앵포르멜로 수사되는 추상표현주의의 영향권에 있었다는 사실은 쉽

이승조의 활동이 1968년 이후 단연 활기를 띠는데 그 내면도 역시 분명한 자신의 방법에 대한 확신으로 볼 수 있을 것 같다. 이 무렵부터 그에게 붙기 시작한 파이프통 화가라는 닉네임은 생애를 통해 따라다니게 된다.

이 무렵에 또 하나 주목할 부분은 그가 1968년부터 국전에 출품하고 있음이다. 대부분의 현대 작가들이, 더욱이 《오리진》을 중심으로 한 신진 그룹들이 조형 이념적인 면에서 경원해 마지않았던 국전에의 참여는 다소 기이하게 보이는 부분임이 틀림없다. 물론, 그렇다고 해서 현대미술운동권에서 벗어난 것은 아니었다. 어떻게 보면 양편에 다 같이 참여하고 있었던 셈이다. 이 같은 자신의 입지를 당시 필자는 작가 스스로에게서 들은 바 있다. 같은 《오리진》 멤버들 가운데서 국제전에의 출품 빈도가 잦아진 반면 자신이 소외되고 있다는 피해 의식이 국전에로의 출품을 유도케 한 심리적인 동인이었다고. 지금 보아서는 아무렇지도 않게 보이는 국제전에의 진출은, 당시 현대 작가들에겐 작가의 생명과 직결되는 무엇쯤으로 생각하고 있었다. 그만큼 열기가 대단했었다. 국제전 하나 제대로 경력란에 끼어 있지 않으면 현대 작가로 대접받지 못했던 시절이었다. 이승조의 국제전 진출은 1971년 상파울로비엔날레가 처음이고, 이후 여러 차례의 국제전이 기록되고 있지만 1960년대 후반은 다른 동료들에 비해 밀리고 있었음이 사실이다.

이승조의 국전 출품은 1968년부터 시작, 1971년 4회에 걸친 특선을 통해 추천작가가 되는데, 1968년과 70년 두 차례에 걸쳐 문공부장관상을 수상한 바 있다. 1968년 문공부장관상 수상 때는 잔잔한 파문을 일으켰던 사건이 있었다. 여러 신문에서 문공부장관상 수상자인 이승조 씨가 수상을 거부한다는 내용의 기사를 실었지만 이는 조금 과장된 것으로 판명되었다. 한 신문지상에 밝힌 그의 소감을 인용하면 이렇다.

〈Nucleus〉 1968년 캔버스에 유채 173×130cm

"수상을 거부한다기보다 국전 심사에 있어 누적된 불합리와 모순에 반기를 드는 용기 있는 기수가 되려고 했지만…"

그가 피력한 불만은 국전의 심사 안배에 대한 모순에 향한 것으로 수상 자체를 거부한 것이 아님이 밝혀졌다. 그가 강한 불만을 토로한 것은 당해 최고상 후보로서 거론되었다가 장르상의 안배에 따라 서양화가 문공부장관상으로 밀렸다는 심사 후문에 기인한 것이었다. 당시 〈주간 한국〉은 다섯 사람의 평론가들로 하여금 장외 심사를 통해 이승조의 작품을 대상으로 선정한 바 있다. 물론 이는 하나의 여론의 조성에 지나지 않았지만 심사 모순에 대한 항의의 형식으로 의미를 지니었다.

1967년 《청년 작가 연립전》 이후 이승조의 활동은 이상의 국전에의 출품 외, 조선일보주최 현대작가초대전, A·G가 주무대였다면, 1970년대 후반에는 《에콜 드 서울》과 《앙데팡당전》을 통해 펼쳐졌다.

1970년대 전반이 치열한 해체 작업과 물질 실험의 파고가 높았던 시기로 규정한다면, 후반은 모노크롬에 의한 화면의 구조 문제가 첨예하게 대두되었던 시대였다. 이승조의 작품이 이 같은 시대적 추이에 어떻게 대응되었는가는 참으로 흥미로운 일이다. 글머리에서도 밝혔듯이 이승조는 파이프에서 시작되어 파이프로 완결되었다는 점을 다시 떠올린다면, 그의 작품 경향에서의 변화는 없었다는 것이 정확하다. 그렇다면 그는 자신의 작품으로 이 같은 시대적인 조형 문제에 대응했다는 것이 된다. 전체 속에 함몰되어 가지 않고 오히려 자신을 전체 속에 강하게 대비시킴으로서 자신을 지탱할 수 있었던 것이 된다. 그것은 이승조의 투철한 조형 의식의 결정인지 아니면 우직한 뚝심인지는 알 길 없다. 단지, 그러한 태도가 오히려 자신을 더욱 확고히 할 수 있었다는 사실이다.

1970년대로 들어오면서 기하학적, 시각적 패턴의 작업은 급격히

후퇴하는 느낌을 준다. 뚜렷한 주류가 없었던 시대였음에도 불구하고 기하학적, 시각적 추상은 그 나름의 한계를 드러내고 있었던 분위기였다. 이승조의 작업만이 더욱 빛을 발할 수 있었던 것도 상대적으로 이 같은 분위기에 크게 기인된 것이 아니었나 본다.

이승조의 작업이 일관된 것이긴 하나 그 나름의 변화가 없었던 것은 아니었다. 여기서 말하는 그 나름의 변화란 일정한 한계 속에서의 그것임을 말한다. 파이프라는 패턴 속에서의 변화를 지칭한다.

이승조의 회화적 전개과정을 이일과 김복영은 다음과 같이 각각 3기로 구분해 주고 있다.

1) 1968-1973, 2) 1974-1980(?), 3) 1980년 중반이후

1) 1965-1970, 2) 1971-1980, 3) 1981-1990

두 사람의 관점에서 다소 차이가 있다면 1기인데, 이일은 1968년에서 시작한 반면, 김복영은 소급해서 1965년으로 잡고 있다. 이일은 파이프라는 분명한 조형적 방법에서 시작하고 있는 편이며 김복영은 데뷔 시절에서부터 시작하고 있음이 차이다. 그래서 2기의 출발점에 다소의 간격을 드러내고 있다. 이일은 1기를 다소 압축해서 보는 반면, 김복영은 더 늘려 잡고 있는 편이다. 3기는 거의 일치한다.

내가 보는 입장도 이들과 대동소이하다. 조금 생각을 달리한다면, 1964년에서 67년까지를 하나 더 설정해 보는 것이다. 《오리진》 창립에서 《청년작가연립전》 무렵까지인데, 이 시기의 작업은 《청년작가연립전》의 그것이 기하학적 패턴의 그것이긴 하나 아직 파이프라는 분명한 시각적 일루전에는 도달해 있지 않은 시기이기 때문이다. 2기는 1968년부터 1970년대 중반, 3기는 1970년대 중반에서 1980년대 중반, 4기는 1980년대 중반 이후로 구획해 보았다.

1기의 경향은 추상표현주의에서 기하학적 추상으로 자기 탈바

〈Nucleus〉 1975년 캔버스에 유채 172x130cm

꿈을 시작한 시대라고 할 수 있어 자기 세계로 향한 하나의 형성기로 특징 된다고 볼 수 있다. 이승조를 논할 때, 특히 그가 파이프라는 뚜렷한 방법에 도달했을 때로부터 잡아 보는 것이 타당하다면 1964년에서 1967년까지의 몇 년은 하나의 습작기, 준비기로서의 의미로 압축해 볼 수 있을 것이다.

이승조의 작품에 붙여지고 있는 파이프란 실상 띠의 구조에서 기여된 것이다. 세로로 내려오다가 가로로 걸쳐 가는 긴 띠들이 스프레이의 기법으로 안료가 띠의 가장자리에 갈수록 진하게 처리하고 안으로 올수록 엷게 처리함으로써 입체적인 원통형을 연상시키게 하는데서 비롯된 것이다. 파이프란 말이 누구에 의해 처음 사용되었는지는 모르나 보는 사람들의 공통된 의견으로 묵약되어 나온 말로 보는 것이 옳을 것이다. 파이프란 말이 붙으면서 오히려 더 파이프통으로서의 무기질적 표현이 심화된 것이 아닌가 본다. 1969년, 70년에 오면 단순한 평면 구성의 요소로서의 원통형이 아니라 원통형 자체에 의한 구성으로 전이되고 있기 때문이다. 이미 이일도 여러 차례 인용한 바 있는 이승조의 자기변, "나를 파이프의 화가라고 부르는 사람도 있다 별로 원치도 않고 또 싫지도 않은 말이다. 구체적인 상의 모티프를 전제하지 않는 반복의 행위에 의해 착시적인 물체성을 드러내고 있음을 두고 하는 말일 것이다. 물론 현대문명의 한 상징체로서 등장시킨 것도 아니다"라는 말을 재음미해 보면, 원치도 싫지도 않다는 것은 그것으로 인해 자기 작품이 보다 분명한 객관적 존재로서의 가치를 지니는데 대해서는 굳이 부정할 필요가 없지 않느냐는 것이다. 파이프로 인해서 작가적 이미지가 보다 구체화된다면 싫지 않다는 표명이다.

그러면서도 자신이 하고 있는 작업이 객관적인 대상- 사물로서의 파이프가 아님을 분명히 밝히고 있다. 자기 작업에 대한 언명으로서는 다소 미진한 느낌이 없지 않지만 시각적 일루전에 의한 자기 방법의 구체성을 선명히 해 보이고 있다.

2기로 잡을 수 있는 1968년경에서 1970년대 중반까지는 원통형에 대한 구성적 변주가 다양하게 펼쳐지고 있다. 파이프로서의 금속성을 더욱 강하게 드러내게 하는 방법으로 일정한 크기로 토막을 낸 원통형들을 겹쳐 쌓기도 하고, 일정한 질서로 나열하기도 하는 등 대단히 차가우면서도 탄탄한 구성적 밀도가 두드러지고 있음을 엿볼 수 있다. 자신의 방법에 대한 자신감을 드러내 놓고 있는 느낌이다. 파이프이면서 동시에 파이프가 아닌 세계로의 중간 항이 갖는 긴장감이 팽배하게 전달된다.

많은 사람들이 지적하고 있는 파이프란 하나의 이미지를 상정한 것이다. 그러나, 막상 작가가 그리고 있는 것은 파이프가 아니다. 그러니까 파이프이면서 동시에 파이프가 아니다. 이미지를 거부하는 데서부터 그의 작업은 출발하지만 부단히 이미지로 환원되려고 하는 이 팽팽한 견인 속에서 그의 작품은 놓이게 되는 셈이다.

1970년대 중반에서 시작되는 3기는 2기의 분명한 파이프와는 다소 다른 모습의 원통형이 시도되고 있다. 분명한 금속성의 질감이 지워지고 원통과 원통이 잇대어지면서 하나의 전면성으로 나아가고 있음이다. 파이프 통으로서의 물질감, 또는 개체성이 사라지고 화면은 일정의 띠의 반복에 의한 균질성을 드러내고 있다. 파이프라기보다는 형광등에 가깝다. 하기야 형광등 자체도 원통의 구조이긴 마찬가지지만.

1970년대 중반부터 1980년대 중반에 이르기까지의 작품들에 두드러지게 표상되는 화면의 균질성은 일종의 모노톤의 지향이라는 입장에서 파악되어야 하지 않을까 본다. 이 점에서 그의 작업이 1970년대 후반 모노크롬의 주류 속에서도 결코 낯설지 않게 하는 부분이다. 앞에서도 지적했듯이 이승조는 자신의 고유한 조형패턴으로서 파이프를 버리지 않으면서 동시에 시대적 미의식에 밀착된 자기 안에서의 변모를 은밀히 시도해 보인 것이다. 김복영은 이를 두고 "촉각적 물체로서의 파이프와 그것의 지지체로서의 평면의 분리를 거부하고 평면과 모티프가 일체화된 시각적이며 개념적인 평면"이라고 지적하고 있다. 이 말은 곧 평면의 구조 문제를 시사함과 동시에 이승조가 그러한 평면 구조의 문제를 자기 나름으로 접근하고 있음을 가리키고 있다. 이일이 "색띠와 색면은 서로 호응하면서 화면전체에로 확산되어 가며 무한히 연속적인 내재적 리듬을 타고 은밀히 진동한다"는 지적도 앞의 김복영의 견해와 일치함으로써 이 시대 이승조의 작업을 명쾌하게 진단해 내고 있다. 지지체와 평면의 분리 거부나 색띠와 색면이 서로 호응하면서 전체로 확산되는 세계는 곧 그려진 것이자 동시에 평면인 세계, 지지체이자 동시에 그림의 세계를 말하는 것이다.

그러나 이 시대 대부분의 모노크롬 회화가 그리는 것 자체를 부단히 무화시켜감으로써 평면이라는 구조 자체를 부각시키려고 했던 것에 비하면, 이승조는 모노크롬을 지향하면서도 일정한 내재율에 의한 평면 자체의 생동성을 획득해 보이고 있음에서 스스로의 차별성을 확고히 해주고 있다. 그의 작품이 특히 외국의 미술 관계 인사들에게 깊은 인상을 주었던 것도 이 차별성에 기인되었던 것이 아닌가 본다. 1981년 부룩클린미술관에서 열린 《한국판화, 드로잉전》을 꾸미기 위해 내한한 큐레이터 진 바로Gene Barro는 이 전시 외에 《카네기국제전》을 준비하면서 한국의 몇 작가를 선정할 의도를 가지고 있었다. 1980년대 초만 하더라도 자기 작업실을 제대로 갖추고 언제든지 작품을 보여줄 수 있는 작가들이란 극소수에 불과했다. 외국의 미술 관계 인사들이 한국의 현대미술을 보기 위해 오는 경우도 몇 사람의 화실을 찾는 것이 고작이다. 국립 현대 미술관의 소장도 말이 아니었다. 워커힐 호텔 로비에 걸려 있는 현대 작품들을 보고 진 바로가 가장 관심을 기울였던 작가는 이승조였다. 그러나, 어쩐 영문인지 작가는 자신의 화실을 보여주지도 이에 응할 의사도 없어 카네기 행은 끝내 좌절되고 말았다. 김진석만이 유일하게 출품하였다.

4기에 해당되는 1980년대 중반 이후 1990년 작고하기까지의 기간은, "제1기의 입체적 공간구성과 제2기의 단일 색면적 구성의 변증법적 종합의 조형 세계"이일 "지금까지의 전개 과정들이 혼재하는 양상"김복영으로 나타나는 종합의 세계라 할 수 있을 듯하다. 금속성의 질감이 두드러지게 표상되는 파이프가 다시 등장하는가 하면, 흐릿하게 화면 전체로 균질화되어가는 연속성이 미묘하게 돌출하는 것과 바탕으로 스며드는 것이 겹치면서 화면은 보다 복잡한 차원을 형성해 보인다. 그런 만큼 화면은 더욱 예각적인 구성적 톤이 지배된다. 차라리 메커니즘이라는 표현

〈Nucleus88-19〉 1988년 캔버스에 유채 193.5x130.3cm

이 어울릴지 모르겠다. 일체의 감정이 제거된 차가운 논리성이 엮어 나가는 탄력은 팽팽하게 조여진 기계구조를 그대로 떠올리게 한다. 여기에는 평면으로 환원된 회화와 그 회화를 보는 작용으로서 시각적 반응만이 존재할 뿐 어떤 것도 틈입되지 않는다. 그것은 곧 김복영이 지적한 바 있는 '평면과의 대결'이 갖는 긴장감이요 그것의 연속에 다름 아니다.

많은 사람들이 지적했듯이 고집스럽게 한 방향을 추진해 온 작가로서의 이승조가 갖는 이미지는 변화의 부침이 심한 우리의 풍토에선 대단히 귀중한 존재로 부각된다. 더욱이 논리적인 작업의 전통이나 체험이 빈약한 우리의 현대미술 속에서 그가 보여주었던 끈질긴 논리화의 작업은 더없이 이채롭게도 보인다. 이 하나의 작업과정만으로도 그는 우리 현대 미술사에 길이 남을 것이다.

『이승조 5주기 회고전』 1996년 토탈미술관·갤러리현대 전시도록

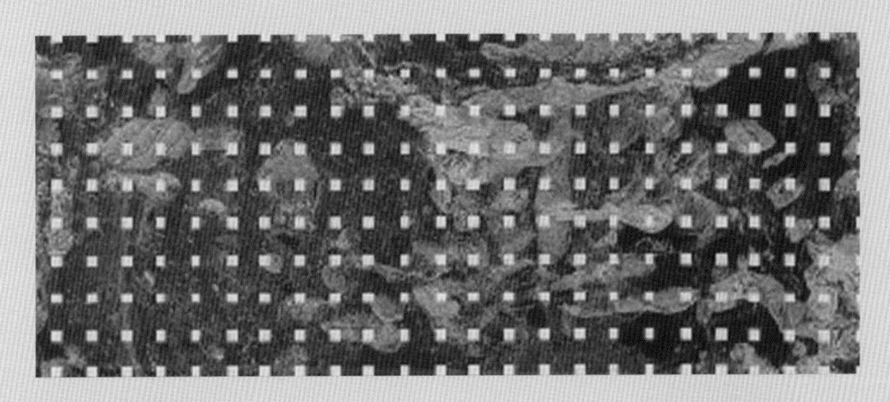

이태현

LEE TAEHYUN

1963 홍익대학교 미술대학 서양화과 졸업
1982 경희대학교 교육대학원 졸업
1989-2010 대한민국 미술대전 충북도전 경기도전 단원미술전 나혜석미술대전 심사위원 및 운영위원
국립현대미술관 작품수집 심의위원 역임
현재 서원대학교 미술학과 명예교수
한국미협 자문위원
홍익대학교 미술대학 회화과 동문회장

개인전

1980-2006 11회

단체전

1962-1967 무동인회 창립전 국립도서관 화랑
현대미술실험전
한국청년작가연립전 중앙공보관 화랑
1971-1978 제2·3·5회 한국미술대상전
제1회 중앙미술대전 국립현대미술관
1978 제4회 인도트리엔날레 뉴델리
1985 제18회 상파울루 비엔날레 상파울루
1978 한국현대미술20년의 동향전 국립현대미술관 계간미술 공동주최
1980 한국판화드로잉대전 초대 출품 국립현대미술관
제7회 한국미술대상전 초대출품 한국일보주최 국립현대미술관
1981 제4회 중앙미술대전 초대출품 중앙일보사주최 국립현대미술관
드로잉81전 초대출품 국립현대미술관
1982 한국현대미술위상전 교토시미술관 교토
1988 88서울올림픽기념 한국현대미술전 국립현대미술관
1982-1992 현대미술관초대전 국립현대미술관
1994-2005 서울미술대전 초대출품 서울시립미술관
1991 한국현대미술의 〈한국성〉모색2-환원과 확산의 시기 한원미술관
1993 한국현대미술 격정과 도전의 세대전 토탈미술관 서울
2001 프랑스 국립미술협회전 S.N.B.A초대출품 까루셀 뒤루블 파리
2003 드로잉의 새로운 지평전 초대출품 국립현대미술관
박수근을 기리는 사람들전 초대출품 박수근미술관 강원 양구군
2005 한국현대미술 도큐멘타1 노암갤러리 서울
서울미술대전-회화전 초대출품 서울시립미술관
2007 근·현대 인천미술의 궤적과 방향전 인천종합문화예술회관 인천
2008 한국추상회화:1958-2008전 서울시립미술관
2009 C.KOAS 한·중 수교 17주년기념 특별기획교류전 북경상상국제미술관
2010 아트청주2010 청주 예술의전당

수상

1978 제14회 한국미협전 대상수상 국립현대미술관 한국미협주최
1981 제30회 대한민국미술전람회 특선 국립현대미술관

작품 소장

국립현대미술관 삼성미술관 리움 서울시립미술관 홍익대학교현대미술관 서귀포시립기당미술관 등

생성과 질서

한 예술가의 형성은 그가 태어나면서부터 물려받은 유전적 인자와 삶의 과정에서 형성되는 경험적인 인자의 작용에 의함은 말할 나위도 없다. 천재적인 소양을 지니고 태어난 경우도 이를 개발하고 가꾸는 후천적인 환경의 요인이 없이는 제대로 그 천재성을 발휘하지 못하고 시들어 버린다. 거꾸로, 그를 에워싼 환경과 공간적 조건이 완벽하다 해도 그가 원래 지닌 천부적 기질이 없이는 예술가로 제대로 성장할 수가 없다. 전자가 밭에 뿌려진 씨앗이라고 한다면 후자는 이를 받아 발아시키고 성장시키는 토양에 비유된다. 대부분의 예술가들이 개별적인 편차는 있으나 이 두 조건을 갖춘 경우에라야 예술가로 살아남는다. 토양은 단순한 땅에 머물지 않고 땅을 기름지우는 적당한 물과 태양과 바람을 포괄한 것이다. 그것은 곧 교육적 환경, 교육적 조건에 해당되는 것이라 할 수 있다.

이태현李泰鉉은 경북 예천 출신이다. 이 지역은 경북에서도 북부에 해당하는 곳으로 명문대가가 즐비한 곳으로 이름나 있는 곳이다. 안동을 중심으로 그 외곽을 둘러싸고 있는 예천, 상주, 문경, 영주, 봉화, 의성 일대는 역사적으로 많은 사대부들과 대학자들이 배출된 지역이다. 그러나 같은 예술 영역이라도 문학 쪽에는 뛰어난 문사들이 적지 않게 나온 반면, 미술 쪽은 상대적으로 빈약한 편이다. 이는 글은 되고 그림은 안 된다는 오랜 문인사대부선비의식이 지배해온 이 지역 특유의 분위기에서 기인되고 있음은 말할 나위도 없다. 남자가 미술을 전공하겠다고 결심하는 것은 특히 이 지역에서는 여간 어려운 일이 아닐 수 없다. 이태현이 미술을 전공하겠다고 했을 때도 부친의 완강한 반대가 있었던 것은 물론이려니와 등록금을 마련하는데도 외가의 도움을 받지 않으면 안 되었다. 이 같은 경우는 비단 이태현에게만 한하는 것이 아니라 상당수의 그 시대 남아男兒들이 겪었던 일이기도 했다. 남아가 정치나 법학이나 의학을 전공하지 않고 환쟁이가 되겠다는 것이 도무지 용납되지 않았던 것이다.

이태현이 홍대를 선택했다는 것은 홍대라는 독특한 공간에 진입했다는 것을 의미하는 데 특히 1950년대는 어느 때보다도 이 점이 강조되어진다. 당시 홍대에 입학했다는 것은 단순한 미술대학에 입학했다기보다 홍대라는 독특한 공동체에 일원이 되었다는 것을 의미한다. 그가 한 사람의 예술가로 발돋움하는 데 있어서도 이 점은 적지 않게 작용하고 있다. 당시 홍대의 분위기를 보면 이 시대 홍대를 거쳐 간 사람들이 지니는 공통된 기질 같은 것이 유추되어진다. 들녘에 아무렇게나 자라나는 잡초라 할까. 지나친 자유방임주의라 할까. 제도적 또는 교육적 시스템에도 아랑곳하지 않는 분방한 창작의 열기가 터질 것 같이 농밀되어 있었다고 할까. 이 점은 당시 어느 학교에서도 엿볼 수 없는 독특한 홍대의 분위기였다. 잘 가꾸어진 온실의 식물이 아니라 거칠기 짝이 없는 야생의 식물과 같은 형성이 역사를 만들고 변혁의 주체가 되었음을 되돌아 볼 수 있다. 오늘날 홍대의 이미지는 1950년대에 틀 잡혔고 1960년대는 그것이 더욱 박차를 가하는 것이었으며 1970년대는 그 나름의 안정을 찾아 길들여졌다고 말할 수 있다.

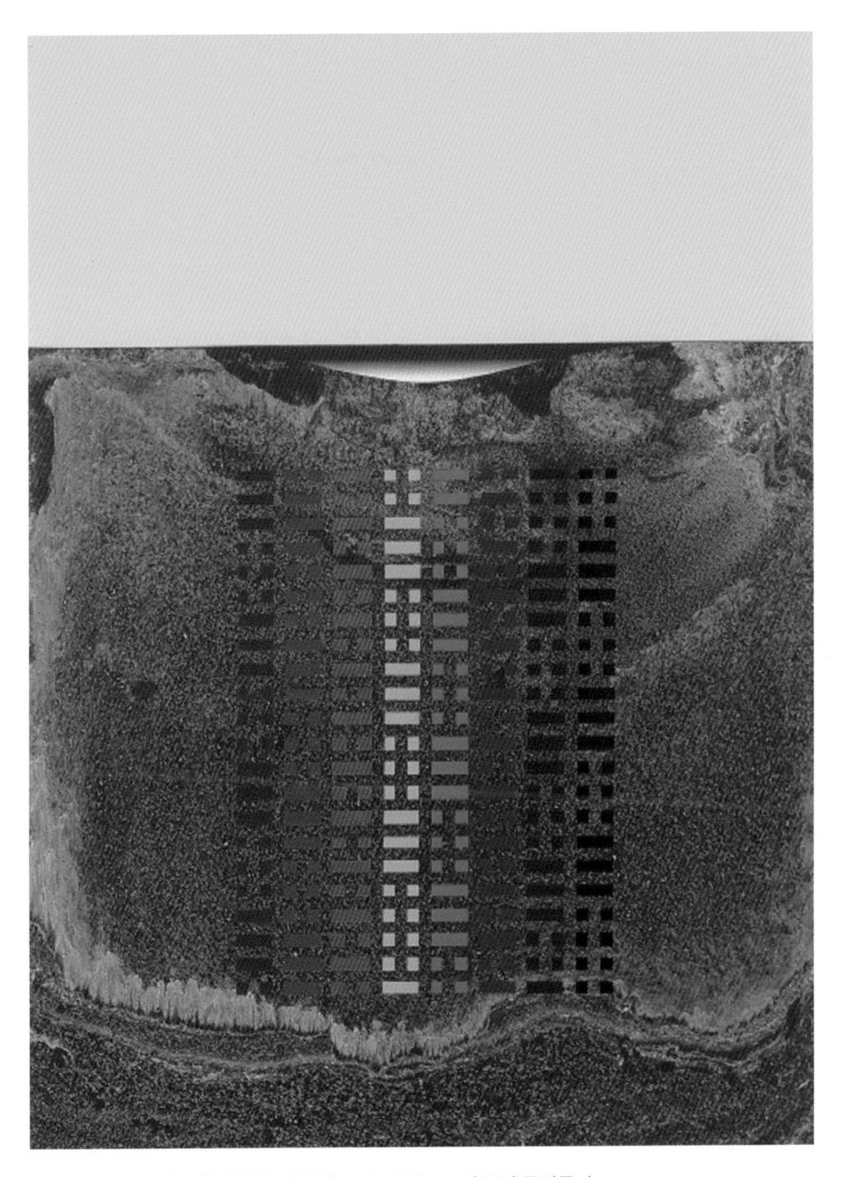

〈Space8008〉 1980년 캔버스에 유채 146×112cm 제29회 국전특선

이태현이 수학하던 1950년대 후반에서 1960년대 초반은 우리 미술에 있어 가장 높은 변혁의 물마루가 덮쳐 오던 시기에 해당된다. 1957년경에 출범한 여러 재야적 성격의 그룹과 이들을 묶는《현대작가초대전》이 아카데미즘의《국전》에 맞서 세력화되어가고 있었다. 미술계의 급변하는 분위기는 그대로 미술교육의 현장에도 강하게 불어닥치고 있었다. 당시 미술대학은 시대적 분위기를 가장 민감하게 수용한 일종의 전초기지와 같은 곳이었다고 해도 과언이 아니다. 1957년, 1958년을 통해 불기 시작한 뜨거운 추상표현의 물결은 미술대학 3, 4학년 교실에도 사정없이 불어닥치고 있었다. 이태현의 수학기도 이 뜨거운 추상의 홍수 가운데 있었다고 할 수 있다. 수학기의 체험은 한 작가의 형성에 주요한 인자로 작용할 때가 적지 않다. 수학기의 몇몇 작품들을 보면 그 역시 뜨거운 추상의 세례를 깊게 받고 있음을 파악할 수 있다. 격정적인 브라슈워크와 침울한 색조는 한 시대의 미의식에 공감된 방법의 일환이라고 할 수 있을 듯하다. 그런 가운데서도 단색 위주의 색조의 절제는 그의 후기 작품에도 그대로 연장되는 독자성의 발아로 진단되어진다.

이태현의 수학기에는 다른 어느 기별보다 많은 작가들이 배출되었다는 점을 꼽을 수 있다. 어느 시기는 거의 작가들이 배출되지 못하는가 하면 어느 기에는 의외로 많은 작가들이 살아남는 경우를 목격하게 되는 데 이태현과 그 동료들이 이에 해당된다. 그의 동기로 아직도 작업을 지속하는 이들로는 석란희石蘭姬, 최봉현崔朋鉉, 조문자趙文子, 황영자黃英子, 김영자金英子, 유병엽, 곽계정郭桂晶 등이 있다. 졸업 무렵 이들 동기 가운데 최봉현, 김영자, 문복철文福喆, 이태현李泰鉉, 석란희 등이 중심이 되어《무》동인전을 발족시켰는가 하면 조문자, 황영자, 송영섭이《7월전》을 출범시켜 첫 전시를 열고 있다. 어느 시대보다도 창작의 열기가 힘차게 치솟고 있음을 반영하는 일이다.

1962년에 첫 전시를 연 《무》동인전은 한 동안의 공백기를 거친 후 1967년에 와서 《현대미술실험전》이라는 타이틀로 재기 전을 여는 데 멤버는 최붕현, 문복철, 김영자, 이태현 등 4인이었다. 1967년 여름에 열린 《현대미술실험전》은 이어 같은 해 겨울 《청년작가연립전》으로 연계되고 있다. 《현대미술실험전》과 곧바로 이어지는 《청년작가연립전》은 한 시대의 변혁의 주체로서 이미지를 선명히 드러내고 있다. 《현대미술실험전》이 있었기에 《청년작가연립전》이 촉매될 수 있었다는 데서도 이들의 상관관계를 떠올릴 수 있다.

1950년대 후반부터 강타하기 시작한 뜨거운 추상의 열기는 1960년대 중반을 넘어오면서 이미 그 한계를 드러내고 있었으며 이를 극복하기 위한 몸부림이 젊은 의식을 중심으로 공감대를 형성하기에 이르렀다. 그것이 《현대미술실험전》을 거쳐 《청년작가연립전》으로 구현되었다. 《청년작가연립전》은 《무》동인과 새롭게 발족한 《신전》동인 그리고 《오리진》의 세 그룹에 의한 연립전이었다. 이들이 보여준 작품의 성향은 당시까지 풍미한 뜨거운 추상표현을 벗어난, 네오다다적 경향, 옵티컬한 경향 등 지금까지 볼 수 없었던 다양한 새로운 경향들이었다. 현상을 벗어나야겠다는 절실한 욕구가 팽배해 있었으면서도 누군가 이에 촉매역할을 해주는 이가 없었다. 《청년작가연립전》은 바로 그 촉매역할을 해준 것이었다.

한국현대미술은 1957, 58년을 기점으로 뜨거운 추상의 파급이 한 시대의 물마루를 형성하였다면, 1967년 《청년작가연립전》은 또 하나의 변혁을 마련한 것이었다고 할 수 있다. 뜨거운 추상이 격정적인 몸짓과 실존적인 명분에 매달렸다면, 《청년작가연립전》에는 보다 이성적, 논리적, 문명적인 의식이 팽배해 있었다고 할 수 있다. 이들이 보여준 행동방식이 추상적, 개념적인 것이 아니라 구체적, 실천적이었다는 점에서도 이를 확인할 수 있다. 전시 기간 중 벌인 한국 최초의 해프닝과 피켓을 들고 가두행진에 나선 이들의 구호는 미술계의 구조적 모순, 제도적 억압이 가져온 창작의 침체에 대한 근원적인 변혁의 요청이었다. 행동하는 예술인의 또 다른 모습을 보여준 사건이었다.

《청년작가연립전》에 나온 이태현과 《무》동인 그리고 일부 《신전》동인의 작품은 크게 네오 다다적인 경향이 강한 것이었다. 뜨거운 추상미술이 보여주었던 작가 내부로의 어둡고 긴 여정에서 벗어난, 생활과 환경 속에서 구체적인 대상을 찾았으며 표현한다는 방식을 벗어난 오브제의 발견과 그것의 대담한 작품으로의 원용이 두드러지게 표상되었다. 그것은 단순한 표현의 변화가 아니라 미술에 대한 인식의 근원적인 변혁이었다. 당시 이태현의 작품은 같은《무》동인들의 경향과 일정한 유대를 지니는 것이었다. 망가진 생활용품을 주요 매체로 사용한 것이었으며 냉소적인 비판적 매스가 가해진 것이었다. 그것은 기존 가치에 대한 거부의 몸짓이었으며 예술과 생활의 경계 영역을 대담하게 부수는 것이기도 했다.

지금까지 뜨거운 추상 표현이 아무리 과격한 제스쳐를 구사한 것이었다고 해도 미술이란 또는 화면이란 틀 속에서 벗어난 것은 아니었다. 그러나 이태현과《무》동인들이 보여주었던 방법은 미술이라는 기존의 제도적 영역을 극복한 것이었다. 그것은 분명 새로운 장의 전개에 다름 아니었다. 1969년에 태동된《한국아방가르드협회》는 분명《청년작가연립전》이 매개가 됨으로서 가능했다고 할 수 있다. 1968년 말 경에《청년작가연립전》에 참여하였던 일부 작가들과 그 주변에 있었던 작가들이 새로운 미술운동의 절실성에 공감하면서 그룹의 산파를 서둘렀다. 이때 모였던 작가들로는 하종현河鍾賢, 박종배, 김한金漢, 김구림金丘林, 곽훈郭薰, 김차섭金次燮, 박석원朴石元, 서승원徐承元, 최명영崔明永, 최붕현, 이승조李承祚, 이태현 등이었다. 그리고 이어 1969년에 《한국아방가르드협회》 통칭 《AG

그룹》의 출현을 보게 되었다. 그러나 어쩐 일인지 《무》동인의 최붕현, 이태현은 그룹의 창설에서 빠지고 있다. 조형이념적 갈등에서 보다 인간적 갈등이 요인이었지 않나 생각된다.

이태현의 그룹 활동은 1974년 《무한대》협회의 창립을 시작으로 재개된다. 《무한대》는 《무》와 《신전》동인의 일부와 그 주변에 있었던 작가들로 이루어졌다. 1974년에는 《한국아방가르드 협회》가 자동해체되고 현대미술의 실험적 열기가 전국으로 확산되어가던 새로운 국면에 들어서고 있을 즈음에 해당된다. 소단위 그룹의 의미가 퇴색하고 대단위 운동체가 활기를 더해가고 있을 때이기도 하였다. 새로 발족한 《무한대》그룹도 이 같은 시대적 분위기에서 두드러진 성과를 내지 못하였다. 1974년부터 등장한 각 지역의 현대미술제가 새로운 미술운동의 구심체 역할을 다했다. 1974년에 출범한 《대구현대미술제》를 필두로 1975년 《서울현대미술제》, 1978년 《전북현대미술제》, 1978년 《부산현대미술제》가 잇달아 열렸다. 전국 단위의 현대미술제는 지금까지 서울 중심의 미술계 구조가 전국 단위로 재편성되지 않으면 안 되었던 시대적 요청에 부응된 것이기도 하였다. 미술을 전공하기 위해선 서울로 올라오지 않으면 안 되었던 사정이 지방에 생겨나기 시작한 미술대학과 미술전공 학과의 폭발적인 증가로 인해 미술 인구의 다변화가 이루어져가고 있었던 상황도 변화의 한 촉매로 작용했다고 볼 수 있다.

당시 이태현의 활동 범주는 전국 단위의 현대미술제의 참여와 더불어 《한국미술대상전》, 《국전》, 《한국미술협회전》, 《전남매일 미술대상전》, 《중앙미술대전》, 《한국미술협회전》 등 공모전과 초대전의 출품으로 이어졌다. 두 번에 걸친 《국전》에서의 특선과 《한국미협전》에서의 대상 수상 등 공모전에서의 두각이 뒤늦게 이루어지고 있는 셈이다. 이와 동시에 《한국미술 20년의 동향전》(1978년), 《에콜 드 서울전》(1979년),

〈Space97981002〉 1998년 캔버스에 유채 162x130.3cm

《한국판화드로잉대전》(1980년), 《한국미술대상전》(1980년) 등 주요한 전시에 초대 출품하고 있다. 국제전으로는 《인도 트리엔날레》(1978년), 《한국 베네쥬엘라 대표작가전》(1979년), 《한국현대미술위상전》(1980년 교토시립미술관), 《상파울로 비엔날레》(1985년), 《한국현대미술선》(1986년 파리 그랑팔레)에 출품하였다. 이 시대 그의 활동의 내역을 본다면 그 어느 때보다 눈부신 바가 있다. 현대미술운동의 중심에 언제나 참가하였는가 하면 공모전을 통한 자기 위상의 끊임없는 점검과 중요 초대전의 참여를 통한 자기 확신을 기해 나갔다. 부지런하면서도 치열한 열정은 1980년대로 들어오면서 보다 차분한 개인발표를 통해 또 다른 양상을 펼쳐 보이고 있다. 그의 첫 개인전이 1980년대에 들어와 이루어지고 있다는 것은 주변의 작가들과 비교해보았을 때 늦은 감이 없지 않다. 어떻게 보면 그것은 자기 확인에 대한 조심성이 그만큼 오래 지속되었음을 말해주는 것인지도 모른다.

1980년에 첫 개인전을 연 이후 지금까지 9회에 이르는 개인전을 기록하고 있다. 이 숫자는 몇 해에 걸쳐 개인전이 마련되었음을 시사하는 것이다. 또한 이 기간은 그의 작품의 조심스런 변화의 내역을 보여주는 것이기도 하여 시대별 작가의 관심과 미의식의 추이를 좇아가 볼 수 있게도 한다. 한마디로 그는 꾸준함 속에 은밀한 자기 변모를 시도해온 작가라 할 수 있다. 완성된 자기 세계에 안주하지 않고 끊임없는 모색을 시도해왔다는 사실만으로도 그는 우리 미술에서의 가장 실험적인 의식의 소유자라 할 만하다. 대개 그 연배의 작가라면 이미 이루어놓은 자기 세계 속에 칩거하는 것이 일반적인데 그는 이 같은 상식선에서 벗어나 있다. 꾸준하면서도 한편으로는 조심스러운 변화의 모색에 경주해오고 있는 그의 작가적 자세는 어쩌면 출발에서의 열기를 여전히 간직하고 있다는 증거이기도 하다. 대인 관계를 통해 확인되는 인간적 순수함이 그대로 조형세계에 연면되고 있음의 증좌가 아닌가 생각되기도 한다.

편의적으로 그의 시대적 조형의 편력을 정리해 본다면, 1960년대 초에서 80년대 초에 이르는 시기가 주로 그룹 활동을 통한 실험에 경주되었던 시대로 볼 수 있다면, 1980년대 첫 개인전 이후 최근까지는 개인전을 중심으로 한 자기세계의 천착이 이어진 시대라 할 수 있다. 전자가 전체 속에서의 모색기였다면, 후자가 개별적인 단위로서의 모색기로 특징지을 수 있을 것 같다. 개별적인 단위로서의 모색기를 거친대로 구획해본다면, 1970년대 중반에서 1980년대 중반에 이르는 1기, 80년대 후반에서 1990년대 초에 걸친 2기, 1990년대 중반에서 2000년대 초의 3기, 그리고 극히 최근에 해당되는 2003년에서 현재에 이르는 4기로 나누어 볼 수 있을 것 같다. 그러니까 약 30년에 걸친 시간을 통한 작가의 편력을 편의적으로 4기로 나누어 본 셈이다.

전체적으로 본다면, 그의 진행 과정은 심한 변화의 추이보다는 점진적인 변화라는 인상을 강하게 준다. 우선 색채의 금욕적인 절제와 엄격한 조형논리가 자기 통어의 수단으로 그의 전체적인 시대 진행을 지배하고 있다는 사실에 직면하게 된다. 다시 말하면, 자신에 대한 엄격성과 단호한 결정이 무겁게 그의 전체 작업을 지배하고 있다는 이야기다. 그것은 정신적인 측면에서의 미니멀리즘에의 지향과 방법적인 측면에서의 모노톤의 구사가 어떤 일관된 기조로 이어지고 있다는 사실을 반영하는 것이기도 하다.

1기(1970년대 중반-1980년대 중반)의 작품은 모노톤에 지지되면서 시각적옵티컬한 요소가 두드러지게 표상된다. 평면구조를 지향하면서 일루전이 풍부한 세계를 보여준다고 할까, 화면은 검은 바탕, 그것도 일률적인 모노톤이 아니라 판자와 같은 일정한 띠에 의한 구조로 이루어진 바탕이다. 판자와 같이 겹겹이 이어지는 사이로 난 틈새가 일루전을 대신하면서 미묘한 시각적 긴장을 유도해주고 있다. 새벽 바다의 고요히 물결치는 수면을 연상시키는 일정한 굴면의 틈새는 빛의 파동과 같이 예감에 넘치게 한다. 김인환은 이를 두고 다음과 같이 기술해주고 있다. "예리한 찰상과도 같은, 혹은 섬광과도 같은 단조음의 선조로서 구조를 드러내기 시작한 색띠가 수평, 수직, 사선의 연결적 형태로 자리 잡고 있다" 어떤 물리적인 작동이 가해진 메카닉한 틈새는 마치 폰타나Lucio Fontana, 1899-1968의 예리한 칼날로 화면을 그어 화면의 안과 밖의 구조를 이루는 작업을 연상시키기도 한다. 그러나 폰타나가 일회적인, 그리고 극히 우연에 의한 방법에 지지된 반면, 이태현은 무수한 틈새의 반복을 통해 화면 전체를 옵티컬한 물결로 채워주고 있다는 차이를 엿보여 준다. 현상적으로는 옵티컬한 요소가 두드러지면서도 이태현이 지향하고 있는 것은 평면에 대한 구조적 해석이 아닌가 생각된다.

전반적으로 1970년대 우리 현대미술에서 가장 두드러진 현상이 다름 아닌 평면에 대한 자각과 검증이었다는 점을 떠올려보면, 이태현도 이 같은 시대적 미의식에 일정한 반응을 보인 것이라 할 수 있을 것 같다. 그러면서도 그의 작업은 주변의 작가들이 보여주었던 모노크롬에 의한 평면의 확인 작업과는 일정한 차별성을 견지해보이고 있다. 그것이 다름 아닌 시각적 충일을 지니면서 평면의 구조적 접근을 시도하고 있음이다. 다시 말하면, 이태현의 화면은 전체적으론 모노톤에 지지되면서도 옵티컬한 요소를 적절히 곁들이는 이원적 구조에 떠받쳐져 있는 인상이다. 1980년대 중반에 이르면 이 같은 이원적 구조가 더욱 틀 잡히고 있음을 엿볼 수 있다. 어떤 이미지도 어떤 연상의 개입도 허락하지 않는 어느 절대한 공간, 중성화된 공간을 지향하고 있다. 틈새 역시 점차 기호화 되어가는 형국을 띤다. 점차 안으로 응결되어가는 기운을 접하게 한다.

1980년대 후반에 등장하는 동심원의 구성은 원 자체가 하나 또는 둘 이상으로 구현되어 나오는, 강한 자체의 운동을 표상하고 있다. 판자 사이로 등장했던 틈새도 하나의 작은 기호가 되어 동심원의 여기저기에 배열된다. 이 같은 자체 내의 에너지는 1990년대 오면서 보다 역동적인 구조로의 변모로 이어진다. 김복영은 이를 두고 "그의 해체구조는 전기의 무기체적인 부동성의 구조를 유기체적인 유동성의 구조로 전치시키려는 데서 이루어졌다고 말할 수 있다"고 피력하고 있다. 동심원의 구조가 역동적이면서도 부동성에 지지된 것이었다면 이 시기의 작업은 원과 그 사이에 존재했던 작은 틈새의 기호들이 화면 여기저기에 난무하는 형국으로 드러난다. 수액의 흐름과도 같은 유기체적인 유연한 곡면의 테두리 속에 난무하는 이들 기호는 화면을 한결 약동하는 풍요로움으로 대변되고 있다. "현저하게 생물학적이고 유기체적인 유연성을 드러내며 비체계적이자 체계 이전의 상황성을 담고 있다"고 한 김복영의 지적처럼 화면은 다분히 유기적인 생명현상으로 흘러넘친다. 그의 전체적인 작품의 맥락 속에 가장 분방한 표현의 작품이 아닌가 생각된다.

1990년대 중반의 3기는 변화의 내역이 한결 선명하게 건잡히고 있다. 먼저, 유동적이면서 자동적인 기법의 마블링에 의한 표면 구성과 이 위에 좌표처럼 일정한 간격을 두고 가해지는 작은 사각의 점획이 만드는 공간은 카오스 상태와 질서를 향한 의지가 공존하는 화면으로 마치 천지창조와 같은 거대한 창조적 설화를 펼치고 있는 것 같은 느낌을 준다. 우연적인 결정의 바탕 위에 떠 있는 부표와 같은 강한 의지의 기호가 만드는 화면은 어떤 극적인 상황을 유도하면서 한결 신

〈Space 27283012〉 2008년 캔버스에 유채 91.0x65.5cm

비로운 여운을 남긴다.

"오토매틱한 수법에 의해 표출되는 모양은 실로 천태만상이다. 흐르는 물결이 연상되기도 하고, 불타고 남은 찌꺼기 같은 것이 연상되기도 하며 화산 용암이 딱딱하게 응고된 것 같은"서성록 바탕에 빛의 막대 같은 진한 노랑의 토막들은 마치 어둠 속을 뚫고나온 어떤 계시의 기호처럼 예감에 넘치게 한다. "지극히 무표정한 바탕의 검정색을 뚫고 뛰쳐나온 노랑과 그 안에 자리한 단음조의 선조는 빛과 어둠의 극명한 대비, 흑과 백의 극명한 긴장이라는 사실로 인해 우리의 시선을 집중시키기에 충분한 것"서성록이다.

마블링의 바탕 조성은 1990년대 후반에서 2000년대 초반까지 지속된다. 바탕은 여전히 유동적인 상황이지만 이 위에 떠오르는 부표와 같은 기호의 증식은 더욱 대비적인 긴장관계를 이끌고 있다. 어쩌면 이 같은 화면의 이원적 구조의 지향은 평면에 대한 그 나름의 해석과 검증을 꾸준히 지속시키고 있음을 말해주는 것인지도 모른다.

극히 최근에 속하는 2003년경에서 현재의 작품들은 혼돈을 벗어나 질서에로 도달하는 오랜 역정을 반영하고 있다. 혼돈과 질서의 대비적 국면은 사라지고 화면은 이제 어떤 요지부동의 세계로 진입되고 있는 인상을 주고 있다. 토막진 검은 선들이 서로 연결되면서 화면 전체를 덮어가는 구조는 벽돌장을 빼곡히 쌓아올린 형국이다. 토막의 검은 선조는 다름 아닌 8괘를 원용한 것이다. 부표처럼 화면에 부상하던 작은 점획의 기호들이 서로 이어지면서 하나의 띠를 만들고 그것이 동양의 역의 기호인 8괘로 진행된 것이다. 역을 구성하는 64괘의 기본이 되는 것이 8개의 도형이다. 이를 임의로 연결 지어 독특한 검은 띠의 구조화에 이른 것이다. 그러나 그것은 단순한 기호의 원용이라는 차원을 넘어서 동양인의 사유체계를 평면이라는 공간 속으로 유도한 것이라 말할 수 있다. 우주공간을 연상시키던 유동하는 공간과 이 위에 일정한 질서의 의지로서 부표를 설정하였던 바로 직전의 작품들과 연계해서 본다면 유동하는 우주공간이 기호로서 질서화되고 있는 상황임이 분명하다. 그것은 그가 오랫동안 탐구해왔던 화면의 질서가 다름 아닌 동양인의 우주관, 동양인의 인생관으로 귀의되었다는 뜻이기도 하다.

『이태현』 2006년 화집

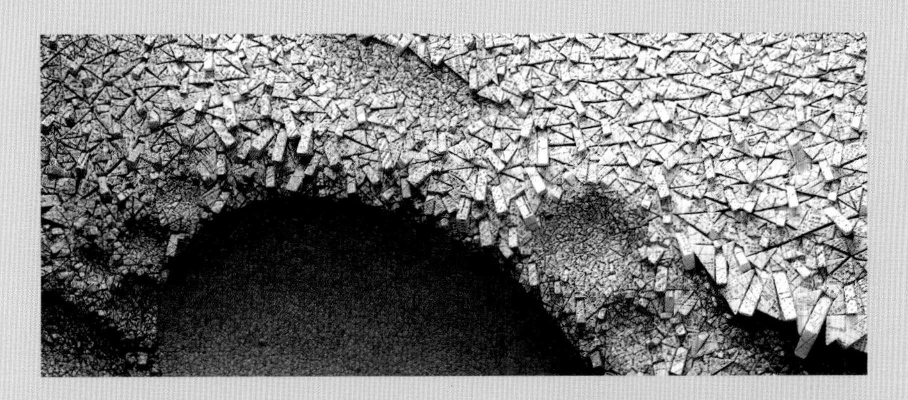

전광영

CHUN GWANGYOUNG

1968 홍익대학교 미술대학 졸업
1971 필라델피아 미술대학원 회화과 졸업

개인전

1968 서울문화회관 화랑 서울
1971 인터내셔날하우스 화랑 필라델피아 미국
1972 Holly Solomon 화랑 뉴욕
1975 Lotus 화랑 뉴욕
1976 Fifth St. 화랑 윌밍턴 델라웨어 미국
1977 미술회관 서울
1978 신세계화랑 서울
1979 몰타국립현대미술관 세인트 쥴리안 몰타
1980 미국문화원 서울
1984 관훈갤러리 서울
1985 鎌倉 화랑 東京 村松 화랑 東京
1986 시로다 화랑 東京
1987 관훈갤러리 서울
1988 갤러리현대 서울
1989 갤러리윤 서울
1990 갤러리동성아트센터 서울
1992 갤러리현대 서울
1994 종로갤러리 서울
1995 박영덕화랑 서울
1997 박영덕화랑 서울
1998 갤러리시공 대구
1999 박여숙 갤러리 서울 킴 포스터 갤러리 뉴욕 미국
2000 미쉘 로젠펠드 갤러리 킴 포스터 갤러리 뉴욕 미국
코멘노즈 갤러리 키비스케인 플로리다 미국
2001 '2001올해의 작가전' 국립현대미술관 과천 한국
2002 콜럼버스 뮤지움 콜럼버스 죠지아 미국
미셀 로젠펠드 킴 포스터 갤러리 뉴욕 미국
집합전 국제갤러리 서울
2003 코니 디츠숄트 갤러리 뉴컨템퍼러리 시드니 호주
2004 킴 포스터 갤러리 미셀 로젠펠드 갤러리 뉴욕 미국
2005 국제갤러리 서울
2006 킴 포스터 갤러리 미셀 로젠필드 갤러리 뉴욕 미국
싱가폴 테일러 프린트 인스티튜트 싱가폴
애널리 주다 파인 아트 런던 영국
2007 더 컬럼스 갤러리 서울
2008 얼드리치 현대미술관 코네티컷 로버트 밀러 갤러리 뉴욕 미국
2009 모리미술관 東京 日本
와이오밍 유니버스티 아트 뮤지엄 라라미 와이오밍주 미국
싱가폴 테일러 프린트 인스티튜트 싱가폴
2011 녹스빌미술관 테네시
란다우 컨템포러리 몬트리올 今日美術館 北京 中國
2012 린치버그 대학교 버지니아

단체전

1966-1967 '新象展' 국립현대미술관 서울
1966-1968 '조선일보 현대미술초대전' 국립현대미술관 서울
1971-1978 '국립작가전람회 포럼' 시립미술관 필라델피아 미국
1973 'Earth ArtII전' 필라델피아 시립미술관 필라델피아 미국
1974 제24회 첼튼헴미술전 첼튼헴 아트센터 첼튼헴 미국
'오늘의 작가전' 데렉설 대학 미술관 필라델피아 미국
1975 '10인의 초대작가 전' 로터스 갤러리 뉴욕
'7인의 현대작가초대전' 우드메이어 갤러리 필라델피아 미국
'현대작가 초대전' 윌리엄 펜기념미술관 해리스버그 필라델피아 미국
'3인의 작품초대전' 죤 와나메이커 갤러리 필라델피아 미국
1976 '지역 전' 델라웨어대학 미술관 뉴 왁 델라웨어 미국
1982 '에꼴 드 서울전' 국립현대미술관
1984 'ISPPA전' 후쿠오카시립미술관 일본
1985 'ISPPA전' 워커힐 미술관 서울
1986 '요꼬하마 현대미술작가전' 요꼬하마미술관 일본
1987 '서울. 요꼬하마 현대미술작가전' 코스모센타 갤러리 서울
1993 '방글라데시 비엔날레' 방글라데시 실파칼라 아카데미
1994 '3人의 한지전' 종로갤러리 서울
1995 '紙 한국과 일본전' 종로갤러리 서울
'정도 600년記念-서울국제현대미술제' 국립현대미술관 과천
1996 '서울국제 아트페어' 박영덕화랑 서울종합무역전시장 서울
'시카고 아트페어' 박영덕화랑 네이비피어 페스티발홀 시카고 미국
'한지작가회전 : 한지-그 근원의 미학' 다도화랑 서울
1997 '시카고 아트페어' 박영덕화랑 네이비피어 페스티발홀 시카고 미국
'니까프 아트페어' 박영덕화랑 도쿄 빅사이트 동경
'한지작가회전': 한지-그 이후 워커힐미술관 서울
1998 '도르데아 반더퀼른' 마인츠 독일
'퀼른 아트페어' 박영덕화랑 퀼른 독일
'3인전' 갤러리 V 콜럼버스 오하이오 미국
'서울 국제아트페어' 박영덕화랑 예술의전당 서울
'시카고 아트페어' 박영덕화랑 네이비피어 페스티발 홀 시카고 미국
"3인의 현대미술작가 초대전' 콜럼버스 오하이오 미국
'마이애미 아트페어' 마이애미 비치 컨벤션센터 박영덕화랑
1999 바이스갤러리 퀼른 독일
'퀼른 아트페어99' 박여숙갤러리 퀼른 독일
'바젤 아트페어' 도로티아반더퀼른 갤러리 바젤 스위스
'팜비치 아트페어' 박영덕화랑 팜비치 플로리다 미국
'마이애미 아트페어' 박영덕화랑 마이애미비치 컨벤션센터 미국
2000 '딜러스초이스전' 로버트 킬 갤러리 미시건 미국
'구엔다제이/어딩톤갤러리 시카고 미국
2001 '컴펠드전' 헌팅톤 현대미술관 헌팅톤 뉴저지 미국
2003 '2003서울미술대전' 서울시립미술관 서울
'크로싱 2003 Korea/Hawaii' 컨템퍼러리 뮤지움 호놀루루 하와이
'아트34바젤' 아트 언리미티드 스위스 바젤
2004 '서울시립미술관 남서울 분관 개관전' 서울시립미술관 서울
2004 '뉴욕의 미술현장' 올브라이트 녹스 갤러리 버팔로 뉴욕
'아트35바젤' 바젤 스위스
2005 '울림- Beyond Repetition' 서울시립미술관 서울
'아트 36바젤' 바젤 스위스
'2005 서울미술대전' 서울시립미술관 서울
2006 '홀란드 종이 비엔날레' 코다 뮤지움 아펠도른 네덜란드
2007 '종이에 매혹되다' 갤러리 르롱 주리히 스위스
'마이애미 아트페어' 국제 갤러리
'아모리 쇼' 국제갤러리 뉴욕 미국
'아르코 아트페어' 국제갤러리 마드리드 스페인
2008 '별이 가득한 깊은 밤' 비쥬얼 아트 센터 뉴저지 미국
언더커버 프로젝트 얼드리치 컨템프러리 아트뮤지엄 코네티컷 미국
2009 킴 포스터 갤러리 뉴욕 미국
KIAF 서울 코니 디츠숄트갤러리 시드니 호주
2010 '아이엠 더 코스모스' 뉴저지주립미술관 뉴저지 미국

수상

1967-1966 제5, 6회 新象會공모전 특선
1967 조선일보 주최 국립현대작가전 특선
1968 제17회 대한민국 국전 입선
1969 제18회 대한미국 국전 특선
1973 Earth ArtII전 특별상 시립미술관 필라델피아 미국
1974 제27회 첼튼햄 현대미술작가전 은상 첼튼햄 미국
2001 올해의 작가 2001-전광영 국립현대미술관 한국
2009 대한민국문화예술상 미술부문 대통령상 문화예술관광부 한국

작품 소장

UN 본부 콜럼비아 법과대학 체이스 맨하탄은행 휘델리티투자회사
록펠러재단 윌리엄펜기념미술관 컨티넨탈-벤탈 L.L.C. 니만마커스백화점
잭슨투자자문회사 로즈웃 스톤그룹 포타시그룹 라틴지오주식회사 코리나그룹
호주국립현대미술관 티타앤 진제프던 시카고현대미술관 몰타국립미술관
국립현대미술관 호암미술관 서울시립미술관 부산시립미술관 한솔문화재단
홍익대학교미술관 아라리오갤러리 엘지그룹 63빌딩 박영사 출판사
웅진그룹 세아그룹 신라호텔 조선호텔 한화그룹 레이크힐스컨튜리클럽
일신방직 유유산업 신기그룹 서흥금속 사조산업 동양석판 대기산업
동일방직 신도리코 한진해운 서원밸리컨튜리클럽 육군사관학교

형식으로서의 개념

전광영全光榮의 작품이 지닌 기본적 개념은 싸기와 집성이란 한국인의 원초적 생활의 정서에 닿아 있다. 싼다는 것은 물건을 종이나 천에다 담아 묶는 것을 말하는 것이며, 집성이란 일종의 쌓기로서 어느 한 자리에 모아놓는 것을 말한다. 그의 작품의 근원적 개념을 파악하기 위해서는 먼저 옛 한국인들의 삶의 내면을 살필 필요가 있다. 한국인들의 생활양식 속에 싸는 행위와 집성-쌓기의 작업은 그들의 먼 조상으로부터 물려받은 유전적인 것이다. 종이나 천에 물건을 싼다는 것은 보관을 위한 것이긴 하나 언제나 이동을 염두에 둔 것이다. 말하자면, 그것은 옛 한국인들의 유목생활에 그 기원을 둔 것임에 틀림없다. 종이나 천에 물건을 싼다는 것은 일정한 공간을 이미 정하고 있는 상자나 통에 비한다면 더없이 유연성을 지니고 있다. 종이나 천에 싸는 것은 싸이는 물건에 따라 부피가 작아질 수도 커질 수도 있는 것이기에 이동에 있어서는 더없이 적절한 편이다.

한국인들의 조상은 아득한 옛날 시베리아 대륙을 횡단해서 한반도에 이르렀다. 그들은 바이칼 호수에 다다라 일정한 휴식을 취한 후 일부는 서쪽의 내륙으로 이동하였고 일부는 동남쪽으로 이동해 왔는데 동남쪽으로 이동해온 종족이 오늘날 한국인의 먼 조상이다. 그들은 만주벌판을 지나 한반도로 유입해 들어왔는데 풍광이 아름답고 기후조건이 인간의 삶에 더없이 적절한 이 지역을 그들의 삶의 터전으로 잡았던 것이다. 한반도에 정주한 한국인의 조상들은 자연히 이 지역의 환경에 맞는 농경문화를 이루었다. 평화와 안정을 염원하는 농경민족으로서의 심성을 가꾸어 나갔다. 그렇긴 하지만, 그들의 유전자 속에는 광대한 대륙을 횡단해온 유목 기마 민족 특유의 활달한 기상이 잠재되어 있음을 부정할 수 없다. 아직도 넓은 식당에 모여 앉아 숯불에 고기를 구어 먹으면서 떠들썩하게 식사를 하는 한국인들의 식사 풍속을 보고 있으면 시베리아 벌판을 달려오다 들에서 잡은 들짐승으로 역시 호탕하게 식사를 하는 장면을 겹쳐 떠올릴 수 있다.

유목민들에게는 언제나 이동이 전제가 되기 때문에 모든 생활양상이 이에 맞추어질 수밖에 없었을 것이다. 천당시는 아직 종이가 없었으니까 대부분 천으로 활용되었을 것이다에 필요한 물건들을 싸서 재빨리 움직이지 않으면 안되었을 것이다. 한국인들이 좋아하는 비빔밥도 이 같은 생활 습관에서 자연적으로 생겨난 것일 것이다. 지금도 시골에 가면 한 식구가 커다란 양푼 같은 그릇에다 밥과 나물과 고추장을 섞어 비벼서 나누어 먹는 광경을 흔히 볼 수 있다. 비빔밥은 이동이 잦은 생활여건에서 재빨리 식사를 해결할 수 있는 가장 유리한 방식임이 분명하다. 최근에는 KAL기의 기내 식사로 비빔밥이 등장하였고 내국인뿐 아니라 외국인에게도 큰 인기를 얻고 있는데, 말을 타고 달리면서 대륙을 이동했던 옛 유목 기마 민족의 식사풍속이 가장 현대적인 항공기 내의 식사 품목으로 등장되었다니 여간 흥미로운 일이 아닐 수 없다. 오랜 세월 동안 많은 생활 패턴이 바뀌긴 했으나 아직도 한국인들의 내면에는 아득한 옛날 유목생활의 아련한 추억이 유전으로 흐르고 있음을 부정할 수 없을 것 같다.

천으로 물건을 싸는 생활 양식도 유목민 특유의 것이다. 지금은 제대로 만들어진 책가방이 있지만 한 50년 전쯤만 해도 시골에는 아이들이 책을 보자기에 싸서 허리에 동여매거나 옆구리에 끼고 학교에 갔다.

아이들 뿐 아니라 아낙네들이 천으로 커다란 보따리를 만들어 이고 가는 광경들을 흔히 볼 수 있었다. 보자기는 물론 한국에만 있는 것은 아니지만 그 쓰임새의 풍부함은 다른 어디서도 그 유형을 찾아볼 수 없다. 보자기 문화라는 것이 최근에 와서야 새삼스럽게 주목을 받고 있는 터이지만 한국문화의 기저에는 보자기가 차지하는 영역이 적지 않은 편이다. 보자기가 나왔으니까 덧붙이자면 조각보란 것이 있다. 천의 자투리를 모아다가 이를 이어 사각의 보자기를 만든 것을 이름이다. 자투리의 천이란 다양한 색채를 지닌 것이어서 그것들이 서로 연결되어 일정한 크기가 되었을 때 그 구성의 아름다움은 미리 계산에 의해 이루어지는 어떤 것보다도 순수한 아름다움을 지니게 됨을 보여준다. 어떤 이들은 몬드리앙의 기하학적 패턴의 구성보다 더욱 아름답다고 말할 정도다. 이를 만든 이들이 대부분 조형훈련을 받지 않은 여염의 여인들이라는 점에서 더욱 우리를 놀라게 한다. 최근 한국의 보자기전이 세계 여러 곳에 순회 전시되어 큰 인기를 끌고 있음은 조금도 이상하지 않다.

전광영의 싸기의 방법은 보자기문화와 직접적인 관계를 지니는 것임에도 또 하나의 특별한 계기에 의해서 비롯된 것이다. 현대에 와서는 거의 찾아볼 수 없으나 과거의 한약방에서는 약의 원료들을 한지의 봉지에 싸서 천장에 매달아놓았다. 환자나 환자의 보호자가 약을 지으러 오면 매달아놓은 약봉지에서 원료들을 꺼내어 조제했다. 조제된 약은 다시 작은 한지에 정성스레 싸서 종이끈으로 묶어서 주었다. 지금은 편리하게도 한약방에서 직접 끓여 팩에 넣어주기 때문에 옛 정취 어린 광경은 찾아볼 수 없게 되었다. 전광영의 한지 싸기는 바로 이 같은 한약방의 조제의 방법에 직접적으로 이어진 것이다. 그는 어느 날 "갑자기 어린 시절 한약방을 하던 큰아버지 댁 풍경이 떠올랐다. 한약방에 주렁주렁 달려있던 한약봉지, 약재를 넣은 다음 하나씩 정성스럽게 싸서 끈으로 매놓은 한약봉지"를 떠올린 것이다. 자신만의 것, 고유한 정서를 지닌 것에 대한 탐구가 어느 날 계시처럼 그의 뇌리에 다가온 것이 다름 아닌 싸기의 방법이었다. 이는 결코 우연적인 것이 아니다. 자신의 내부에 잠재되어 있던 기억이 어떤 촉매에 의해 그에게 계시처럼 일깨워진 것에 다름없다.

보자기문화의 연장이지만 한지에 약재를 싼다는 것은 또 다른 정서를 유발한 것임에 틀림없다. 그것은 한국인과 종이와의 특별한 관계를 시사하기 때문이다. 한지는 최근 제지 공장에서 생산해내는 펄프가 많이 함유된 종이가 아니라 닥 껍질을 벗겨 일정한 공정을 거쳐 만드러내는 전통적 방식에 의한 것이다. 전통적 방식에 의해 만들어지는 한지는 그 수명이 천 년이라고 할 정도로 내구성을 지니고 있다. 옛 문헌에 보면, 한국에서 생산되는 한지가 이웃 중국이나 일본에 대단히 인기가 있었다는 기록이 있다. 이웃 나라에 가장 좋은 선물은 한지였다는 기록이다. 원래 종이는 중국에서 발명되었지만 독특한 재질의 종이 생산은 한국이 앞서 있었다. 극동 삼국에 있어 종이의 사용 빈도는 단연 한국이 가장 많은 편이라고 할 수 있다. 한국인들은 종이에 에워싸인 공간에서 태어나 죽을 때까지 여기서 생활했다. 한국인들에게 종이한지는 따라서 특별한 정서의 매개물이 아닐 수 없다. 같은 종이지만 서구식 방법에 의해 생산되는 종이와는 다른 것이 한지이다. "서구인들은 한지를 그저 종이의 일종으로 보겠지만 우리에게 주는 의미는 다르다. 우리는 태어날 때부터 한지를 본다. 천장에 더덕더덕 붙어있는 한지를 봤고 문풍지와 문창지를 넘나들었다. 우리 생활의 일부, 아니 전체이다."라고 작가는 말한다. 한국의 전통적인 가옥 구조를 보면, 온돌로 된 방바닥은 장판지라는 두텁고 콩기름이 발라진 종이가 깔리고 벽과 천장과 창은 온통 흰 한지로 발라진다. 한국의 전통적인 주택에서 한지가 차지하는 영역은 엄청 넓은 편이다. 한지가 단순히 생활공간을 에워싸는 것 뿐 아니

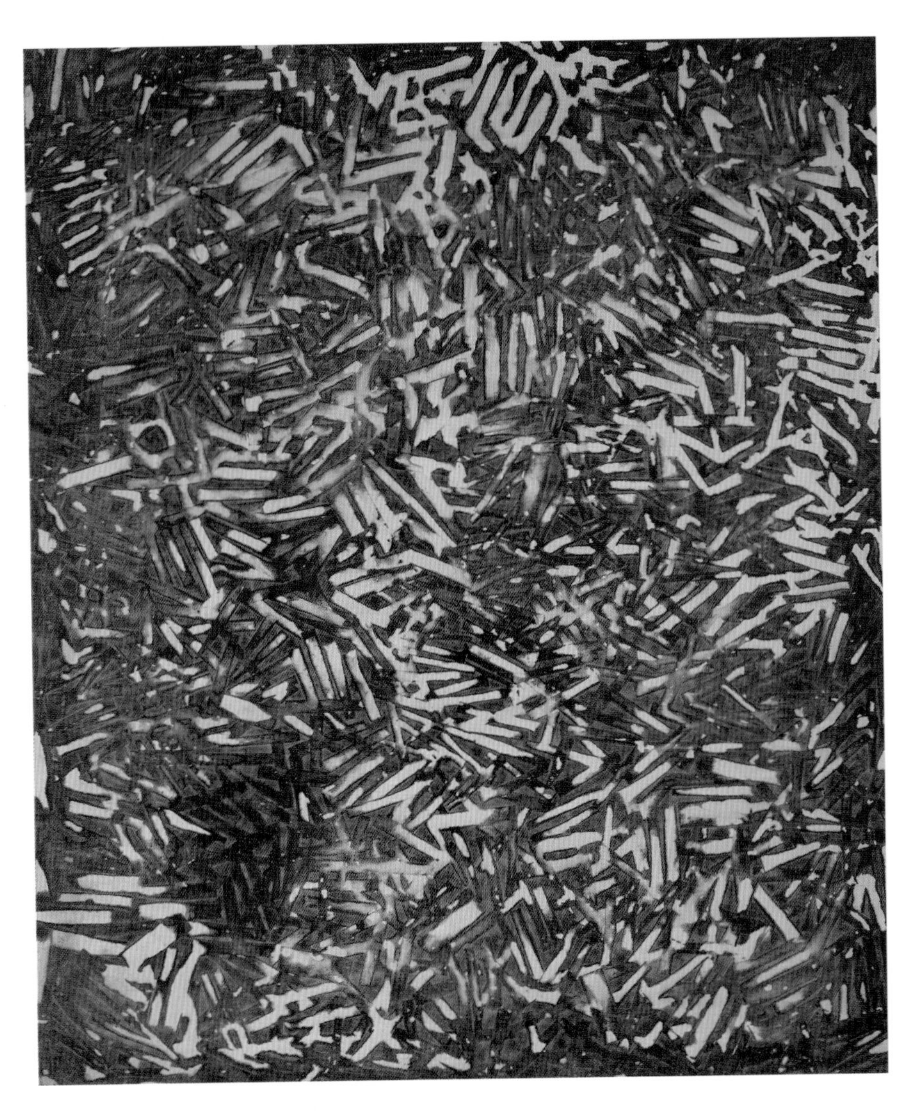

〈ONT-008〉 1987년 캔버스에 유채 181×152cm

라 글씨나 그림을 담는 바탕으로서의 매체이기 때문에 문방문화가 발달된 옛 한국의 문화는 한지와 떼어놓을 수 없는 관계를 지닌 것이었다.

한지는 무엇보다도 질긴 특유의 질감과 소박한 정서가 배어있을 뿐 아니라 벌레나 좀이 쓸지 않기 때문에 특히 귀중한 물건의 포장지로 사용되었다. 한약방에서 약재를 담은 봉지를 천장에 매달아 놓는 것도 벌레가 먹지 않고 통풍이 잘 되기 때문에 보관상 다른 어떤 재료보다도 뛰어난 편이었기 때문이다. 천장에 주렁주렁 매달린 약봉지를 보면서 자란 작가의 뇌리에는 신기하면서도 독특한 풍경으로 각인되었을 것이다.

한지가 전광영을 비롯한 한국의 일부 현대작가들에게 주요한 매재로 떠오른 것은 1980년대 초로 거슬러 올라간다. 한지가 지닌 특유한 정감의 물성에 관심을 갖게 된 것은 그리는 바탕으로서의 한지가 적절하다는 사실에 눈뜨면서였다. 주지하다시피 1970년대를 풍미한 개념예술과 미니멀리즘에 식상한 현대작가들이 다시금 그린다는 문제에 골몰하기 시작하면서 그 바탕으로서 한지를 선택하게 된 것이다. 1980년대에 들어오면서 한동안 '종이 위의 작업'이란 전시가 많았는데 대부분의 종이가 한지였다는 점에서 한지에 대한 선호도를 가늠할 수 있다. 한지를 주매재로 사용하기 시작한 현대작가들이 늘어나면서 《한지작가협회》란 단체도 만들어졌다. 한지의 용도는 단순한 지지체로서뿐 아니라 인형제작이라든지 또 다른 수공예 품목으로 그 사용 범주가 확대되었다. 물론, 전광영의 작업은 이들과는 일정한 동류의식을 지니면서도 방법에 있어 큰 차이를 드러낸다. 그는 단순한 지지체, 그림의 바탕으로서 한지를 선택한 것이 아니라 한지로 싼 작은 단위의 파편들을 화면에 빼곡이 채우는 것이다. 평면이면서 삐죽삐죽 밖으로 드러난 부조의 작품이 있는가 하면 공간에 입체적으로 설치하는 작품에 이르기까지 진폭을 지닌 것이다. 이들 작품들은 복잡한 제작의 단계를 거쳐 비로소 완성된다. 단순한 캔버스 작업과는 전혀 다른 시스템에 의해 이루어지는 것이다.

"보통 100호짜리 크기에는 7000여 개의 한지 조각이 들어가는데, 한지를 쌀 때 사용하는 실 역시 한지를 꼬아 만든 종이실이다. 즉 한 작품을 만드는데 7000번 싸고 꼬고 붙이는 그래서 2만 번 이상의 수 작업이 필요한 것이다."고 한 작가의 말을 빌리면, 작업은 대단히 복합적인 과정에 의해 완성됨을 파악할 수 있다.

평면이긴 하지만 화면에 가득히 매달린 종이 조각물들을 보면 마치 종유석이나 자연 암벽에서 생겨난 거친 돌기 현상을 대하는 느낌이다. 이 작은 돌출물들은 실은 스티로폼을 일정한 크기로 잘라 삼각형을 만든 후 종이로 싸고 다시 종이끈으로 묶은 다음 화판 위에다 차곡차곡 부착해나간 것이다. 한지로 에워싸인 작은 보따리들의 집성의 형식으로 완성되는 것이다. 옛날 큰아버지 댁에서 보았던, 천장에 빼곡하게 매달려 있던 한약 봉지, 하나하나 정성스레 종이로 싸서는 묶은 작은 약봉지들이 먼 시공을 넘어 그의 화면에 다시 살아 나온 것이다.

전광영이 사용하는 한지는 순지가 아니라 인쇄된 한지, 책으로 묶여졌던 종이라는 점에서 또 다른 독특한 정감을 유발시킨다. "여기에 사용된 한지는 모두 100년은 된 고서에서 나온 것들이다. 논어, 맹자, 법전, 의전, 시문이나 소설, 일기에 이르기까지 다양한 내용들이 담겨있다. 이 작품 앞에 서면 수많은 사람과 대화를 나누게 된다. 나이 지긋한 선비부터 볼이 빠알간 규방 소녀까지. 그들의 손때가 묻은 책으로 만들었으니까. 그 다양한 역사의 결과물이 촘촘하게 한 자리에 모인 것이다." 작가가 들려주는 이야기에 의하면 자신이 사용하는 원자재는 순지가 아니라 이미 인쇄되어 사용되었던 한지라는 것이다. 누군가에 의해 읽었던 책이란 점에서 사용되지 않았던 순지에서는 느낄 수 없는 역사의 무게와 향기를 느끼게 된다. 읽고 버린 책, 별로 소용이 없어 불쏘시개로 쓰일 운명의 고서들이 그것이 담고 있는 내용과는 다른 모습으로서 우리 앞에 나타난 것이라 할 수 있다. 아마도 전혀 인쇄되지 않은 종이였다면 화면에서 일어나는 잔잔한 시각적 변화는 애초에 기할 수 없었을 것이다. 비록 읽을 수는 없으나 글자의 흔적들이 내는 향기와 여운은 화면에 잔잔한 기조 음으로 작용하고 있음을 엿볼 수 있다.

싸기에 이어 그의 작품의 또 하나 원초적 개념은 쌓기 즉 집성화이다. 집성화란 일정한 단위의 개별들이 하나의 전체를 이루는 현상을 말한다. 아상블라주Assemblage란 누보 레알리즘noveau realism의 작가들이 즐겨 사용한 방법이긴 하나 한국문화의 바탕 속에는 적지 않은 집성화의 방법이 발견된다. 비슷한 것을 한 자리에 모은다는 것은 기원의 개념과 닿아있다. 일본인들은 그들의 소원을 종이에 적어 나뭇가지에 매달아놓는다. 사찰에 가면 나무 가지가 온통 하얗게 흰 눈을 이고 있는 형국인데 자세히 보면 흰 종이를 나무 가지에 묶어놓은 것임을 알게 된다. 그러나 한국에는 그런 풍속이 없다. 대신, 한국에는 돌을 쌓아올리는 풍속이 있다. 고개 마루나 사찰에 가면 으레 볼 수 있는 작은 돌무더기는 지나가는 사람이 자신의 소원을 하나의 돌에 담고 쌓는 것이다. 탑 모양을 띠게 되는 이들 돌무더기는 하늘에까지 이어지는 한국인들의 염원을 담은 것이라 할 수 있다. 화판에 가득히 쌓여진 전광영의 작은 한지 보따리는 한국인들의 소원을 담았던 돌무더기와 형식상에서 많이 닮았다. 화면 가득히 쏟아 부어진 것 같은 작은 보따리들은 작은 약봉지를 한지에 싸서 묶었던 큰아버지의 한약방에서의 기억이 유감된 것이라면 개별이면서 언제나 전체로 나타나는 쌓기의 작업은 어쩌면 그의 부친의 벽돌 공장에서 보았던 시각적 체험에서 온 것이 아닌가 생각된다. 그의 부친은 꽤 큰 벽돌 공장을 운영하고 있었다. 장차 이 가업을 아들인 전광영에게 물려주려고 한 아버지의 계획이 아들의 미술에의 집념으로 깨어지면서 부자의 관계는 극도로 악화되었노라고 작가는 회고하고 있다. 그래서 그의 화가로서의 길은 애초에 험난한 것일 수밖에 없었다. 고학으로 학교를 마쳐야 했고 미국으로 유학 가서도 낮에는 일터에 나가고 밤에야 그림을 그려야 하는 고된 생활의 연속이었다.

그가 자기 아버지로부터 멀리 벗어나 왔지만 이상하게도 작은 단위의 물체들을 화면 가득히 부착한다든지, 기둥 모양의 건축적 형태를 구현한다든지 하는 제작방식에선 어딘가 모르게 벽돌 공장의, 벽돌들이 가득히 쌓여 있는 광경이나 어디 한 자리에 부어놓은 벽돌 더미를 보는 것 같은 인상을 주고 있다. 그의 내면 속에 자리한 아버지의 벽돌 공장의 풍경이 자신도 모르게 자신의 작품으로 승화되어 나온 것이 아닌가 생각된다. 유년이나 소년기에 보았던 체험은 성장한 후에도 오랫동안 뇌리에 각인되어 있는 경우가 허다하다. 예술가들에게는 그러한 기억의 잔흔들이 먼 훗날 그들의 작품 속에 여러 양태로 되살아나고 있음을 흔히 목격하는 터이다. 전광영의 그 독특한 방법의 발상도 성장기의 체험이 오랜 시간을 격해 그의 창조적 원천으로 작용한 것임에 틀림없다.

전광영의 예술적 편력은 크게 1995년을 경계로 이전과 이후로 나누어 살필 수 있다. 1995년이란 그가 스티로폼에 한지를 싸서 묶는 독특한 방법이 시도된 시점을 말한다. 그러니까 1995년 이전은 그가 일반적 방식의 회화를 추구하고 있었던 시기를 말하고 이후는 전혀 다른 방법으로서의 그 독자의 조형이 전개된 시기로 볼 수 있다. 1995년 이전의 작품이 1995년 이후의 작품과 방법상으로 직접적인 연계는 이루어지지 않는다. 말하자면, 전혀 다른 콘셉트에 의한 두 개의 세계라고 볼 수 있다. 그러면서도 이전의 작품이 이후의 작품에 미묘한 그림자를 드리우고 있음을 간과할 수 없다. 그것은 다름 아닌 화면에 대한 기본적인 인식의 동일성이라고 할 수 있다. 그의 화면은 1995년 이전이나 이후가 전면성에 지지되고 있다는 사실을 보여주고 있다. 화면에 일정한 색채를 가하는 방식이 아니고 일종의 염색에 의해 물들이는 방식 역시 이전과 이후

〈Aggregation99-AU168〉 1999년 닥종이에 혼합매체 163x131cm

가 거의 동일하다.

초기 작품에 두드러지게 표상되는 것은 미묘한 빛의 흐름이다. 그러한 빛의 흐름은 전혀 다른 방법의 후기 작품에서도 부분적으로 나타나고 있다. 귀국 후인 1980년대의 일련의 작품들에서는 날염과 같은 물들인 것 같은 전면화 현상이 지배한다. 인두로 지진 것 같은 찍혀진 흔적들이 뚜렷이 표상된다. 이 시기의 작품들에서는 그가 받은 미국에서의 영향관계를 떠올리게 한다. 추상표현주의의 후기적 양상이랄 수 있는 색면추상에 대한 감화가 이들 작품 속에 명멸하고 있음을 발견하기 때문이다. 전면화와 염색과 같은 찍어내는 효과의 기술은 미국의 추상 미술에 일정한 감화를 받으면서도 자기 나름으로 해석하려는 독자적 의식이 분명하게 떠오른다. 그는 보편적 방법으로서 색면추상을 부분적으로 수용하면서도 그 독자의 방법을 꾸준히 삽입해 넣고 있는 것이다. 자기세계에 대한 확실성은 그의 이후의 방법을 이끌어내는데 하나의 원동력이 되었음이 틀림없다.

그 독특한 싸기와 집성쌓기의 작업이 등장한 이후 최근에까지 그의 화면은 몇 개의 단계로 변화를 시도하고 있다. 아직은 새로운 방법의 창안에 도취된 1995년 무렵의 작품들은 기술적으로 세련되지 못한 면들을 내보인다. 거치면서도 강인한 구성에 지지되고 있는 이 시기의 작품은 비록 세련은 되지 않았으나 풋풋한 정감과 솟구치는 에너지를 엿보여 주고 있다. 1996년, 1997년에 오면 방법적인 세련이 현저해진다. 자기작업에 대한 자신감이 두드러지게 표상된다. 2001년에 오면 더욱 많은 실험이 이어진다. 실험은 새로운 창안의 결실로 이어지고 결실은 더욱 자신감을 안겨준다. 같은 콘셉트면서도 이처럼 변화가 풍부한 변주를 가할 수 있다는 것은 주도한 작가의식과 끊임없는 탐구욕의 결실이다. 그것을 뒷받침해주는 것은 천부적인 작가로서의 기질이 없이는 불가능하게 보인다.

1995년 전후의 작품들은 이미 지적했듯이 아직도 거친 부분이 적지 않다. 계산에 앞서 의욕이 분출했기 때문이다. 이 시기의 작품들은 바탕에 일정한 크기의 작은 단위들을 어떻게 밀도 있게 끼어 맞추어 나갈 것인가에 고심한 흔적이 역력하다. 따라서 형태에 따른 자연스런 모양이 유도될 수밖에 없다. 화면은 불규칙한 돌기현상으로 전면화되고 있는 형국이다. 평면의 구조에서 시작되지만 결과는 부조의 양상이 될 수밖에 없다. 이 거친 표면이 점차 매끄러운 평면과 장식적인 요소가 첨가되면서 더없이 차분하면서도 풍요로운 구성에 이른다. 일정한 씨줄과 날줄에 의한 바탕의 구획이 암시적으로 떠오르는가 하면 동심원과 중복되는 사각형의 구성이 깊이의 차원을 만들고 있음을 엿볼 수 있다. 더욱 미세한 작은 돌기들이 화면의 어느 부분을 채우는가 하면 여백으로서의 평면만을 남기는 변화로 인해 화면은 유동적인 구성으로 진행된다. 그것은 마치 밤하늘의 은하수를 보는 것 같은 인상을 주기도 한다.

또 다른 실험은 여러 색으로 물들인 종이보자기로 인한 변화이다. 같은 톤의 종이가 아닌 다양한 색조에 의한 종이보자기가 빽빽하게 밀집됨으로써 더욱 강렬한 에너지를 만나게 된다. 그것들은 마치 가을날 잘 익은 열매들이 삐죽삐죽 고개를 내밀고 있는 형국이다. 서로 밀치면서 얼굴을 내밀려고 하는 열매들의 아우성 치는 현상은 단순한 표현의 인자이기보다 살아있는 생명체의 실존적 양상을 만난다고 해야 될 것 같다.

2001년의 개인전에 나온 일련의 작품은 화면의 형식면에서 커다란 변모를 보이고 있다. 지금까지의 사각의 화면에서 벗어나 때로는 삼각형 때로는 사다리꼴이 있는가하면 한 쪽은 반원으로 처리된 셰이프드 캔버스shaped canvas의 등장이다. 지금까지 작은 단위의 돌기들에 의한 화면 내부의 변화가 이제는 외면의 틀의 변화로 옮겨지고 있다. 여기에 가해진 은은한 원색조는 다분히 풍경적인 요소를 환기시킨다. 별들이 쏟아지는 밤하늘의 풍경을 연상시키는가 하면 서녘에 떠오르는 황혼의 장대하면서도 신비로운 장면을 보는 느낌이다. 풍경적이란 바라본다는 거리감에 의해 조성되는 시각적 현상을 말한다. 멀리서 풍경을 바라본다는 것은 일종의 관조적인 시점이기도 하다. 그런 만큼 여유로운 시각이기도 하며 즐거움이 동반되는 시각이기도 하다. 시적인 풍요로움이 지배하기 시작했음이 엿보인다.

2000년 국립현대미술관에서의 초대전에는 다양한 스케일의 입체 설치작들이 등장하였다. 거대한 공모양의 입체물이 공간에 매달리는가 하면 바닥에서 불쑥 솟아오른 거대한 기둥과 기둥 아래 산재되는 작은 파편들이 어떤 극적 상황을 유도해준 것들이었다. 입체 설치 작품은 이 시점으로부터 꾸준히 제작되고 있는 편이다. 입체물은 평면에서는 느끼지 못하는 다이나믹한 에너지를 발산하고 있다. 폭발하는 내면의 형상화라고나 할까.

최근작에 나타나는 변화는 한결 심미적이라는 점에서 앞서의 작품들과 차원을 달리한다. 평면인데도 그 속에는 작은 분화구들이 산재되고 있어 어떤 점에서는 지금까지 돌기되었던 현상들이 이제는 안으로 이동해 가지 않나 생각된다. 웅덩이 같기도 하고 모래사장과 그 모래사장에 가끔 나타나는 움푹 패인 자리를 떠올리게 하는 분화구들이 여기저기에 산재한다. 그러나 그것들은 물리적인 장치에 의한 것이 아니라 일종의 눈속임에 의한 것이다. 화면에 가까이 다가가 보면 화면은 단순한 평면임을 파악할 수 있다. 이 같은 착시현상은 평면의 평면성을 뛰어넘어 화면을 더욱 넓은 스케일로 이끌게 한다. 그러기에 이 분화구들은 지상적인 것이기보다는 미지의 행성에서나 만날 수 있을 것 같은 그러한 풍경이다. 대단히 구체적인 현상으로 나타나지만 동시에 초현실적인 여운을 남긴다.

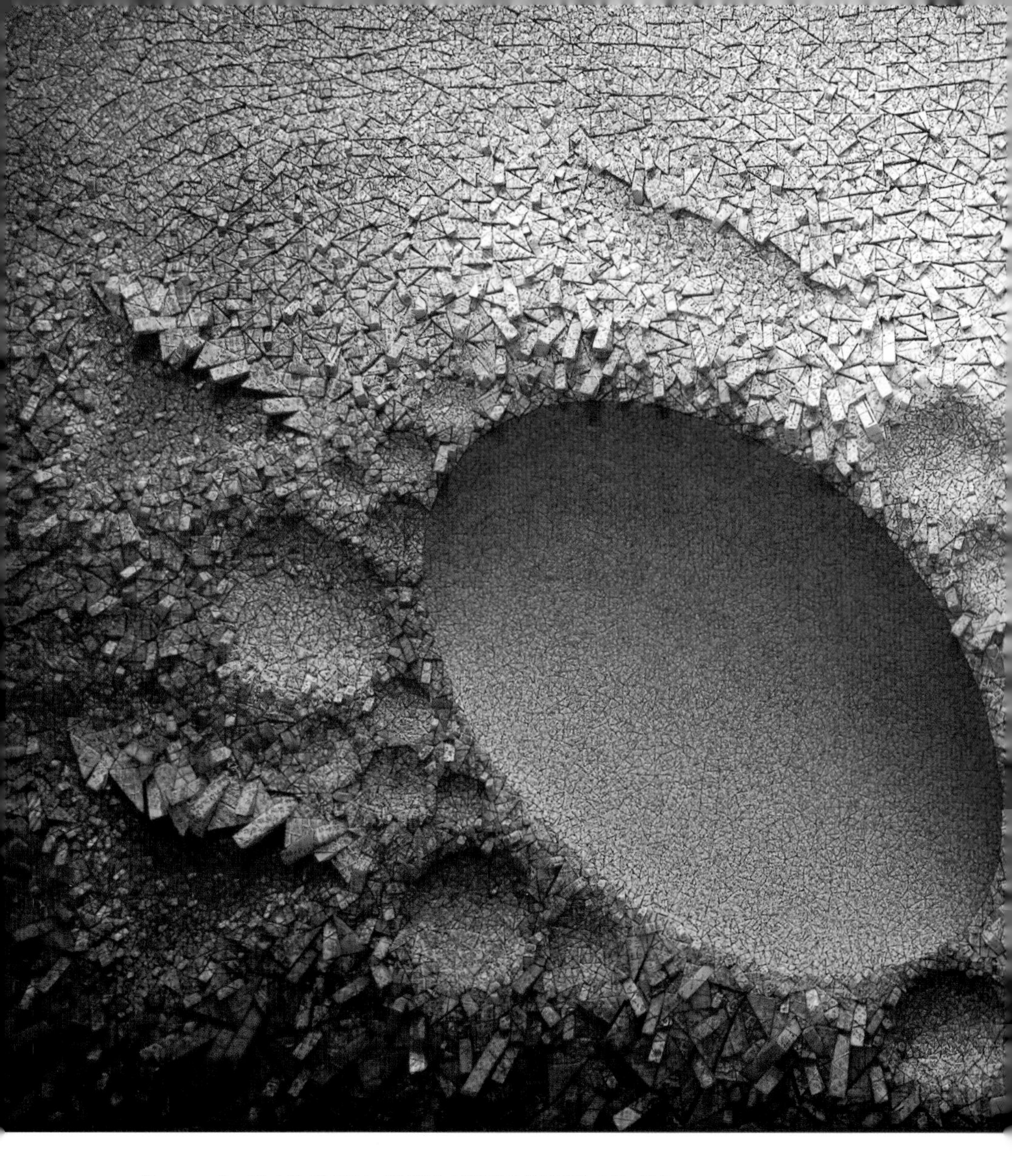

〈Aggregation08-M002BLUE〉 2008년 닥종이에 혼합매체 212x402cm

스티로폼을 한지에 싸고 묶고는 화판 위에 빼곡이 쌓아가던 작업 방식에서 보여주던, 물성의 아우성은 이제 작가의 심미적인 채널에 넘겨지면서 한결 여유로운 공간으로의 이동을 드러낸다. 어쩌면 그것은 유토피아를 꿈꾸는 작가의 시간 저 너머의 세계를 우리들 앞에 조심스럽

게 펼쳐 보여주고 있는 것은 아닌가 생각된다. 그러기에 무한을 향한 작가의 염원이 작은 계시들로 화면에 넘치고 있는 것이다.

『전광영』 2005년 화집

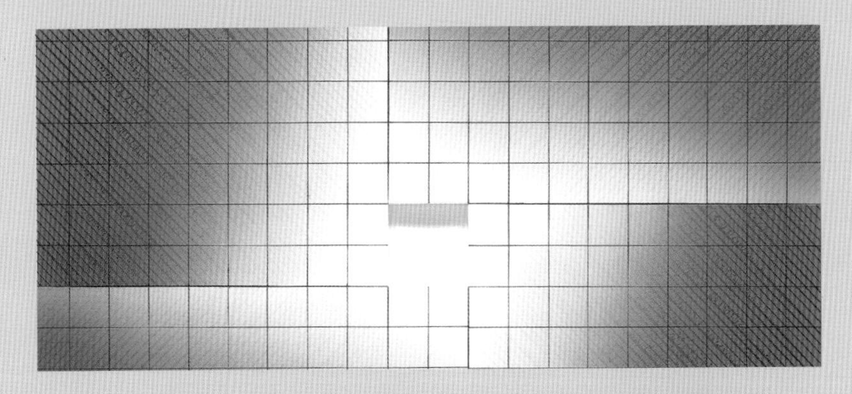

하동철

HA DONGCHUL

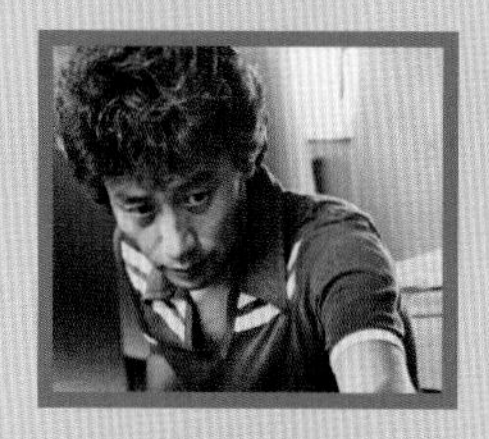

1942 충북 옥천 생
1965 서울대학교 미술대학 회화과 졸업
1969 서울대학교 대학원 회화과 졸업
1977 훌브라이트 장학금으로 템플대학교 타일러 미술학교 대학원 유학
1979 템플대학교 타일러 스쿨 오브 아트 대학원 판화과 졸업
국전 추천 초대작가 및 심사위원
미술대전 중앙미술대전 동아미술대전 부일미술대전
서라벌미술대전 탐라미술대전 심사위원

개인전

14회
1976 미술회관 서울
1977 선화랑 서울
1978 랭맨 갤러리 펜실바니아
1979 아트 얼라이언스 필라델피아
한국갤러리 뉴욕
펜로즈 갤러리 필라델피아
신세계 미술관 서울
1981 그로리치 화랑 서울
1983 윤 갤러리 서울
1985 미술회관 서울
대동화랑 삿뽀로
1987 힐튼 갤러리
1988 갤러리 현대
1995 진화랑 진아트센타

단체전

1996 한국 현대미술의 조망과 미래 수원대학교 고운미술관
서울대학교 개교 50주년 기념 미대동창전 서울대학교 박물관
'96 중앙 비엔날레 서울시립미술관
'96 서울 미술대전 서울시립미술관
한국작가 6인전 빠리 드니스 르네 화랑
에꼴드 서울 '96 관훈 미술관
ABSTRACT '96 갤러리 63
아시아 판화 미술 축제 부산 문화회관
FIAC '96 빠리 에스빠스 에펠
한국 현대미술의 현상과 전망 수원대학교 고운미술관
1997 '97 한국미술 오늘의 상황전 전북대학교
한국미술 '97 국립현대미술관
움직이는 미술관 한국내 각 시도 문화공간
서령 예향 미술제 서령미술회관
'97 한국미술 시점과 모색
선화랑 설립 20주년전 선화랑
61전 조화랑
'97 갤러리 이콘 AURA 소품전 이콘갤러리
대전고등학교 창립 80주년전 대전 시민 회관
'97 서울 현대 판화 초대전 서울 갤러리
가나 화랑 기획 제주 신라 미술제 제주 신라 호텔
교과서 미술전 예술의 전당
제 33회 한국 현대 판화가 협회전 제주 문화예술 회관
레알리떼 서울 10주년전 공평아트센타
'97 서울 미술대전 서울 시립 미술관
갤러리 가이드 기획 작업실 탐방 작가전 공평아트센타
ABSTRACT '97 갤러리 서화
현대미술 12인 초대전 예일 화랑
재경충북작가 현대미술 초대전 청주 문화관
예원 개교 20주년 기념전 운현궁 미술관
사랑의 나눔전 예술의 전당
1998 현대 한국 판화전 갤러리 삼성플라자
대전·공간 확산전 대전 시립 미술관
아시아 프린트 어드벤쳐 호까이도 도립 미술관
한국 현대 판화 30년전 서울 시립 미술관
RMIT 초대전 멜버른 RMIT Story Hall
향토작가 초대전 양평군민 전시실
재경충북작가 현대미술초대전 청주문화회관
'98 PICAF 부산시립미술관
24인 초대전 예일화랑
61전 갤러리 조
1999 남한강사람들의 이야기전 아지오화랑
100년의 경계 오늘의 대전미술 대전 시립미술관
사진 박물관 건립 기금 조성전 서울 갤러리
61전 동호갤러리
미술시대 10주년 기념전 예술의 전당
아! 대한민국 상 갤러리
자연속의 작가들전 전원 갤러리
한중 현대 판화교류전 흑룡강성 미술관
예일화랑 10주년 기념전 예일화랑
한국 현대 판화 스페인 순회전 스페인 국립 판화 미술관
판화의 모험전 갤러리 우덕
'99 서울 미술대전 서울 시립미술관
MANIF '99 예술의 전당
새천년을 맞이하는 날개짓 청주 조흥 갤러리
맑은 물 사랑 미술관 개관전 양평 미술관
2000 Y2K국제판화전 대만 국립 예술 교육관
서울대학교와 새천년 서울시립미술관
61전 조화랑
한국회화 조각 대표작가전 조선일보미술관
밀레니엄 그래피카 2000국제판화전 일본 요꼬하마
제주 국제 판화제 서귀포 귀당미술관
오늘의 판화 2000 부산 문화 회관
한국 판화의 전개와 변모 대전 시립미술관
현대미술 12인전 선화랑
한국 훌브라이트 50주년 기념전 프라자호텔
한국 현대미술전 일본 후는 갤러리와 쿠웨이트 레바논 순회전
공공 현대미술 12인 초대전 예일 화랑
ABSTRACT 2000 갤러리 사간
오늘의 판화 2000 갤러리 새
한국 현대 판화 초대전 멜버른 RMIT 미술관
2001 21c 한국 미술 그 희망의 메시지전 갤러리 창
한국 현대미술제 예술의 전당
2001 서울 미술대전 서울 시립 미술관
한국 현대미술 초대전 뉴저지 루운다 갤러리
61전 종로갤러리
서울대학교 미술대학과 소르본 빵떼옹 교류 교수전
빠리 베르나노스 갤러리
한국의 현대 판화 2001 전 서울시립미술관
한국의 현대 판화 2001 전 서울시립미술관
한국 현대미술 반세기 오늘전 갤러리 한스
2002 한국 현대 판화 한지 2인전- 하동철 하원
오하이오 데이톤 비쥬얼 아트센터 초대전
신시내티 아트 아카데미 초대전 치드로 갤러리
컬럼버스 아트 앤 디자인 에이 코크 갤러리
미술문화 최고정책과정 작품전 경북대학교 평생교육원
61전 갤러리 피쉬
한민족의 빛과 색 서울 시립미술관
미술의 시작IV 성곡미술관
한국 현대 판화 2002 관훈 미술관
양평 미술협회전 양평 미술관

수상

1964 제3회 신인전 장려상
1964 제13회 국전 특선 경복궁미술관
1965 제14회 국전 특선 경복궁미술관
1970 제19회 국전 특선 경복궁 국립현대미술관
1973 제22회 국전 특선 국립현대미술관
1974 제23회 국전 문화공보부장관상 국립현대미술관
1975 제24회 국전 특선 국립현대미술관

빛에로의 열망

"빛을 찾아가는 길의 나의 노래는 슬픈 구름 걷어가는 바람이 되라" 조지훈

하동철河東哲은 1965년 서울대와 대학원을 거쳐 1977년에 도미하였다. 템플대학교Temple University 타일러 스쿨 오브 아트Tyler School of Fine Arts 대학원에 유학하고 귀국하였다. 그의 작가로서의 출발에서나 행적에 있어 먼저 발견되는 것은 의식의 주도함이다. 그리고 누구 못지않게 작가로서의 편력에 화려함을 지닌다는 점이다. 그의 전체적인 작가로서의 역정을 관견해보건대 자신에 충실함과 아울러 미술사회에 확고한 자신감을 피력해왔다는 사실이 발견된다. 자기 세계에 대한 신뢰와 추진은 선망의 대상이기에 부족함이 없었다.

그의 작가로서의 데뷔는 대학 시절로 거슬러 올라간다. 1962년 신상회전 입선, 1963년 국전 입선, 1964년 신인전 장려상, 국전 특선은 그가 아직 대학에 재학 중에 거둔 기록이다. 당시만 하더라도 미술대학 3, 4년이면 국전이나 기타 공모전에 응모하는 것이 상식화되어 있었다. 재능 있는 신인이면 이미 재학 시절 데뷔를 끝내고 있다. 그러나 대부분 한 두 번의 국전 입선이 고작이고 특선의 경우는 특출한 경우에만 해당되었다.

그는 1963년부터 1975년에 이르는 사이 국전에서 여섯 번의 특선을 차지, 추천작가의 반열에 오르고 있다. 누구보다도 빠른 작가로서의 진

출을 보이고 있는 셈이다. 그 무렵 동료들과 꾸민《신체제전》과 역시 서울대 중심의《회화 '68》의 참여는 그의 출발이 왕성한 의욕으로 점철되어 있음을 엿보게 하는 점이다.

하동철의 수학기인 1960년대 초반은 뜨거운 추상표현주의로 대변되는 앵포르멜의 열기가 서서히 식어가고 있을 무렵에 해당된다. 주지하다시피 앵포르멜의 열기는 1950년대 후반에 시작되어 1960년대를 넘어오는 과정에서 그 절정기를 맞는 느낌이다. 그가 학교를 나올 시기에는 이미 철 지난 양식으로 치부되어지고 있었다. 젊은 세대들 사이에는 조심스럽게 그 대안이 논의되고 모색되고 있었다. 그런 점에서 하동철은 뜨거운 추상미술의 마지막 세대이자 새로운 전기를 맞는 첫 세대에 속하는 셈이다. 일종의 전환기에 속한 작가라고 해도 과언이 아니다. 전환기의 작가란 그만큼 변화의 요청에 민감해야할 뿐 아니라 자신의 방향에 대한 투철한 의식의 무장이 이루어지지 않으면 안 된다. 대체로 전환기에 뛰어난 작가들이 배출되는 것은 그만큼 긴장된 상황의식에 대처함으로써 작가로서의 자신을 주도하게 다질 수 있기 때문이다. 1967년에는《청년작가연립전》이 출현하였고 이어《회화 '68》이 등장하였다. 이들 단체의 출현으로 인해 뜨거운 추상은 공식적으로 그 명맥을 마감하게 되었다고 할 수 있다.

뜨거운 추상 이후의 경향은 뜨거운 추상이 하나의 물결로 이루어지고 있는 반면 다양한 모색의 경향이 공존하는 양상을 드러내 보였다. 그 가운데서도 가장 두드러진 경향이라면 기하학적, 시각적 추상 경향이라고 할 수 있을 듯하다. 미국에서 전개되고 있었던 팝 아트가 극히 일부 젊은 층 사이에서 시도되긴 했으나 제대로 형성되지 못했다. 팝 아트에서 보이는 도시 문명을 배경으로 한 사회 구조가 아직 마련되지 못했던 상황에 그 요인이 있었던 것 같다.

하동철을 비롯한 일부 젊은 작가들에 의해 시도된 기하학적, 시각적

〈만가 Dirge〉 1970년 캔버스에 유채 147.5x147.5cm

추상이 신선한 대안으로 수용될 수 있었던 것은 뜨거운 추상미술이 지향했던 작가 내면으로의 여행이란 신비주의적 미망에 식상할 대로 식상했기 때문이며 상대적으로 기하학적, 시각적 추상이 보여주는 객관적, 논리적 시 체험이 그만큼 신선한 충격이 될 수 있었던 것이다. 그것이 신선하게 감응된 내면에는 우리 미술이 지닌 모더니즘의 허약성에도 일단의 요인이 있지 않나 생각된다. 우리의 모더니즘 제 1세대의 작가들이 추상미술을 해체와 재구성이란 조형 논리에 투철하지 못한 채 단순한 하나의 양식으로 수용함으로써 현대미술의 주요한 지층이 그만큼 외형적인 것에 머물러 있었으며 극히 몇몇 작가들의 개인적 양식으로만 통용되었을 뿐이었다. 1960년대 후반 기하학적, 시각적 추상에 대한 반응이 신선하게 이루어질 수 있었던 것도 이 같은 상황적 배경에서 이해되지 않으면 안 된다.

기하학적 추상과 시각적 추상은 그 연원은 같지만 그 내면적 구조는 다르다. 우리의 경우, 하나로 통념화해 부르는 경향이 있을 뿐이다. 무엇보다 시각적 추상은 물리적 현상을 동반한 시지각의 구조에 의한 양식이다. 움직이는 회화 또는 착시적 현상의 표상화 작업은 여기서 생겨난 것이다. 하동철의 작업상의 분류는 기하학적인 것이기보다는 시각적인 것이라 할 수 있다. 그의 1960년대 후반과 1970년대에 걸친 일군의 작품상에 나타나는 색면의 포화 현상과 강한 시지각적 요소는 물론이려니와 셰이프드 캔버스를 통한 입체적 구조로의 추이는 화면의 일정한 틀을 벗어나는 물리적 현상의 반영이라고 할 수 있기 때문이다. 1980년대 이후 일관된 빛의 주제에서 발견되는 유동적, 지각적 요소는 이미 1970년대를 통해 서서히 성숙되어온 것이라 해도 과언이 아니다.

그의 작업은 타블로tableau와 판화로 대별된다. 그의 판화 작업이 본격화 된 것은 미국에서 귀국하면서이다. 성신여대 대학원의 판화 수업은 그의 열정의 산물이라 할 수 있다. 아직 학부에 판화 전공이 마련되지 않았던 시절 그는 대학원에서 본격적인 판화 수업을 시작한 것이었다. 성신여대 대학원의 판화 교실은 판화에 대한 인식을 넓혀준 하나의 촉매가 되었다고 해도 과언이 아니다. 이후 여러 대학에서 판화과가 신설되었으며 판화에 대한 호응도가 빠르게 번져가기 시작했다.

일찍이 판화에 대한 열망이 높아있었으면서도 전반적인 판화의 수준은 대단히 낙후된 상태에서 벗어나지 못했다. 국제 판화전서울국제판화비엔날레 등이 열릴 정도의 상황이었음에도 판화 작가의 수적 빈곤은 말할 나위도 없거니와 판법의 기술면에서도 저급한 수준에서 맴돌았다. 하동철을 비롯한 몇 몇 해외 유학파들에 의한 판화의 수용과 전파는 열악한 판화의 상황을 벗어나게 한 계기가 되었다.

하동철의 판화 작업은 특히 1980년대에 두드러지는데 대학에서의 판화 수업과 그 괴를 같이 한다. 판화를 가르치는 수준에서 벗어나 자신의 판화 작업을 그만큼 추동시킨 것이었다. 이 무렵 그가 참여한 주요 판화전은《동아국제판화전》,《서울 샌프란시스코 판화 드로잉 교류전》,《한국 판화 40년전》,《중화국제판화비엔날레》,《후쿠오카국제판화전》 등이다. 물론 이어지는 1990년대에도 유수한 국제전 –《류브리아나 국제판화 비엔날레》,《노르웨이 국제판화비엔날레》,《크레코 국제판화비엔날레》 등 – 의 참여가 있지만 그의 판화에의 열정은 1980년대가 가장 높지 않았나 본다.

판화와 타블로는 그 제작상의 시스템이 다르기 때문에 따로 분류되지만 작품상의 조형 이념에 있어선 일치한다고 보아야 한다. 판화 작업을 타블로 작업과 공유하고 있는 작가들의 경우, 판화의 제작 시스템의 영향이 적지 않게 타블로에 전이되고 있음을 목격하게 된다. 작품을 다루는 태도에 있어서나 방법에 있어 치밀한 결정성은 판화를 공유하고 있는 작가들에서 현저하게 나타나고 있음을 간과할 수 없게 한다. 하동철의 타블로 작품이 보여주는 대단히 치밀한 구조의 설정과 표상의 방법에 나타나는 결정성은 다분히 판화 작업의 영향에서 온 것이 아닌가 생각된다. 특히 화면의 설정이나 스프레이어로 조절된 발색 등에서 타블로와 판화는 거의 일치함을 엿볼 수 있다. 그런 만큼 하동철의 화면은 대단히 구조적인 치밀함으로부터 시작된다고 해도 과언이 아니다. 그가 보여주는 가장 보편적인 바탕 작업은 수직과 수평으로 짜여지는 격자 구조 또는 작은 그리드의 밀집 현상이라고 할 수 있다. 기계화된 이 같은 구조적 기법은 철저한 익명성의, 의지의 제거에서 시작됨을 말한다. 어디에도 우연성은 찾아볼 수 없고 개념의 철저한 실현만이 전 화면을 누벼간다. 어떻게 보면 화면은 무미건조하기 짝이 없는 선조에 의한 직조의 결과물만이 남아나는 형국이다. 철저히 계획된 바탕 만들기 위에

〈Light 88-31-60〉 1988년 캔버스에 아크릴 각 90×90cm 갤러리현대 설치광경

가해지는 사선의 튕김만이 의지와 우연의 결정으로 드러나면서 건조하기 짝이 없는 화면에 생명의 울림을 가져온다. 강한 사선의 튕김에서 오는 역동성이 없었다면 화면은 잘 조직된 기계적인 구조의 현현에 지나지 않았을 것이다.

옛 목수와 석수들이 목재나 석재를 짜를 때나 가늠할 때 사용되었던 먹줄 튕김의 발견은 기계적인 구조의 무미함을 일시에 벗어나게 한 방법이 되었다. 그리고 이 튕김은 언제나 사선으로 구현되기 때문에 화면에 밀도와 더불어 극도의 긴장감을 유도하는 요인이 되고 있다. 하동철은 이 사선의 발견을 비가 내리는 자연 현상에서 온 것이라고 말한 적이 있다. "나는 비가 사선으로 내리는 것에 대단한 인상을 받았고…… 이러한 경험은 수직선과 수평선으로만 그리던 그림 위에 사선이 추가적으로 들어가게 했습니다." 수직과 수평의 직조 위에 사선이 가해지지 않았더라면 과연 빛의 표상이 가능했을까. 1980년에 펜을 수직으로 반복해서 그어 내린 드로잉이 있는데 명제가 〈빛Light〉으로 되어 있다. 사선이 등장하기 전에는 빛을 위에서 수직으로 내리는 형상으로 묘출한 것이다. 빛은 위로부터라는 관념의 소산임이 분명하다. 빛이 수직으로 오는 것인지는 알 수 없으나 일정한 파장을 지닌다는 점에서 튕김에 의한 사선의 묘출이 가장 근접한 것이 아닌가 생각된다. 파장은 진동이고 일종의 울림이다. 이를 음율에 비유한 지적이 여럿 보인다. 장 다실바Jean da Silva는 "그러한 처리는 분명 현악기 연주를 연상시키며 캔버스에 튕겨지는 실의 리드미칼한 소리로 시각적인 대위를 이룬다"[1]고 했는가 하면 김영호는 "그가 일구어낸 빛의 정원은 마치 네 개의 선으로 온갖 환상과 상징의 세계를 펼치는 현악기의 음율 만큼이나 다양하면서도 명증한 이미지로 가득 차 있다"[2]고 한다. 작가 자신도 "순도 높은 원색의 병치나 붓질의 속도에 의한 움직임 위에 수직, 수평 또는 사선을 추가하여 화면에 시각적 흔들림을 제시함이다. 나는 그것을 빛이라고 부르고 있습니다."[3]라고 술회하고 있다. 흔들림은 진동의 또 다른 표현이고 동시에 음율이고 생명의 현상임을 증언한다.

빛은 무엇인가. 비물질적 현상인 빛을 물질적인 안료를 통해 구현한다고 했을 때 일어나는 모순율을 작가는 어떻게 극복해 나갈 것인가. 그의 화면에 등장하는 수직과 수평 그리고 사선의 조직과 더불어 색채의 선택과 구사 역시 빛의 구현에 집중된 것이다. 자신이 사용하고 있는 캔버스의 물성이 한갓 수단에 지나지 않는다는 사실을 그는 이렇게 표명한 바 있다. "비물질적 현상계의 표상으로서의 빛에 집착하고 있고 나 역시 캔버스가 지닌 물성에는 관심이 없어요. 캔버스는 빛을 수용하기 위한 받침으로 역할을 담당하고 있다고……"[4]

화학 안료인 색채 역시 빛을 구현하는 데는 한계가 있다. 그러나 튕김에 의한 진동의 묘출에 못지않게 스프레이어로 조절된 발색은 진동하는 빛의 역동성을 구현하는 데 가장 적절한 방법이 아닌가 생각된다.

그가 선택하고 있는 색채는 빨강, 파랑, 노랑, 검정, 그리고 백이다. 일명 오방색이다. 이 색들 가운데 빨강과 파랑이 주조가 되고 여타 색채는 보조적 수단에 머문다. 그가 지금까지 다루어온 작품의 대개가 빨강과 파랑의 대비로 이루어진 것이라 해도 과언이 아니다. 어느 시기에는 (1994년, 95년) 바탕에 여러 자연 현상을 연상시키는 대상의 묘출을 보인 적도 없지 않았다. 〈이슬〉, 〈안개〉, 〈구름〉, 〈바람〉, 〈만달〉 등 구체적인 대상을 표상하는 명제들이 여기에 해당되었다. 절대적 세계에 대한 치열한 의식에서 잠시 벗어난 시도라고 할까. 이 시기를 지나면서 그의 화면은 점차 관념의 세계로서의 빛의 세계에 몰입하는 현상을 보이기 시작했다. "본질적으로 현실계에 속해 있지 않은"[5] 색채의 구사 역시 관념의 세계의 산물에 지나지 않는다. 빨강과 파랑은 일정하게 전면화하지 않고 점진적으로 확산되고 점진적으로 소멸되는 과정으로 존재했다. 색채는 색채로 있는 것이 아니라 부유하는 공기의 현상으로 떠 있다가 사라지는 형국으로서 말이다. 그래서 평면 속에 있는 것이 아니라 공간 속에 떠 있으며 공간은 2차원의 평면에서 3차원의 일류전의 세계를 유도한 것이 되었다. 그의 화면이 일정한 규격으로서의 사각이 아닌 다양한 형태 – 마름모 꼴, 사다리 꼴, 팔모 형 등 일종의 셰이프드 캔버스의 형태를 띠고 있는 경우도 3차원의 일류전을 유도함에서 일어난 자연스런 현상에 다름 아니라 할 수 있다. 화면의 구조가 암시하는 다양한 외연은 3차원적 프로세스의 극히 자연스런 반응으로 보아야 할 것이다. 그것은 종내 전시장이란 공간 전체를 화면의 연장으로 이끌어가는 것이 된다. "하동철의 작업에 있어 외적 구조는 결국 평면에서 설치 작업으로 확대되고 있다는 측면뿐 아니라 전시장을 빛의 공간으로 드러내는 방향으로 나아간다는 점에서"[6]라고 말한 김영호의 지적도 이를 두고 이름이다. 전시장 전체가 하나의 거대한 빛의 파노라마로 전개하게 한 설치는 빛이 단순히 화면이란 제어된 공간 속에 있는 것이 아니라 우리를 에워싼 전체 공간 속에 있다는 사실을 은유적으로 표현한 것이 아닐까. 작가 자신이 표명한 빛의 구조는 캔버스 안에서 시작되어 캔버스를 벗어난 외적 구조로 확대됨으로써 비로소 비현실계의 현상이 되는 것은 아

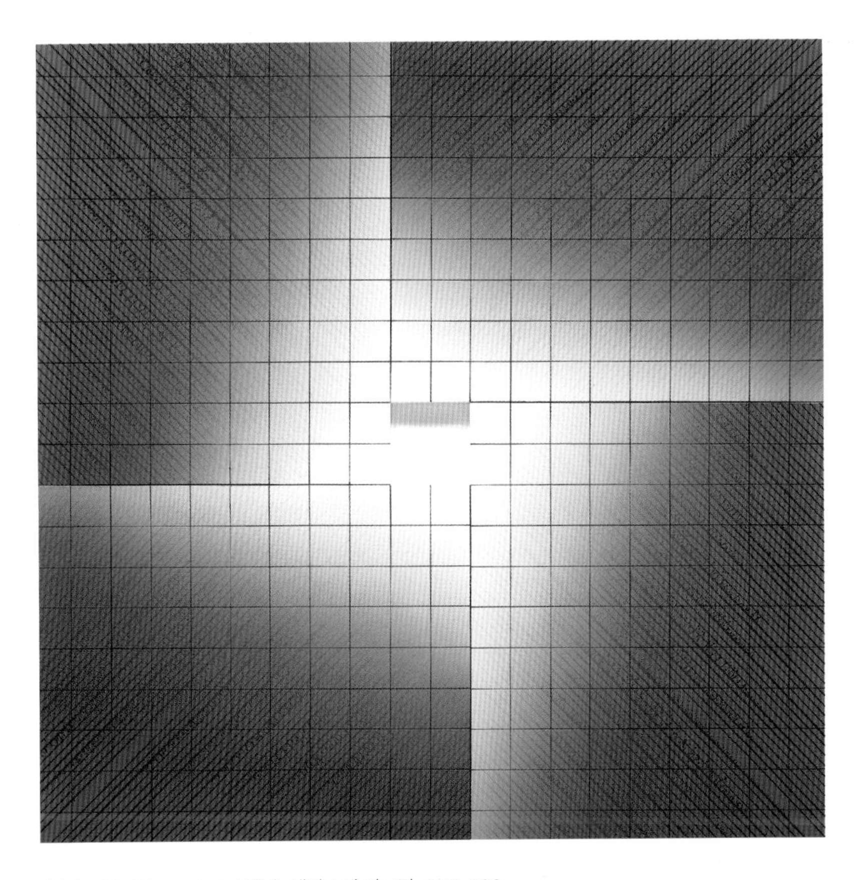

〈Light 02-29 yang〉 2002년 캔버스에 아크릴 200x200cm

닐까. 빛을 열망한 그의 치열한 의식은 빛으로 은유된 구조 속에서 명증하게 빛나고 있음을 새삼 발견하게 된다.

1 장 다실바 「하동철의 회화 - 빛의 그물」 『가나아트』 2002
2 김영호 「빛의 정원 - 관념의 구조와 공간」 위의 글
3 하동철 「빛과 물질 사이에서」 김영호와의 인터뷰 진화랑 전시 카탈로그 1995
4 하동철 위의 글
5 김혜련 「하동철 작품의 기하학적 도상들 그 의미와 해석」《네 나라 다섯 친구들의 다섯 개인전》 선화랑 카탈로그 2004
6 김영호 「하동철 - 빛. 공간. 구조」 『가나아트』 2002

『하동철』 2007년 화집

해체와 종합

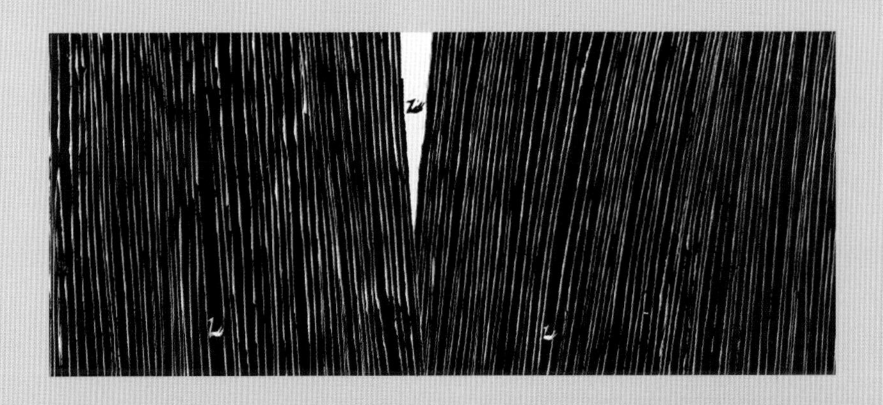

김상구

KIM SANGGU

1945 서울 생
1967 홍익대학교 서양화과 및 동 교육대학원 졸업

개인전

1976-2009 22회

단체전

1987-1996 현대목판화전
1986-1999 현대판화가협회전
1985-2002 서울미술대전 서울시립미술관
1983-1992 서울판화비엔날레
1995-2007 서울판화미술제
1986-2007 한국현대판화가협회전
1981 제16회 상파울로 비엔날레
1983 서울국제판화교류전
1985 한국현대판화-어제와 오늘전
1987 프린트 어드벤처전
1989 중화민국 국제판화 비엔날레
1991 '91현대미술단면전
1992 '92현대미술초대전
1993 한국현대판화 40년전 국립현대미술관
제12회 서울국제판화교류전 문예진흥원 미술회관
1994 장서표와 작은 판화전 미도파 갤러리
제9회 서울국제판화비엔날레 동아일보 일민미술관
1995 류블리아나 국제판화비엔날레 유고슬라비아
내일의 판화 인사갤러리
1996 판화를 위한 제안전 롯데화랑
현대판화작가 초대전 다담 갤러리
한국현대미술 어제와 오늘 홍익대학교 미술관
1997 SAGA 판화아트페어 프랑스
97서울판화 초대전 서울신문사 미술관
미술인 사랑의 나눔전 예술의 전당
1998 한·중 목판화전 하나화랑 개관기념전
인사동문화발전기금마련을 위한 명사100인전 가나아트
천년의 향기-경주전 경주세계문화엑스포
1999 주거공간의 미 현대백화점 갤러리
새로운 천년-하회와 안동전 하회탈 박물관
100인 작가의 문화상품 제안전 선화랑
2000 한국판화 전개와 변모전 대전시립미술관
한국현대판화 위상전 충북 청주 문화회관
열려있는 땅 인천전 인천 종합문화예술회관
2001 책의 香과 氣 갤러리 아트사이드
한·중·일 현대목판화전 김내현화랑
세계학생 리노륨판화 공모전 및 초대전 덕원미술관
미술의 시작III 성곡미술관
2002 지혜와 창조전 해인사 성보미술관
한국의 현대미술 아르헨티나
2003 한국 현대판화모음 국립현대미술관
2004 서울공간국제판화비엔날레 서울시립미술관
A Window to Korea 상하이
2005 동북아3국 현대목판화전 일민미술관
BIRMINGHUM MUSEUM OF ART PRINT FAIR
미국 버밍험미술관
2006 한국현대목판화 1970-2006 木印千江之曲
공평아트센터
프린트 스펙트럼 선화랑
版위의 版畵 2006서울 국제판화전 밀알미술관
책의 기억 북하우스 갤러리
2007 판화의 멋과 맛 우제길 미술관
2007 Art Star 100인 축전 COEX 인도양홀
인천종합문화예술회관 재개관 기념전
경남국제아트페스티발
출판미술로 본 근·현대목판화 1883-2007: 나무거울전
제비울미술관
한국현대판화 1958-2008 국립현대미술관

작품 소장

국립현대미술관 서울시립미술관 대전시립미술관
호암미술관 한가람미술관 서귀포시립기당미술관
홍익대학교미술관 미술은행
Birminghum Museum Philadelphia Museum
British Museum Jordan Schnitzer Museum of Art
국제법률경영대학원 아주대학병원 삼성의료원
아주산업 이건산업 제주 신라호텔 제주 하야트호텔
외교부 재외공관 국민은행 하나은행 신한은행

나무를 닮아가는 사람

우리에게 있어 판화라면 먼저 목판이 떠오른다. 다양한 현대적 판법이 도입되기 이전의 판화는 목판으로 대신되었기 때문이다. 우리의 목판의 전통은 장구하다. 찍어낸다는 판화고유의 방법에 있어 유물로서 전하는 것은 삼국시대에까지 소급된다. 고려시대에 와서는 그 기술의 완벽함과 스케일이 팔만대장경이라는 거대한 프로젝트를 실현시킬 수 있었다. 그럼에도 불구하고 목판의 전통은 현대에 이르면서 위축현상을 드러내고 다른 전통적 과목의 예술이 처했던 것처럼 심한 단절을 보이기도 했다. 다행히도 몇몇 판화가들에 의해 전통적 목판의 기술은 가까스로 그 명맥을 지탱시킬 수 있었다. 정규鄭圭, 최영림崔榮林, 이항성李恒星, 이상욱李相昱, 김상유金相游는 목판의 전통을 현대적 조형의 방법으로 이끌어내는데 뛰어난 업적을 남겼다. 김상구金相九는 이들에 이은 현대 목판화의 제2세대 쯤에 속한다. 그럼에도 불구하고 사실 그의 판화의 연조는 누구에 비해서도 결코 짧지 않다. 1960년대 초반부터 판화에 입문하였고 1970년대 중반경부터는 본격적인 목판이 시도되었으니까 시간으로 따지면 40년을 상회한다.

김상구가 판화에 관심을 갖기 시작한 것은 고교시절 홍익대주최 미술실기대회에 고무판화가 입상됨으로서이다. 당시 미술교사였던 이상욱의 적극적인 이끌림이 있었다. 그가 1970년대 중반 경부터 목판작업에 뛰어들 수 있었던 것도 이상욱의 감화에 힘입었음은 두말할 나위도 없다. 물론 이러한 계기가 판화가로서의 그의 길을 열어준 구체적 촉매였지만 동시에 자신 속에 내재한 판화가로서의 소여성이 그만큼 풍부하게 잠재되어있었음도 간과해서는 안 된다. 한 사람의 예술가가 태어나기 위해선 그가 지니고 있는 잠재성을 어떻게 개발해내느냐의 계기가 더없이 중요하다. 대부분의 경우, 예술가의 잠재성의 발견은 그를 가장 가까이서 지켜보는 교사에 의하고 있음은 어쩌면 극히 자연스런 현상인지 모른다. 김상구와 이상욱의 만남은 단순한 학생과 교사의 관계에서가 아니라 풍부한 잠재성을 지닌 미래의 작가를 발견한 예지자로서의 입장과 그 예지자의 적극적인 이끎에 훌륭히 대응한 입문자로서의 관계라 할 수 있다. 아마도 그 자신도 뛰어난 목판화가였던 이상욱을 만나지 않았더라도 김상구의 목판화가로서의 길은 전혀 예상되지 못했을지도 모른다.

이상욱은 유화와 판화를 겸용했다. 이상욱 외에도 대부분의 판화가들이 일반회화와 판화를 겸용하고 있음이 일반적이다. 김상구는 홍대 서양화과를 나왔지만 그가 지금까지 발표해온 것은 판화에 국한되고 있다. 그것도 1970년대 중반 이후는 목판만을 시도하고 있다. 이 외곬의 작업은 예술가로서의 단호함과 자기예술에 대한 철저함을 반영하는 것이라 할 수 있다. 본 작업은 유화이고 판화는 부업 쯤으로 생각하는 풍조에서 본다면 확실히 그의 존재는 예외적이라 할만 하다. 그의 작품세계를 이해하기 위해서 이 점은 하나의 전제가 되기에 충분하다.

김상구의 시대적 편력은 대체로 세 개의 시기로 분절해서 살필 수 있다. 1960년대와 1970년대 중반까지가 일종의 수업기 또는 습작기로 간주한다면 1970년대 중반의 본격적인 목판작업에서 1990년대에 이르기까지가 자기세계를 확고히 틀잡아가는 시대로 볼 수 있다. 1990년대부터

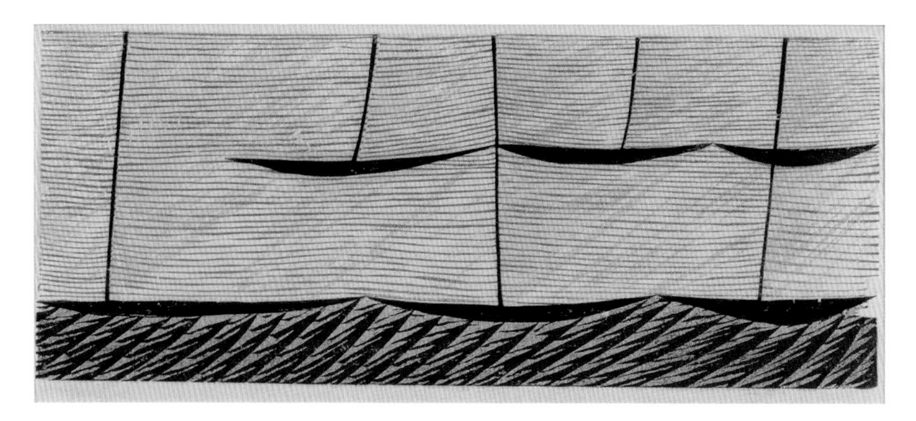

〈No.171〉 1979년 목판 29×65cm

최근에 이르는 시기는 바야흐로 자기세계의 어느 완숙의 경지를 열어보이고 있는 느낌이다.

그의 작업의 연조가 긴만큼 시대별 변화양상은 그렇게 현저하지가 않다. 어쩌면, 목판화란 단일 판법을 고집하고 있는 그의 작가적 태도가 자연 내면으로 파고드는 자기세계의 천착의 결과로 나타난 것이 아닌가 보인다. 따라서 앞서 본 세 개의 시대적 구획도 외연적 변화보다는 내면으로 향하는 깊이와 완숙의 면에 의한 것이라 할 수 있다. 이 점은 초기의 리노륨판과 1970년대 중반 이후의 목판이 기술적인 면에서 현저한 차이를 드러내고 있지 않다는 사실에서도 엿볼 수 있다. 리노륨판과 목판은 재질에서 오는 기술적 반응이 현저함에도 실상 그의 리노륨판에서 목판으로의 전이과정에서는 이 점이 뚜렷하지 않다. 따라서 전환 자체가 극히 자연스럽게 이루어지고 있음을 보여준다.

리노륨판화는 매재적 수용성이 까다롭지가 않아 누구든 쉽게 접근할 수 있다. 판화입문의 매재로서 널리 통용되고 있음도 여기에 기인한다. 중, 고등학교 시절 미술시간에 고무판화제작을 기억하고 있는 이들이 적지 않을 것이다. 김상구의 리노륨판화의 제작시기는 의외로 긴 편

〈No.536〉 1994년 목판 140×148cm

이다. 단순히 입문기 또는 습작기로 보기에는 무리이다. 1960년대 후반부터의 작품들에서 만나는 탄탄한 구성력은 리노륨판을 통한 자기세계가 틀잡히고 있음을 시사하고 있기 때문이다. 1960년대 초반의 일련의 작품들과 대비해보면 이 점이 극명하게 드러난다. 1960년대 후반의 작품에서 보이는 모티프의 다양한 설정도 그렇거니와 구체적인 이미지의 설정보다 공간의 구성에로 이어지는 관심의 전이현상이 현저하게 발견되는 점도 그것이다. 공간구성에의 관심의 추이는 대상성을 벗어나 자유로운 조형의 천착을 반영하는 것이다. 구체적인 대상을 모티프로 한 경우에 있어서도 평면적 설정에서 벗어나 입체적인 구성이 현저하게 나타나고 있음을 엿볼 수 있다.

1960년대 후반에도 가끔 목판작업이 눈에 띄지만 목판이 집중적으로 시도되기 시작한 것은 1970년대 중반 경부터라 할 수 있다. 리노륨판에서 목판으로의 이전이 극히 자연스럽게 이루어졌듯이 모티프상에서나 화면구성상에서의 뚜렷한 변모의 양상은 건잡히지 않는다. 매재가 지니는 특성에 구애받고 있지 않다는 것은 이미 그의 조형적 내구성이 확고한 틀을 형성했음을 시사하는 것에 다름아니다. 이 점은 그의 외곬의 조형적 의지를 반영하는 단면이기도 하다. 리노륨판에서부터 구사되던 다색판은 목판에 와서도 그대로 이어지고 있다. 한판에 둘 이상의 색을 가하는 경우나, 여러 판에 다색을 동원하는 예가 대부분이다. 이는 목판이란 흑백대비의 단순한 구성에 지지된다는 일반적 관념에 충실하기보다 풍부한 조형성을 구현하려는 그 나름의 관심의 추이로 해석된다. 색이 많아진다는 것은 판의 조성이 보이는 직접성이 그만큼 파묻히게 되고 전체적으로 부드러움과 장식성이 동반되게 마련이다. 이 점은 1990년대 이후의 작품들에서 만나는 간결함과 단순성에 비교되는 것이기도 하다.

판화는 판화이기 전에 회화이다. 판화가 비록 공정상 일품회화와 구분되지만 결과로서의 작품에 있어서는 회화의 영역을 벗어나는 것이 아니다. 판화이기 때문에 지나친 기술성만을 부각하려는 태도는 옳지 않다. 아무리 기술에 의해 조형성이 담보된다고 해도 회화라는 궁극의 목표에서 벗어나서는 안 된다. 회화로서의 완성과 이 완성에로 이르는 수단의 기술적 공정이 조화롭게 상호침투되는 데서 참다운 판화의 세계가 찾아지지 않으면 안 된다. 1970년대와 1980년대를 통틀어 유독 다색판이 많다는 것은 그가 회화로서의 판화에 대한 인식이 그만큼 투철하다는 것을 반영하는 것인지도 모른다.

1970년대 중반부터 1980년대 후반에 이르는 2기의 작품내역에서 이상과같이 풍부한 회화성과 판화의 기술적 공정이 두드러지게 드러나고 있음을 엿볼 수 있다. 풍부한 색채와 더불어 목판특유의 칼맛이 선명하게 부각되고 있기 때문이다. 자연에서 유출된 이미지의 변형과 그것의 발전으로서의 추상적 도형이 이 시기 그의 전체 작품을 관류하고 있다. 형태의 반복패턴과 기하학적 구성인자도 현저해지고 있다. 더욱 요약되고 억제된 방법의 신장이 화면을 지배해가고 있음을 보인다. 이같은 방법에 곁들여 모티프의 제한도 뚜렷하게 들어난다. 새, 물고기, 나무, 말, 구름, 사람, 배, 들꽃 등이 빈번히 등장한다. 곁들여 실내의 풍경이 간헐적으로 구현된다. 의자, 바이올린, 화병 같은 것이 실내풍경의 주요 모티프다. 범속한 주변의 자연이 무작위로 선택된다. 친숙한 주변과 일상의 선택은 소박한 소재의식을 반영한다. 어쩌면, 이 소박한 소재의식이야말로 작가의 조형의식 그 자체인지도 모른다. "내가 좋아하는 소재는 마치 한 그루의 나무가 땅에 뿌리를 내리고, 기둥이 서고, 가지가 엇갈려 나듯이 자로 잰듯한 것보다는 약간 휘어진 대들보의 선과 같은 것, 화려한 것보다는 투박한 것, 치장으로 복잡한 것보다는 단순한 가운데 스며드는 토담과 같은 것, 입체적인 표현보다는 평면적인 것, 흑백의 대비, 큰 것보다는 조그마한 것, 가득 차 있는 것보다 여백이 있는 것 등이다."란 작가의 말에서도 소재의식에서 조형의식으로 이어지는 내역을 읽을 수 있다.

1990년대 이후로 오면서 그의 화면은 더욱 단순하고도 명쾌한 이미지의 구현이 눈길을 끈다. 흑백대비의 간결함과 탄력있는 구성이 만드는 압축된 형상은 무르익어가는 조형의 내면을 엿보게 한다. 목판의 재질이 주는 담백함과 풋풋한 향기가 이미지를 가로질러 다가온다. 1990년대 후반에서 최근에 이르는 근작은 더욱 대비적인 요소와 균형감각이 지배된다. 2000년에 발간된 목판화집 〈풍경, 나무, 사람〉은 이같은 특징들을 극명히 드러내고 있다. 화면은 끝없이 침잠되지만 약동하는 생명의 리듬이 안으로부터 부단히 솟아오르고 있다. 연속적인 선의 반복과 점획의 균질화가 화면의 요체화와 전면성을 대변해준다. 이같은 특징을 작가는 이렇게 기술하고 있다. "한 개의 평면에서의 여러 가지 연속적인 운동……정지된 상태에서 다시 불쑥 일어나기도하고, 어느 한 방향으로 자꾸 쏠려나가듯 움직이는 선들, 떠내려가듯 기울어지며 수없이 그려지는 사선의 움직임……생동감있게 표현하려는 시도는 나의 작업 중의 일부이다." 김인환도 일찍이 이 점을 기술한 바 있다. "정지적이며 정일한 공간에서의 연속적인 운동, 그것은 적막을 깨는 소음과도 같이 파상적인 물결을 몰고 온다. 선이 물결이다. 어느 일정한 한 방향으로 쏠리는 듯 유동하는 선의 물결이다. 수평, 수직적이거나 나선적인 리듬을 타고 화면을 가로질러 유동하는 선의 물결, 고요함과 생명감이 동시적으로 화면의 표면장력을 이룬다."

유동하는 선은 때로 수묵화의 일필휘지를 연상케하는 점이 있다. 날카로우면서도 결정적인 힘의 내재성이 특히 그런 연상을 불러일으킨다. 긴 칼자국이 그대로 수평선이 되고 지그재그로 굴절되는 칼자국은 그대로 수목이 된다. 이미지를 표상하기 위해 칼이 운용되는 것이 아니라 이미지와 칼의 운용이 동시적으로 태어나는 형국이다. 때로 흐르다가 정지되고 꺾이다가 다시 줄기차게 뻗어오르는 칼자국을 따라가다보면 어느듯 바람에 휩쓸려 모로 기울어지는 수목의 가지들과 그 사이로 영롱하게 빛나는 저녁바다의 고즈넉함을 만나게 된다. 바람이 있고 빛이 머문다. 스쳐지나가는 바람의 자락과 안으로 파고드는 햇살의 살가움이 교차된다. 적막하면서도 아늑한 시간의 흔적들이 쌓인다. 이제 그의 화면은 그림이자 동시에 시의 경지에 다가간다. 김복영이 '시적판어법'이라고 한 것이나 2000년 판화집을 '김상구목판화'라고 한 것은 단순한 그림의 세계에 머물지 않는 그림이자 동시에 시이고 이야기인 것을 나타낸다.

2000년 목판화집 〈풍경, 나무, 사람〉은 그가 최근 구현하는 대상을 압축한 것이라 해도 좋다. 모티프는 제한되고 표현은 극도로 절제된다. 단순하면서도 결곡한 조형의 장이 열린다. 칼은 예리하면서도 때로 투박한 정감을 감추지 않는다. 칼은 이미지를 앞질러가고 부단하게 각인되는 풍경의 뒷면에 가까스로 그 흔적을 남긴다. 어느덧 각인된 이미지는 나무자체의 속성으로 환원된다. 나무판을 깎다가 그림이 나무판을 닮아간다는 것은 나무판이 본래의 나무로 되돌아간다는 것을 의미한다. 한 곳에 뿌리를 내리고 부동의 자세로 서 있는 나무처럼 작가의 의지는 외곬을 닮음으로서 종내는 나무를 닮아가고 있다. 그의 외형도 나무를 닮아가고 있다. 나무를 깎는 사람이 동시에 나무를 닮아간다는 것은 작가와 나무가 분화되지 않는 일체가 되어간다는 것을 의미한다. 그래서 그의 작품에 유독 나무가 많이 등장하는 것인지도 모른다. 풍경 속에서도 등장하고 인간과 마주선 대립된 구도로서도 등장하고 독립된 존재로서도 등장한다.

나무와 인간이 마주하고 있다. 나무 아래 인간이 서 있다. 때로 나무가 인간보다 훨씬 큰 존재로 대비되기도 하고 인간과 대등한 부피로 등장하기도 한다. 사람은 수직의 의지로 나무를 닮아가고, 창공을 향해 뻗어올린 두 팔은 나뭇가지의 자재로운 뻗음과 닮아 균형을 유지한다. 나무판과 판 위에 새겨진 나무와 사람이 분화되지 않는 상태로 진행된다. 판 위에 나무와 사람을 새기는 작가도 이들을 닮아가고 있다. 김상구의 목판화가 주는 매력은 목판이 종내 작가자신이 되어간다는데 있다. 나무이자 표현의 대상이고 동시에 나무와 표현의 대상을 통제하고 새기는 작가자신이 나무이고 표현대상으로 되돌아간다는 데 있다.

《목판화 1960-2005: 김상구展》 김내현화랑 2005년 전시서문

〈No.876〉 2004년 목판 100×70cm

김종학

KIM JONGHAK

1937 평안북도 신의주 출생
경기고등학교 졸업 서울 미술대학 서양화과 졸업
동경 미술대학 서양화 판화과 연수 뉴욕 프랫대학 판화과 연수

개인전

1964 신문회관 화랑
1974 무라마츠 화랑 동경 일본
1976 M.M.SHINNO화랑 L.A. 미국
1977 갤러리현대 서울
1985 원화랑 서울
1987 선화랑 서울
1988 박여숙화랑 서울
1990 선화랑 서울
1992 박여숙화랑·예화랑 서울·부산갤러리 월드 부산
1994 삼풍갤러리(박여숙화랑) 서울
1998 갤러리현대 서울
1999 조현화랑 부산
2001 박여숙화랑 서울
2003 예화랑 서울
2004 갤러리현대·금호미술관 서울
2006 두가헌·가나아트센터 서울·가나갤러리 파리
2007 조현화랑 부산
2008 예화랑파리

단체전

1960 60년 미술가협회전
1961 판화 5인전 국립중앙박물관
1962 악뛰엘전
1963 세계 문화 자유회의 초대전 경복궁 미술관 서울
조선일보 초대전
1964 제5회 Paris Biennale 파리, 프랑스
한국 청년작가 4인전 이봉 랑베르 갤러리 파리 프랑스
1965 중앙일보 초대 한국현대 서양화대표작가 10인전
1967 제9회 국제비엔날레 도쿄 근대미술관
1968 한국현대미술전 도쿄 근대미술관
1969 5·16 민족기록화 제작
1970 본 현대 작가 야외전 고도모구니 공원, 일본
한국 현대회화전 인도, 아프가니스탄, 네팔
1972 제2회 동아일보 국제판화 Biennale
1973 제12회 Sao Paulo Biennale 브라질
현대미술 73년 명동화랑
서울13인초대전 Signum화랑 동경
1974 서울74전 한화랑
1975 13회 SaoPaulo Biennale 상파울로 브라질
국전 24회 추천작가
1976 Los Angeles 판화전 미국
국전 25회 추천작가 에꼴 드 서울
1977 중국역사박물관 한국 대표전 국립대만역사박물관
타이완 대만
국전 26회 추천작가
1978 미동부 한인작가전 뉴욕
1979 New York Art EXPO
1980 한국 현대 판화 협회전
1981 문예진흥원 판화초대전 국전 30회 추천작가
오늘의 작가전 한국 미술 81년전
1982 유고 판화 Biennale
1983 1984 국립현대미술관 초대전
1986 김종학·김웅 2인전 예화랑 서울
한국현대미술의 어제와 오늘 국립현대미술관 과천
1987 서울미술대전 서울시립미술관
현대미술 초대전 국립현대미술관 과천
1988 서울 올림픽 한국 현대미술전 국립현대미술관 과천
1989 서울시 초대전 현대 한국회화전 호암 갤러리 서울
1990 김종학·오수환·심문섭·이영학 4인전 박여숙화랑
1993 파리 NICAF참가 박여숙화랑 요코하마 일본
VISIONS IN BETWEEN 뉴욕 동경 대만 서울순회
한국 현대미술 격정과 도전의 세대 토탈미술관 서울
1998 아름다운 성찬 국립현대미술관 과천
정부 소장 미술품 특별전 국립현대미술관 과천
1999 곽훈·김웅·김종학3인전 예화랑 서울
파리FIAC참가 갤러리현대 서울
개관16주년기념_자연과 대화 박여숙화랑 서울
2000 한국현대미술의 시원 국립현대미술관 과천
2001 지우지예 예나르 서울
2002 이인성상 수상 기념전 대구문화예술회관
2003 한국현대미술 조명_예화랑 개관 25주년 기념전 예화랑
2005 서울미술대전_회화 서울시립미술관
행복충전·판화사랑 갤러리 우림 서울
2006 한국 미술 100년: 전통·인간·예술·현실
국립현대미술관 과천
2008 굿 모닝 미스터 백남준 런던 한국문화원
2009 아름다운 세상을 부탁해 서울시립미술관 경희궁 분관
2010 한국 현대미술의 중심에서 갤러리현대 서울
김종학·윤광조 도화전 두가헌 갤러리 서울
Collector's Favorite 갤러리현대 서울

원생의 풍경 또는 회화적인 회화

구상회화라면 낡은 형식의 대명사처럼 생각하는 경향이 없지 않다. 시대의 미의식이 전통적 방법을 적극적으로 밀어내는 상황에 전적인 요인이 있지만, 뛰어난 구상회화가 없었음에도 그 일단의 요인이 있다고 보아야 한다. 새로운 경향이 대두하면 너나 할 것 없이 일방적으로 몰리는 유행심리가 유독 우리 미술계에 강한 점을 떠올리면, 특정한 영역을 고수하는 것은 그만큼 어려워질 수밖에 없다. 다양한 경향과 방법이 층을 이루고 그 깊이를 다질 때 미술풍토가 풍요로워진다는 사실은 아무리 강조해도 지나침이 없다. 사실 그럼에도 불구하고 우리 미술계의 단점은, 천편일률적이니 일방적이니 하는 비판을 감내할 수 밖에 없는 다양성의 빈곤에 있다.

2003년 5월에 열렸던 《김종학 개인전》 전시장에서는 많은 사람들이 안도의 숨소리를 내는 것을 보았다. 오랜만에 부담 없는 작품을 대했다는 것이었다. 모두 마음이 편안해졌다고 했다. 무겁고 심각하고 요란스러운 작품에 시달려온 사람들이 마치 고향에 돌아온 것 같은 안도감을 가졌다는 것이다. 회화가 날로 위축되어 가는 시대에 다시 가장 회화다운 회화를 만났다는 자족감이 이심전심으로 전달되었음이다.

김종학金宗學은 이십 년 넘게 설악산에서 살고 있다. 이십 년간 설악산에서 살아온 김종학의 화면에는 설악의 풍경이 이십 년 넘게 이어지고 있다. 설악에 사니까 설악의 풍경을 다루는 것은 당연한 일이다. 그래서 그를 두고 '설악의 화가'라는 애칭을 부여하기도 한다. 산을 주로 그린다 해서 '산의 화가'니, 바다를 많이 그린다고 해서 '바다의 화가'니 하는 애칭이 있다. 그런데 김종학을 두고 '설악의 화가'라는 명칭을 붙인 것은 앞의 경우와는 다르다. 어느 특정한 대상을 집중적으로 다룬다고 해서 붙여진 이름과는 분명히 차원을 달리한다. 그는 대상으로서 설악의 풍경을 그리는 것이 아니라 설악에 사는 한 예술가의 내면풍경이랄 수 있다. 그래서인지 그의 화면에는 일정한 거리로서의 원근이 없다. 가까이 있는 것이나 멀리 있는 것이나, 앞에 있는 것이나 뒤에 있는 것이나 일정 간격의 거리를 유지하고 있지 않다. 가까이 있는 것이나 멀리 있는 것이 평면이라는 단면 속에 나란히 놓인다. 앞에 있는 것이나 뒤의 것이 간격의 질서를 넘어 서로 뒤얽혀 놓인다. 모든 설악의 대상은 똑같은 위치에서 작가와 마주하고 있는 것이다.

어떤 것이 중심이고 어떤 것이 배경인지 공간의 질서나 화면구성의 논리는 애초에 끼어들 틈이 없다. 설악의 모든 대상이 작가와의 관계 위에서는 같은 하이어라키hierarchy를 지닌다. 그의 화면이 균질화의 특성을 드러내는 요인은 이에 말미암는다.

김종학의 화면은 숨이 막힌다. 지글지글 타오르는 자연의 열기 때문만이 아니다. 튜브에서 금방 짜낸 것 같은 원색의 난무가 주는 강렬함 때문만도 아니다. 사물 앞으로 바짝 다가가는 숨 가쁜 시각의 밀도가 우리의 숨을 턱에 닿게 만든다. 카메라 렌즈의 줌이 밀어붙이는 무서운 속도 때문이다. 앵글이 앞으로 나갈수록 거리는 지워진다.

거리가 지워지면서 모든 사물은 몸 속으로 흡인된다. 눈은 마치 흡반吸盤과 같다. 모든 것을 빨아들이면서 동시에 무차별하게 뱉어낸다. 대상을 표현하는 것이 아니라, 대상을 몸 속으로 끌어들이고 뱉어내는 것으로서의 호흡의 결과라고 할까. 그런 숨 가쁜 호흡이 질료라는 매체로

〈가을석양〉 1980년 캔버스에 유채 97×130cm

구현된다. 그러기에 표현이라기보다 표현 속에 사는 것이라는 말이 어울린다.

김종학의 화면에 떠오르는 것은 개별이면서 전체다. 대상으로서의 개별과 전체로서의 풍경이 오버랩된다. 개별이면서 전체, 동시에 전체이면서 개별로서 다가오는 대상과 풍경은, 대상과 풍경이기 이전에 자연이요 우주다. 꽃이 있고 나무가 있고 새가 있지만 그것들은 하나같이 자신만을 주장하지 않는다. 하나하나 분명하게 윤곽을 드러내는 개별로서 구현되지만 자연 또는 우주라는 거대한 울림 속에 부단히 함몰된다. 자연 및 우주의 거대한 울림은 뜨거운 에너지로 화면에 폭발한다. 화면에 다가가면서 숨 막히는 이유는 너무나도 생경한 자연 또는 우주의 기운에 부딪치기 때문이다.

〈설악의 폭포주변〉 1999년 캔버스에 유채 165×415cm

자연은 그 층위層位가 다양하다. 인식의 차이에 의해 그것의 접근방법이나 분류 역시 다양한 편이다. 통상 회화에서의 자연은 풍경으로 이해되었지만, 여기서 과학적인 인식을 동반해서 자연과학으로서의 대상의 진실을 포괄할 때 자연주의로서의 이념이 형성된다. 최근에 들어와 자연은 일체의 인공적, 문명적인 것에 대한 대비적인 개념으로서 생태학적인 순수성을 강조하는 경향도 있다. 미술가들 역시 생태학적인 의미의 자연에 깊은 관심을 드러내고 있다. 단순한 자연풍경을 묘사하는 차원을 넘어 문명비판적인 요소를 개입시키는 작품의 경향도 늘어가는 추세다.

자연이 파괴되어 간다는 우려의 목소리는 전 세계적인 관심사로 피력된 지 이미 오래다. 자연을 파괴하는 모든 요인을 색출하고 고발하는 장치도 절실하지만, 자연에 대한 인간의 순후淳厚한 감정의 회복 역시 절실하다. 단순한 대상으로서의 자연이 아니라 우리 속에 살아숨쉬는 자연으로서 말이다. 김종학의 작품이 우리에게 관심을 불러일으키는 것은 바로 우리 속에 살아숨쉬는 자연을 보여주었기 때문일 것이다. 그의 화면 속의 대상은 박제된, 또는 정지된 어느 순간이 아니라, 숨 쉬고 맥박이 뛰는 살아 있는 존재들이다. 그것들은 살아 있는 존재로서 오랫동안 폐쇄되었던 우리의 순후한 감정을 일깨우고 있는 것이다.

굳이 분류하자면 김종학의 화면은 통상적인 자연 풍경화도 아니고 자연과학적인 의미의 자연주의도 아니다. 그렇다고 생태학적인 문명비판을 내면에 지니는 것도 아니다. 우리 속에 잠자는 자연에 대한 순후한 감정을 일깨우는 일종의 감정이입적인 작업이라고 할 수 있다. 자연과 내가 일체가 되는 훈훈한 감동으로서의 기록이랄 수 있다.

표현하지 않고 표현 속에 자적自適하는 그의 화면은 그런 만큼 질료의 생생함과 행위의 자재自在로움이 직설적으로 다가온다. 유화 안료의 진득진득한 맛이, 때로는 미끌미끌하게 이어지는 터치와 때로는 텁텁하게 짓이기는 터치를 통해 선명하게 구현된다. 회화가 실종되었다고 아우성치는 시대에 그의 작품은 아직도 회화가 어딘가에서 살아 숨 쉬고 있다는 알리바이를 증명해 주고 있다. 아마도 많은 사람들이 그의 작품 앞에서 안도의 숨을 쉬는 것도 아직도 회화가 살아 있구나 하는 반가운 해후에서일 것이다.

'회화적인 회화'라는 말이 다소 어색하지만, 김종학의 화면은 정녕 회화적이라는 수식에 걸맞다. 우리는 여기서 그리는 것이 무엇인가, 대상을 묘사한다는 것은 무엇인가, 자신의 내면을 은유적으로 구현하는 것인가, 시대의 의식을 표명하는 장인가 하는 궁금증을 갖는다. 물론 이것들도 있다. 그러나 먼저, 그린다는 것은 그린다는 행위를 통한 사유의 형식이다. 그림으로써 사유하는 것이다. 말할 나위 없이, 김종학의 그림을 통한 사유는 자연과 더불어 일체화되어 가는 감정이입으로서의 사유다. 그의 작품이 때로 치기만만한 것도 기교로써 사유를 방해하지 않음에 연유한 것이다.

이런 그의 그림을 두고 민화民畵와 견주는 견해도 있다. 이 견해에도 나는 동감한다. 그가 한동안 민화와 민구民具를 포함한 전통적인 유물에 깊이 빠져 있었다는 것은 널리 알려진 사실이다. 당연히 민화의 회화적 특징에 대한 감명과 이해가 자신의 작품에 녹아들었음 직하다.

그렇기는 하지만 그의 작품 어디에도 민화를 흉내낸 흔적은 찾아볼 수 없다. 옛것에 대한 막연한 동경을, 옛것을 그대로 옮겨오거나 부분적으로 그 특징을 흉내내는 일들을, 마치 전통을 계승하는 것으로 착각하는 사례들이 많다. 옛것은, 그 속에 담긴 정신이 새로운 옷을 입고 나타날 때 비로소 계승되는 것이지 모방한다고 해서 이루어지는 것이 아니다. 김종학의 화면이 보여주는 비기교적인 방법은 민화의 아마추어리즘과 닮아 있지만 민화를 흉내내거나 민화의 구도를 빌려온 것은 아니다. 회화에 대한 옛 사람들의 순후한 사유의 방식을 현대에 되살리고 있다고 표현하는 것이 적절할 것이다.

나뭇가지와 나무 등걸로 뒤얽힌 숲 속에는 이름 모를 꽃들이 별처럼 영롱하게 빛을 발한다. 거기 나비가 날아들고 벌이 잉잉댄다. 나뭇가지에 앉아 있는 새와 가지 끝으로 기어오르는 벌레가, 그리고 땅바닥에 웅크린 개구리가 하나가 되어 거대한 오케스트라를 연출한다. 계곡에 쏟아지는 물소리와 물속을 유유히 헤엄쳐 가는 송사리떼와 맨드라미 붉게 타오르는 정원에 붉은 벼슬을 한 암수 닭의 한가로운 나들이 모습은 오래 전에 잊혀진 원초의 풍경들이다.

이것을 보고 있으면 관람자 역시 감정이입에 휘말려들어 아련한 원생原生의 풍경들을 기억해낸다. 그래서 이미 오래 전에 잊어버렸던 나팔꽃이나 할미꽃에 절로 '아!' 하고 감탄을 자아내게 된다.

『김종학』 2004년 화집

〈봄꽃들〉 2004년 캔버스에 유채 61×73cm

윤명로

YOUN MYEUNGRO

1936 전라북도 정읍 생
1960 서울대학교 미술대학 회화과 졸업
1970 뉴욕 프랫 그래픽센터 판화전공
서울대학교 미술대학 회화과 판화과 교수
2002- 서울대학교 미술대학 명예교수
2004- 대한민국 예술원 회원

개인전

1977 견지갤러리 서울
1984 동산방 갤러리 서울
1984 아트코아 갤러리 로스앤젤레스 미국
1988 두손갤러리 서울
1991 호암미술관 서울
1992 선재현대미술관 경주
1995 갤러리 박 서울
2000 가나아트센터 서울
2001 조현화랑 부산
2002 갤러리 가나보브루 파리 프랑스
2003 갤러리 신라 대구
2004 현대예술관갤러리 울산 신세계갤러리 광주
2005 가나아트센터 서울
2007 표 갤러리 서울
2008 장흥아트파크 장흥
2009 갤러리 송 하우스 부산 가나아트센터 부산
2010 중국미술관 북경

단체전

1960 60년 미술가협회 창립전 덕수궁벽 서울
1963 제3회 파리비엔날레 프랑스
5일 판화가전 국립박물관 서울
1966 제5회 도쿄국제판화비엔날레 도쿄국립미술관 일본
1967 제9회 상파울로 비엔날레 브라질
EXPO '67 캐나다 몬트리올
1969 제1회 국제목판화 트리엔날레 이탈리아 까르피
제5회 국제 청년작가전 세이브미술관 일본 도쿄
1971 제3회 까뉴뉴국제회화제 프랑스 오뜨 드 까뉴
1977 한국현대회화전 도쿄시립미술관 일본
1979 한국현대판화의 오늘전 AID갤러리 미국 샌프란시스코
1981 한국현대작가드로잉전 아트코아갤러리 미국 로스앤젤레스
'81 드로잉전 국립현대미술관 과천
1982 한국현대미술의 위상전 교토시립미술관 일본
1983 70년대 후반 또 하나의 양상전 동경시립미술관 일본
1984 한국 종교미술전 이탈리아 로마
제1회 국제판화비엔날레 타이페이시립미술관 대만 타이페이
1986 국제종교미술전 이탈리아 로마
프린트 어드벤쳐 홋카이도현대미술관 일본
1987 국제현대미술전 크루비자갤러리 헝가리 부다페스트
1988 88 올림피아드미술전 국립현대미술관 과천
한국현대회화전 국립역사박물관 타이페이
1989 추상작가의 구상전 에이스 갤러리 서울
1990 한국현대회화전 호암갤러리 서울
1991 한국현대작가전 시모노세키시립미술관 일본
제19회국제판화비엔날레 슬로베니아 루블리라나
1992 제10회 국제판화 트리엔날레 노르웨이
1993 제1회 국제판화 트리엔날레 이집트 카이로
1994 아트세션 '94아사이까와전 아사이끼와미술관 일본
'94 파리 국제 판화미술제 프랑스 파리
1995 호랑이의 꼬리-베니스비엔날레 한국현대작가특별전 이탈리아
한국현대미술 파리전 파리시립미술관 프랑스
1997 영의 소리 성곡미술관 서울
1998 2000년 시대정신 대전시립미술관 대전
1999 한국 현대판화전 마드리드 국립판화미술관 스페인
종이조형전 RMIT 갤러리 오스트리아 멜버른
2000 제3회 광주비엔날레 광주
한국과 서구의 전후추상미술: 격정과 표현 호암갤러리
새천년 3.24전 서울시립미술관
'초점' 한국갤러리 미국 뉴욕
자연 포스코 갤러리 서울
한국현대미술의 시원 국립현대미술관 과천
2001 단원미술제 안산
국제대학 교류전 프랑스 파리
현대 한·중대표작가전 세종문화회관 서울
새삶, 새날 대희년미술전 예술의전당 서울
2002 서울미술전 서울시립미술관 서울
21세기 미술여행 세종문화회관 서울
한국현대미술제 예술의전당 서울
한국청년작가비엔날레 대구문화예술회관 대구
한국국제 판화제 성산 아트홀 창원
한국현대미술전 멕시코시 유다드 미술관 멕시코
사유와 감성의 시대 국립현대미술관 과천
양양의 눈,미스꼬시 갤러리 일본 동경
한중대표적 작가연합전 세종문화회관 서울
2003 제1회 북경 국제 비엔날레 중국미술관 중국 베이징
한국 국제아트페어 컨벤션 센터 서울
홋카이도 현대미술관 일본
모호한 공기 유 아트스페이스 서울
추상미술의 이해 성곡미술관 서울
드로잉: 새로운 지평 국립현대미술관 과천
2004 서울현대미술 로마전 로마건축협회회관 이탈리아 로마
한국현대작가 초대전 서울시립미술관 서울
동서교류의 물결 하기우라가미 미술관 일본 야마구지겐
대한민국 예술원 미술전 덕수궁 미술관 서울
고난속에 피어난 추상 문예진흥원주최 미술회관 서울
2005 시간을 넘어선 울림: 전통과 현재 이화여자대학교박물관
타이완 국제판화 초대전 국립국부기념관 타이완 타이페이
호흡전 서울시립미술관분관 서울
한 소장가의 꿈길 소마미술관 서울
한국현대판화의 잔상 노보시빌스크미술관 러시아
2006 호흡 서울시립미술관 서울
대학과 미술 서울대학교미술관 서울
한국미술100년전 국립현대미술관 과천
2007 한국현대판화잔상 노보시브리스크주립미술관 러시아
2008 부산비엔날레 부산
한국추상화1958-2008 서울시립미술관 서울
한국현대미술전 영국 런던
2009 신호탄 국립현대미술관 서울
2010 한일예술원공동미술전 일본예술회관 도쿄
한국미술의힘 이건수기획 공화랑 서울
한국소묘30년 소마미술관 서울

수상

1959 제7회 국전 특선
1990 제7회 서울국제판화비엔날레 대상
1998 종로문화상
2002 가와기타린메이 평론가상 일본
2007 대한민국문화예술상
2009 대한민국보관문화훈장

작품 소장

국립현대미술관 리움삼성미술관 선재현대미술관 서울시립미술관 부산시립미술관 대전시립미술관 광주시립미술관 전북도립미술관 제주도립미술관 경남도립미술관 서울대학교미술관 홍익대학교박물관 고려대학교박물관 대한민국예술원 미술관 고등법원 대법원 한국은행 주한프랑스대사관 주미한국대사관 주중한국대사관 대영박물관 덴마크 헤닝현대미술관 네팔 카투만두 로알아카데미 미국 오하이오 신시나티미술관 이집트 카이로 국립현대미술관 대만 다이난치메이미술관 타이페이 중산 국부기념관

표현에서 사유로

윤명로尹明老의 작가로서의 데뷔는 1960년에 열린 《1960년 미술가협회》전을 통해서였다. 이 해는 그가 대학을 마치는 해이기도 했으며 4·19 혁명이 일어난 때이기도 하다. 정치적, 사회적 혼란의 주체였던 자유당정권이 붕괴되고 민주당정권이 들어서던 전환적 시점이기도 하다. 시대의 분위기는 작가의 의식에 깊은 각인을 남긴다. 윤명로의 작가로서의 데뷔가 공교롭게도 변혁의 물마루가 거세던 시점과 일치하였다는 점에서 그의 출발은 대사회적 의식과 더불어 주도한 자기 성찰의 긴장감을 동반한 것이라 하지 않을 수 없다. 적어도 이 점에서 윤명로를 비롯한 동세대의 작가들이 기성의 미술가들과 대비되는 독특한 존재양식을 가늠해 볼 수 있다.

《1960년 미술가협회》전은 1960년 10월 영국대사관으로 들어가는 덕수궁 담벽에 작품을 내건, 전시방식에 있어서 가히 혁명적인 것이었다. 미술작품은 일정한 내부공간에 진열되어야 한다는 제도적 관습에 대한 일종의 전면적인 거부현상이었기 때문이다. 작품을 바깥공간에 내건다는 것은 거리의 벽화를 제외하고는 상식적으로는 생각할 수 없는 일이다. 열린 공간에서 작품이 입어야 할 여러 충격은 어떻게 방지할 것인가 하는 보존의 문제는 아예 끼어들 수가 없다. 적어도 이들이 들고 나온 작품이란 작품다워야 한다던가, 전시공간을 의식한 일정한 크기를 유지해야 한다든가 하는 일체의 상식을 단번에 거부함으로써 작가의 의식만을 내세우려는 것이었다. 적어도 이들의 행동양식에는 현대사회에 있어서 작가란 무엇인가, 현대사회에 있어서 미술작품은 어떤 의미를 지니는가 하는 보다 근원적인 문제에 대한 자문형식을 강력히 띠었기 때문이다.

윤명로를 비롯한《1960년 미협》세대는 6·25사변의 극한 상황을 소년기에 통과해야 했고 이어 전후의 절대적 빈곤 속에서 청년기를 맞았던 세대이다. 이에 못지않게 미술계 현실이 노증한 구태와 치졸한 의식에 부대끼며 자신의 존재를 끊임없이 확인해오지 않으면 안 되었던, 정신적으로나 현실적으로 불우한 세대였다. 길거리 담벽에 자신들의 작품을 내걸 수밖에 없었던 내면도 어쩌면 이 같은 상황에 대한 자신들의 전체를 던지는 저항의 몸짓이었는지도 모른다. 윤명로의 작가로서의 출발은 이처럼 치열한 의식意識 구현이었다. 누구에게 있어서나 출발은 주요한 것이다. 윤명로의 작가적 전개와 그 내면을 들여다보는 데 있어서도 이 출발의 의식은 주요한 암시를 던져주고 있다.《1960년 미협》은 1961년《현대미술가협회》와 연립전을 가진 후 발전적 해체를 통해 1962년《악뚜엘》로 재구성된다.《현대미협》과《60년미협》이 연립할 수 있었던 것은 연령차에도 불구하고 이들이 추구하는 조형이념의 동질성이 확인되었기 때문이다. 1958년경부터 풍미하기 시작한 뜨거운 추상은 이들을 중심으로 바야흐로 현대미술운동의 중심을 형성해가고 있었다. 현대미술운동은 이 시점에서 어느 정점에 도달한 인상을 주며 이 열기는 1960년 중반에까지 연면되고 있다. 이 시기 윤명로의 작품은 1963년 파리비엔날레에 출품되어 좋은 반응을 얻고 있다. 당시 현지 커미셔너였던 이일李逸:1932-1997의 증언에 의하면 앙드레 말로André Georges Malraux:1901-1976가 박서보朴栖甫, 최기원崔起源의 작품에 관심을 보인 반면, 파리비엔날레 창립자인 레이몽 코냐Raymond Cogniat는 윤명로의 작품에 깊은

호감을 보였노라고 한다. 이때 작품이 〈회화M10〉이다. 이일은 이 작품에 대한 인상을 "마티에르는 은박이 얹혀진 점토 같기도 했고 그 찐득찐득한 마티에르 위를 손가락이 자유롭게 노닐며 환상적인 그 어떤 형상을 환기시키는 것이었다."고 적고 있다. 시대가 약간 앞서는 〈벽B〉(1959)와 〈원죄B〉(1961)에 비해 보았을 때 격렬한 제스처가 정비되고 이일이 지적했듯이 어떤 형상을 환기시키는 다분히 제의적祭儀的인 신비감이 감도는 작품이었다. 어두운 내면의 울림이 지배하는 동시대의 주변작품들이 갖는 전체적 분위기에 비해서 다소 예외적이었다고 할 수 있다. 그것은 무엇보다 탄력있는 구성적 요건이 팽팽하게 화면을 조이고 있다는 점에서 발견되며 물질감에 의한 화면의 자립이 강하게 표상됨에서도 확인된다.

만성적인 행위에 함몰되었던 뜨거운 추상은 조만간 그 한계를 드러내기 시작하였다. 전체적으로 포화상태에 허우적거리기 시작할 무렵 윤명로는 이를 벗어나기 위한 보다 견고한 화면경영에 몰두하게 된다. 그가 이 무렵 판화에 심취하게 되는 것도 같은 맥락으로 파악할 수 있다. 《60년미협》 멤버 중 윤명로를 비롯해 김종학, 김봉태가 판화라는 매체를 발견한 것은 어쩌면 판화가 지닌 메커니즘의 엄격성, 합리성이 자신들을 되돌아보고 현상을 탈피할 수 있는 대안이라고 생각했기 때문이다. 개별적 성찰의 결과임에도 불구하고 당시 이들에 의한 판화매체에의 경도는 우리 미술에 또 다른 풍요성을 예고해 준 것이었다는 점에 그 중요성을 간과할 수 없게 된다. 아직도 초기단계를 벗어나지 못하고 있었던 판화예술을 현대회화의 주요한 매체로 끌어올려준 결정적인 역할을 다하였기 때문이다. 일부 작가들에 의해 시도되었던 판화는 고작 아마추어의 수준에서 가히 벗어나지 못한 상태였다. 극히 일부 작가가 《신시나티 국제 판화전》에 참여하고 있었을 뿐이었다. 판법도 극도로 제한되어 있었으며 제도적인 수용에 있어서도 미답의 경지에서 벗어나지 못하고 있을 때였다. 윤명로를 위시한 김종학, 김봉태 그리고 이들에 자극받은 뒤이은 유학세대에 의해 비로소 우리 판화는 국제적인 규격과 제도에 진입하게 된다.

록펠러재단 초청으로 도미渡美, 프랫Pratt Institute 그래픽센터에서 1년간 수업한 윤명로가 보여준 판화는 〈자〉 시리즈였다. 뚜렷한 눈금과 형태를 지닌, 어떤 측면에서 가장 메커닉한 사물의 선택이었다. '자'라고는 하지만 '자'의 정체성을 드러내는 것이 아니라 일부는 뚜렷한 형태를 지니지만 일부는 얼음이 녹아내리듯 가없이 뭉개어지는 상황을 노출시킨 것이었다. 엄격한 규격과 이에 반하는 급속한 와해의 이중적 상황은 그 자체만으로도 극적상황을 표상하기에 충분했다. 어쩌면 그것은 끊임없는 규범과 질서에로 향하는 의지와 동시에 규격과 틀 지움에서 자신을 해방시키려는 의지의 공존이라고 할 수 있을 듯하다. 예술가 일반이 추구하는 질서와 자유의 모순적 내재율의 표명인지도 모른다.

'자'에 대한 작가의 언급에서도 이 점이 발견된다. "나는 〈균열〉 연작을 하기 전에 자를 테마로 한 일련의 판화를 제작했다. '자'란 인간과 인간과의 약속이며 규범이며 질서를 상징하는 것이다. 나는 지극히 사변적인 생각이나마 현대는 인간과 인간과의 약속이나 규범이 상실되고 질서가 붕괴되어가고 있다는 생각에서 상징적으로 자를 테마로 작품을 제작했다. 그래서 쇠자가 녹아 부스러져 내려가 버린 것 같은, 그러다가 결국은 이것도 저것도 아닌 그러한 모습들 앞에서 방황하고 있었다."

〈자〉의 연작 이후 등장된 것이 〈균열〉 연작이다. 대체로 1970년대 중반에서 1980년대 초로 이어지는 시점에 해당된다. 균열은 화포 위에 안료가 올려지면서 나타나는 일종의 화학반응으로서의 크랙crack, 또는 겹침에서 일어나는 층위의 형성에서 발생하는 현상을 가리킨

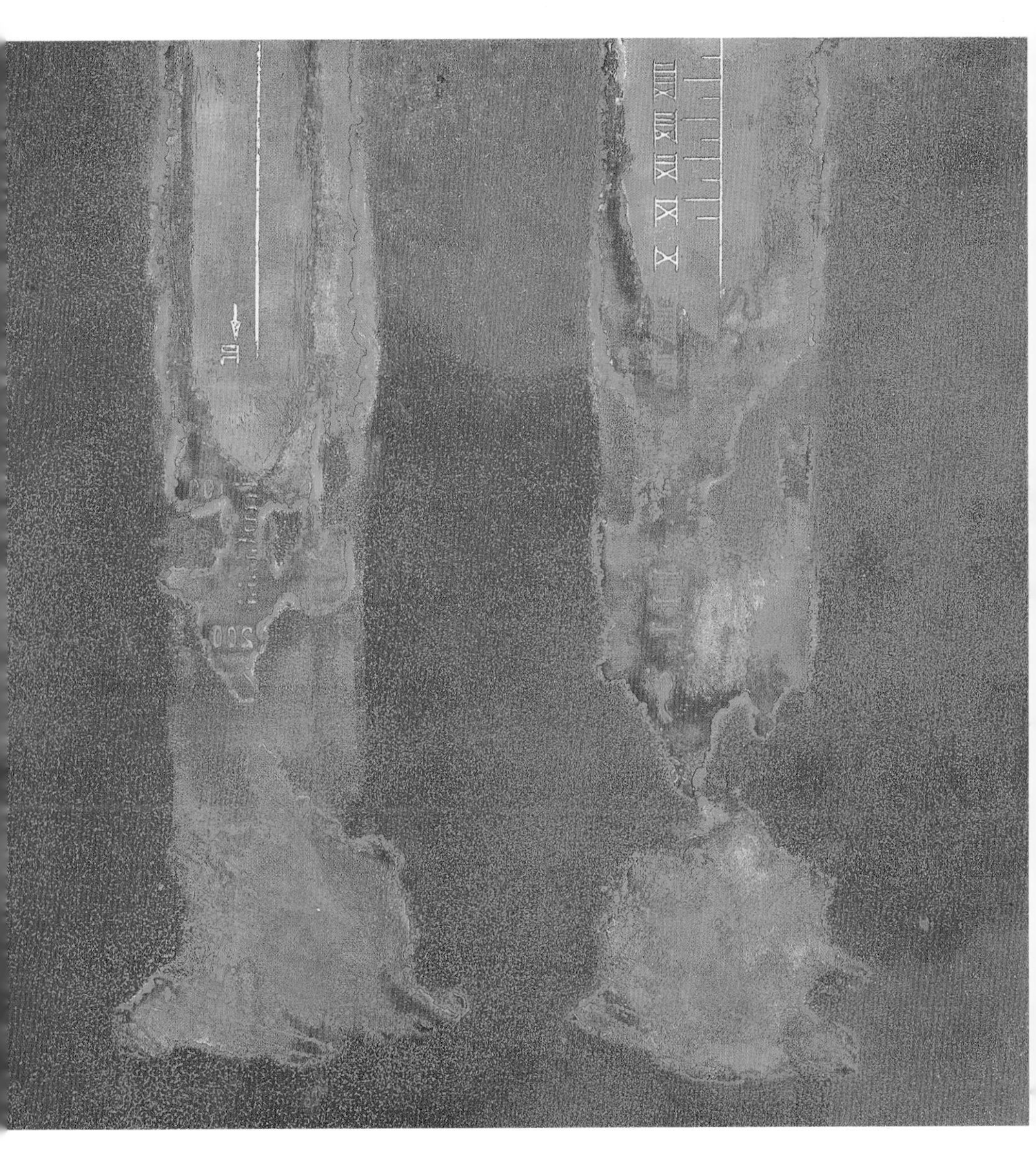

〈자 10-M〉 1973년 컬러 아쿼틴트 에칭 29.5×28.5cm

다. 〈자〉의 연작과 〈균열〉은 일견 아무런 연계도 지니지 않는 것처럼 보이나 흘러내리는 자의 와해현상의 우연성과 안료가 터지면서 생겨나는 우연성이 묘하게 맥락됨을 발견한다. 작가는 이를 두고 "있는 것과 있으려는 것과의 관계에 질서지워진 또 하나의 리얼리티"라고 정의한다. 이일은 이를 두고 "지극히 물리적인 현상의 의미를 깊이 파헤치는 작업"이라고 언급하고 있다. 있는 것과 있으려는 것과의 양의성兩義性은 그 어디에도 속하지 않는 중성구조 속으로 작가를 이끌며 애매한 경계선상에서 작가의 의식을 더욱 긴장시키는 것이 된다.

〈균열〉 연작은 약간의 암회색을 띄는 예도 없지 않으나 대부분 백색 모노톤을 유지하고 있다. 이 점에서 1970년대 후반 현대미술의 중심을 형성한 단색주의와의 관계를 떠올리게 한다. 윤명로의 〈균열〉도 넓은 의미에서는 이 같은 시대적 분위기와 상응되고 있음을 부정할 수 없다. 한 시대 이념의 동질성 또는 의식의 견인현상을 애써 외면할 수는 없다. 그럼에도 불구하고 윤명로의 작품을 백색파라는 일정한 집단적 유대 속으로 묶기에는 방법상에서의 자발성이 유형성을 벗어나게 하는 근간이 되고 있음을 엿볼 수 있다.

대부분의 모노크롬 작가들이 화포 위에서 물질성을 걸러내려 한 반면 윤명로는 시각성과 아울러 물질성을 극명하게 드러내 놓았다. 대부분의 모노크롬 작가들이 고답적인 정신주의로 빠져가고 있었던 점에 비해 시각성과 물질성을 아울러 가졌다는 점에서 윤명로의 화면은 최소한의 회화적 현실에 충실하려고 하였다는 소박한 내면을 확인할 수 있다. 그러면서도 1960년대 중반에서 1970년대로 이어지는 시기는 그의 전체적 맥락에서 다소 위축되어 있었다는 인상을 준다. 어떠한 작가이거나 시대에 따른 굴곡은 있기 마련이다.

1980년대에 접어들면서 등장한 〈얼레짓〉 연작이 더욱 활기찬 작가의 내면을 보여주고 있음도 이 점에 있어 상대적이다. 초기의 〈얼레짓〉은 〈균열〉에서의 전면성이 그대로 맥락 되면서도 촘촘한 붓질이 일구어 가는 전면성全面性은 마치 밭을 갈아가는 경작에 비유됨직하다. 가녀린 붓질과 이것들의 섬세한 중복과 얽힘이 잔잔한 울림을 자아내면서 화면 전체로 번져나간다. 어쩌면 이 같은 화면의 톤은 '얼레짓'이라는 명제 속에서도 함축된다. 얼레짓이란 연날리기의 실패에 해당되는 기물과 이를 잣는 행위를 합성한 것이다. 따라서 얼렛짓이란 얼레의 실을 풀기도 하고 감기도 하는 행위를 지칭하는 것이다. 연놀이를 해본 사람들은 얼레짓이 환기하는 아련한 추억에 빠질 것이다. 한없이 얼레의 실을 풀어줌으로서 연을 창공 저편으로 떠나게 하거나 실을 감아올림으로서 연을 공중 높이 솟구치게 하는 완급의 행위는 마치 낚시를 하는 행위만큼이나 짜릿한 긴장감을 동반한 것이기도 하다.

작가가 이런 얼레짓에 자신의 작품을 겹쳐놓는 것은 창공으로 떠가는 한없는 자유의지와 얼레짓을 통한 완급의 행위에서 획득되는 긴장감을 지속시키려는 의지의 표상이 아닌가 본다. 또한 얼레는 여인들이 머리감고 사용하던 성긴 나무빗 즉 얼레빗을 연상시키기도 한다. 옛날 어머니나 누나들이 빗던 나무빗에 대한 추억이 환기된 것일까. 연날리기의 얼레짓이나 얼레빗은 다 같이 이제는 잊혀지는 옛것에 해당된다. 잊혀지는 옛말을 찾아낸 것은 일종의 추억의 환기작용이라고도 할 수 있다. 그러한 환기작용을 통해 우리 고유한 것에 대한 일깨움을 내장한 것인지도 모른다.

"얼레라는 우리말이 주는 그 때문은 정겨움과 시간성 너머로 흘러간 단어를 벽장에서 꺼내어 놀랍게도 오늘의 미감으로 빚어냄으로서" 한갓 골동취미의 구현이 아님을 김병종은 지적하고 있다. 따라서 〈얼레짓〉은 단순한 외형의 모방이나 환기가 아니라 정신의 고향으로의 회귀임을 암시한다. "작가자신의 개인사 속에서 30년의 내면적 조형여행으로부

〈얼레짓 85-827〉 1985년 종이 주조 41x62cm

터 정신의 고향으로 되돌아오고" 있다는 김병종의 지적에서 이를 확인할 수 있다. 김복영도 이 점에 대해 "묘한 자유로움과 형식을 떠나버린 허허로움, 편안함 같은 것도 잘 판독해보면 바로 그의 그림이 우리 조상들의 자연주의적 조형전통 속으로 진입된 것"이라고 진단한다.

〈얼레짓〉 연작은 1985년을 경계로 해서 전후로 나누어 살필 수 있다. 전기의 작품이 대체로 촘촘하게 엮어지는 필선의 구성과 전면화가 지배된다면, 후기의 작품은 훨씬 자유로운 운필이 만드는 "묘한 헐거움과 편안함"김병종이 지배되는 차이를 파악할 수 있다. 전기가 〈균열〉에서 보였던 화면의 밀도를 그대로 유지시킨 것이라면 후기는 필선의 탄력이 만드는 내재적 울림이 화면 전체로 반향反響되어가면서 훨씬 음악적인 톤을 유지한 것이라 할 수 있다. 전기의 작품이 김병종이 지적했듯 "표현성이 강한 유화구를 묘하게 달래고 얼러서 이조자기의 표면질감 같은 청회색 톤으로 살아나게" 한 것이라면 후기의 작품은 문인화의 일필휘지에서 보는 것 같은 빠른 붓질과 분방한 선조線條의 배열로 넓이와 깊이가 동시에 획득되고 있다. 후기의 작품들에서는 이미 변화의 내재적 요청이 화면을 비집고 나옴을 목격하게 된다. 〈얼레짓-훈륜〉, 〈얼레짓 이후〉란 명제에서도 그러한 변화가 암시된다. 연작의 개념에서 벗어날려는 독립된 명제의 작품도 산견된다. 〈겨울에서 봄으로〉 같은 작품이 그 예이다.

'이후'라는 명칭은 앞선 것의 계승의 의미를 담는 경우와 앞선 것을 뛰어넘으려는 의지를 내포한 것으로 살필 수 있다. 작가가 어느 쪽에 무게를 두고 있는가는 알 길 없으나 계승과 극복은 동시에 일어나고 동시에 작용된다는 점에서 애써 구분할 필요는 없다. 우선 그러한 현상을 작품 속에서 읽을 수 있다. 윤명로의 작품은 시대에 따라 변화적 모습을 보이고는 있지만 그 기저基底에 맥락 되는 항상성恒常性에 있어서는 어떤 작가들보다도 뚜렷한 편이다. 그러니까 계승과 극복은 그의 경우에 있어선 동시적 현상으로 간주해도 그렇게 무리는 없다고 본다. 앞선 것에 대한 유대의 끊임없는 확인과 유형화에서 벗어나려는 자기 성찰이 전체의 화면을 통해 표상되고 있기 때문이다.

〈얼레짓 이후〉가 1990년대로 오면서 선명하게 들어나는 재빠른 운필과 그것들이 만드는 전면화의 치밀성이 점차 색면에 가까운 두터운 붓질과 격정적 제스처로 바뀌어 가고 있음을 엿보게 된다. 1991년 호암갤러리에서의 개인전은 이렇게 변모된 〈익명의 땅〉 시리즈가 중심을 이루면서 〈얼레짓〉과 〈얼레짓 이후〉를 벗어나고 있음을 확인할 수 있다. 〈얼레짓〉과 〈얼레짓 이후〉로의 전개가 이지적 화면경영에서 점차 정감적 화면에로의 경도를 보이는가 하면 〈익명의 땅〉은 폭발적인 정감의 분출이 화면을 온통 걷잡을 수 없는 격정의 소용돌이에 휩싸이게 한다. 무엇이 그로 하여금 맑고 그윽한 침잠沈潛에서 이토록 솟구치는 열기로 몰아간 것일까. 거친 붓 자국과 비말飛沫처럼 흩어지는 안료의 잔흔들은 어느 일정한 공간 속에 자리 잡는다기보다 부단히 화폭을 비집고 넘쳐나고 있다. 호방한 붓질과 강한 대비로 스케일을 결정지운 조선조 화가 정선이 그린 〈인왕제색도〉를 보는 느낌이다. 어쩌면 그가 살고 있는 곳이 북한산의 형제봉 자락이어서 집에서 바라보는 암벽이 마치 겸재가 바라보았던 인왕산의 암벽과 자연스레 겹쳐지기 때문이었을까.

2000년 가나아트에서의 개인전이 〈겸재예찬〉으로 표기되는 것도 어쩌면 이 자연스런 겹침의 현상에서 유래된 것은 아닌가 생각된다. 가나아트에서의 개인전은 〈익명의 땅〉에서 나타났던 격정이 가라앉고 꿈꾸는 듯한 환상의 여울이 화면을 지배하게 된다.

〈겸재예찬〉은 과거의 거장에 대한 작가의 겸손하면서도 자랑스러운 정신의 유대에서 비롯된 것이다. 그것은 단순한 겸재의 모방도 겸재로 이어지는 전통에 대한 의식적인 표상도 아니다. 김영호는 이를 두고 "결국 〈겸재예찬〉이 의미하는 것은 조선후기의 화론에 대한 생산적 부정이자 그것을 시간이라는 채로 걸러내어 재해석할 수 있는 가능성을 모색하는 일에 다름 아니라 할 수 있다.

윤명로의 작품에서 대상의 외형을 화면으로부터 상실시키려는 시도는 겸재의 예술세계를 차용함으로써 역설적으로 적극적 사유의 가능성을 얻게 되는 효과로 나타난다. 작가는 겸재의 예찬을 통해 자신의 작품에 산수를 간접적으로 암시케하고 결국 자신은 그러한 산수의 존재를 부인함으로서 자신의 작품을 사유의 공간으로 유도할 수 있게

〈겸제예찬〉 2004년 마포 위에 아크릴 쇳가루 227x182cm

된 것이다."라고 피력하고 있다.

무엇보다 먼저 〈겸재예찬〉의 연작에서 발견되는 질료의 선택과 그로 인해 생겨나는 표현의 가변성이 경이로움으로 다가온다. 〈겸재예찬〉 시리즈에서 사용되는 질료는 철분이다. 철분을 주재료로 사용한다는 점에서 이들 작품을 쇳가루 그림이라고 명명할 수 있을 것이다. 철분이 회화의 질료로 등장되었다는 것은 재료의 확대라는 측면에서 평가될 수 있다. 그러나 정작 우리의 눈길을 사로잡는 것은 질료의 선택이 아니라 그것의 독자적인 운용과 표현성의 독자적 영역의 확보에서다. 일정량의 철분을 화포 위에 얹고 나이프와 헝겊으로 적절히 조절함으로써 일회적인 운필에 의해 이루어지는 제작의 방식은 극도의 긴장상태가 지속될 수밖에 없다. 일체의 개칠이 허용될 수 없는 표현의 일회성은 그 자신의 말처럼 호흡에 비유되는 것이다. 작가는 자신의 방법을 두고 "나의 그림은 무작위한 것이다."라고 말하는데 이 경우의 무작위란 극도의 긴장의 연속이 만드는 자체의 생성적 요건이 작화의 의도를 앞질러 온다는 것을 두고 한 것이 아닌가 생각된다.

미세한 철분의 입자들에서 형성되는 숨결과 같은 기운의 자적自適은 화면 전체로 펴져나가면서 기이한 상상의 공간으로 대체된다. 마치 안견의 〈몽유도원도夢遊桃源圖〉를 연상시킨다고 할까. 안평대군이 꿈에 본 유토피아를 안견으로 하여금 그리게 했다는 〈몽유도원도〉의 저 무한한 상상의 공간이 되살아난 것일까. 안개 자욱한 산곡에 언듯언듯 나타나는 산봉우리와 그것들이 잇대어지면서 깊어지는 한없는 공간감. 옛 동양의 화가들은 실경을 그리면서도 종내는 관념의 세계로 진입해갔다. 현실을 떠난 꿈꾸기가 자연으로부터 자연을 탈각해가는 언저리에서 맴돌았다는 사실은 새삼스럽게 강조할 나위도 없다.

윤명로의 화면에서 그와 같은 과거 동양인들이 꿈꾸었던 유토피아를 연상하는 것은 단순한 외향적인 닮음 때문이 아니다. 화포 위에서 일어나는 생성의 내재율과 그 속에서 꿈꾸는 작가의 사유의 깊이가 닮아가고 있기 때문이다.

『윤명로』 2005년 가나아트 화집

조문자

CHO MOONJIA

1939 경기도 평택 생
1963 홍익대학교 회화과 졸업
1990~1992 홍익대학교 서양화과 강사
1991 한국미술대전 심사위원
1992~1994 한국여류화가회 회장
1992 부산일보 미술대전 심사위원
1993 MBC미술대전 심사위원
1994~1995 중앙대학 서양화과 강사
1995 '95 한국여성미술제 운영위원장
2003 국립현대미술관 작품수집위원

개인전

17회

1977 청년작가회관 서울
1982 신세계미술관 서울
1983 그랑빌러갤러리 파리 프랑스
1984 조선화랑 서울
1988 조선일보미술관 서울
1989 미술회관 문예진흥원 서울
1990 생화랑 서울
1991 L.A 시몬스갤러리 L.A 미국
1993 예맥화랑 서울
1995 조선화랑 서울
1998 진아트갤러리 서울
2002 예술의전당 서울
2004 부르노갤러리 파리 프랑스
2006 예술의전당 서울
2007 예술의전당 서울
2008 예술의전당 서울
2010 MANIF16! 2010 서울아트페어 예술의전당 한가람미술관

단체전

1968 조선일보사 주최 현대작가초대전 국립현대미술관 서울
1973 한국 여류화가회 창립 신세계미술관 서울
1976 한국미술청년작가회전 벌취 인스티튜트미술관 미국
1980 Salon de Sacre전 파리 프랑스
1982 서울현대미술제 미술회관 서울
1983 '83 현대미술초대전 국립현대미술관
1984 서울현대미술제 미술회관 서울
모나코 국제회화전 모나코
'84 현대미술초대전 국립현대미술관
1986 그랑팔레 한국미술초대전 파리
평화랑 개관기념전 평화랑 서울
한국현대미술 31인의 여류전 관훈미술관 서울
Salon des Artist's Francais전 파리 프랑스
한국현대미술33인의 여류전 관훈미술관 서울
한·독 미술가협회전 프랑크푸르트 독일
1987 '87 현대미술초대전 국립현대미술관
1988 신천지미술관 개관기념전 제주도
조선일보사미술관 개관기념초대전 조선일보미술관 서울
'88올림픽기념 현대작가초대전 국립현대미술관 서울
1990 서울미술대전 서울시립미술관 서울
관훈미술관 10주년기념 초대작가89인전 관훈미술관 서울
개념과 방법으로서의 미술 갤러리2000개관기념 서울
한국현대미술80년대의 정황 동숭아트센터 개관기념 서울
'90현대미술초대전 국립현대미술관 서울
예술의전당 개관기념전 예술의전당 서울
한국여성미술가55인전 토탈미술관 서울
한국여류화가20인전 한국문화원 일본
1991 문전 영동갤러리 서울
'91 Seoul Art Fair 조선화랑 초대 예술의전당 서울
제10주년기념 홍익전 예술의전당 서울
홍수영·조문자 2인전 조선화랑 개관 20주년기념초대전, 서울
1992 '92현대작가초대전 국립현대미술관 서울
서울미술대전 서울시립미술관 서울
한국여류화가회20주년기념전 예술의전당 서울
'92 I.A.A.Seoul 기념전 예술의전당 서울
1993 Review and vision 조선화랑 서울
제8회 인도트리엔날레 인도
큐슈 여류화가 초대전 후쿠오카 일본
1994 21세기 화랑개관기념전 21세기화랑 서울
한·중 여류작가연합전 북경 중국
1995 600주년기념 서울국제현대미술제 한가람미술관 서울
10회 '95화랑미술제-화상10년의 눈 한가람미술관 서울
서울미술대전 서울시립미술관 서울
한국미술50인초대전 유네스코회관 파리
1996 '95여성미술제 서울시립미술관 서울
서울미술대전 서울시립미술관 서울
한국현대미술의 현재와 미래 홍익대학교 미술관
1997 '97 NICAF 도쿄 일본
서울미술대전 서울시립미술관 서울
'97 SIAF 한국종합무역센터 서울
21회 숙란전 예맥화랑 서울
Art From Korea 로고스갤러리 런던
1998 22회 숙란전 서울갤러리 서울
1999 '99 여성미술제 한가람미술관 서울
석주미술상10주년기념전 현대갤러리 서울
2000 움직이는미술관 국립현대미술관 서울
한국현대미술의 시원 국립현대미술관 서울
2001 33인의 사랑, 봉사, 나눔 소품전 우덕화랑 서울
제12회 석주미술상 수상작가전 가나아트센터 서울
홍익여성화가회전 서울갤러리 서울
23회 숙란전 강남 예맥화랑 서울
Grand et Jeunes 파리 프랑스
세종문화회관미술관 개관기념초대전 세종문화회관 미술관 서울
2002 국제현대미술전 세종문화회관 서울
2003 서울미술대전 서울시립미술관 서울
Comparaison Grand Palais 파리
2004 여성, 그 다름과 힘 한국미술과 개관기념전 한국미술관 서울
부드러운 욕망전 덕원미술관 서울
2005 숙란전 L.A 문화원 미국
여성, 자연 그리고 한국전 감성 브로드웨이 갤러리 뉴욕
2006 L.A 중앙일보 중앙아트홀미술관 개관기념전 초대 L.A 중앙아트홀 미국
Connectons 2006 L.A 한국문화원
Art Fair Mets 프랑스
숙명개교100주년기념전 서울갤러리 서울
한·일 현대미술전 세종문화회관 서울
Comparaison Grand Palais 파리
한국의 미100인전 남송미술관 초대전 서울
밀알회전 조형갤러리 서울
소몽 여성작가초대전 프랑스
2008 페미니즘 2070 한자리전 한국미술관
한국추상회화 1958-2008전 서울시립미술관 서울
N.Y Art EXPO 2008 N.Y Jacop Javits 컨벤션센터
정림리를 가다-여류작가15인전 박수근미술관 강원도
2008 여수국제아트페스티벌 여수 전남문예회관
2010 석주미술상20주년기념 모더니즘 on-off전 가나아트센터 서울
정림리를 거닐다 박수근미술관 강원도
자연, 감성 그리고 욕망 익산 W갤러리
성북미술관 개관기념전 성북미술관 서울

수상

1998 제10회 석주미술상
2006 MANIF12! 2006 Seoul 특별상
숙명100주년기념 자랑스러운 숙명인상

작품 소장

국립현대미술관 서울시립미술관 부산시립미술관 홍익대학교 미술관
대한주택공사 본사 방송회관 신사옥 건설회관 사옥 해동상호신용금고 ASEM

정감적 표현과 사념의 구조

1950년대 후반에서 1960년대 초반에 걸쳐 미술대학을 다닌 이들은 뜨거운 추상미술의 세례를 가장 직접적으로 받은 세대이다. 이 땅에 앵포르멜로 명명되는 뜨거운 추상미술이 풍미한 것은 대체로 1958년에서 1960년대 후반에 걸친 약 10년간이다. 조문자趙文子와 그의 동년배의 작가들이 이의 영향을 받았다는 것은 극히 자연스런 현상으로 간주된다. 이 같은 변화의 기운은 시대적 변화와 일치된다. 정치적으로 부패한 자유당 정권이 몰락하고 바야흐로 민주와 자유의 깃발이 높이 올려지고 있었다. 정치, 사회적 변혁은 미술계 내부의 구조의 변화를 촉구한 것이 되었을 뿐 아니라 아카데미즘의 아성에 도전하는 재야의식을 그 어느 때보다 고양시켰고 자유의지가 뜨거운 행동윤리에 쉽게 편승될 수 있었다.

당시 미술대학은 시대의 첨병으로서 새로운 조형의식의 구현에 앞장서고 있었다. 이미 상당수가 학교를 나오자마자 재야전에 초대를 받는 예도 적지 않았으며 스스로의 그룹 창설을 통해 현장에 뛰어들고 있었다. 《1960년 미술가협회》는 그 대표적인 예이다. 조문자 역시 졸업하던 해인 1963년 《7월회》라는 동인전을 조직하여 미술계에 첫 발을 내딛고 있다. 같은 해 홍대의 또 다른 그룹으로는 《무》동인이 출범하였다. 소단위 그룹의 작가들은 재야의 집결체라 할 수 있는 조선일보 주최 《현대작가초대전》에 선별적으로 초대되었다. 조문자는 1963년과 68년 두 차례에 걸쳐 초대되었다. 초대 작가들 가운데 가장 젊은 층에 속했다.

국전 중심의 미술계 구조가《현대작가초대전》의 출현으로 인해 이원화되면서 이른바 국전파와 재야파라는 대립구도가 형성되었다. 기성의 모더니즘 계열의 작가들도 있었으나 당시 현대미술을 리드해갔던 것은 30대의 청년작가 중심이었고 이에 동조하는 젊은 20대 작가들이었다. 조문자도 그 중의 한 사람이었다. 그의 활동은 동년배의 작가들 가운데서도 단연 뛰어난 것이었다. 그러나 1970년대에 들어와서는 한동안 활동을 접고 있는데 그것은 새로운 가정생활과 창작 활동을 병행할 수가 없었기 때문이었을 것이다. 대부분의 여류작가들이 가정을 가지면서 생활과 창작의 틈바구니에서 갈등하는 양상을 보이는데 이 중 상당수는 가정에 묻히고 작가로서 자신을 세워나가는 경우는 소수에 머물렀다.

조문자는 가정에 묻혀 있으면서도 간헐적으로 작품을 발표하고 있었는데 이는 창작의 열기가 식지 않았음을 말해주는 것이다. 그러한 열기가 80년대로 접어들면서 본격적인 활동의 재개를 가져온 것이다. 1977년의 개인전에 이어 1982년, 83년, 84년의 잇따른 개인전은 왕성한 창작의 내면을 보여준 것이었다. 조문자의 활동은 따라서 1960년대 초반의 데뷔기와 1970년대 후반에서 1980년대를 거쳐 1990년대에 이르는 중반기와 90년대 이후 오늘에 이르는 근작의 시기로 구분해볼 수 있을 것 같다. 작품 명제상으로는 1980년대와 1990년대에 걸친 〈자연〉, 〈접목〉 시리즈가 중반기에 분포되고 〈광야〉로 표기되는 시리즈는 극히 최근인 1990년대 말과 2000년대에 걸쳐있는 편이다.

〈자연〉, 〈접목〉, 〈광야〉로 나타나는 명제를 통해 시대적 표현의 궤적을 살피기에는 충분치 않다. 작품상에서의 커다란 변화의 양상을 쉽게 찾을 수 없기 때문이다. 명제를 통해 변화된 시대적 미의식을 추적할 수 있는 예가 적지 않지만 조문자의 경우, 명제만으로 변화의 기미를 포착하기는 쉽지 않다는 것이다. 변화를 찾기 어렵다는 것은 변화가 없었다

〈접목〉 1995년 캔버스에 유채·아크릴 140x140cm

〈Work 89-33/34〉 1989년 캔버스에 유채 431x908cm

는 것이 아니라 그의 기조가 어떤 일관된 맥락 속에서 지속되어 왔다는 것을 말해준다. 뜨거운 추상의 세례를 받았던 대부분의 작가들이 그 사이 몇 차례의 변신을 거듭한 점에 비해본다면 그의 1980년대 이후의 작품은 뜨거운 추상의 체질화를 선명히 드러낸 흔치 않는 예로 볼 수 있을 것 같다. 특히 〈자연〉과 〈접목〉 시리즈는 변화의 양상보다는 연속선상에서 바라보아야 한다. 시대적 미의식의 급변에 전혀 개의치 않는 자신만의 길을 꾸준히 걸어왔다는 사실은 자기 방법에 대한 확고한 믿음에서 연유된 것에 다름 아니다. 이 점에 비한다면 근작에 속하는 〈광야〉

는 앞선 작품들과 적지 않은 차별성을 드러내고 있다. 그것을 한마디로 말한다면 정감적 표현의 세계에서 사념의 구조로의 이동이라고 할 수 있을 듯하다. 1990년대 후반부터 2000년대로 넘어오면서 그의 활동은 국내에만 머문 것이 아니라 여러 해외전에 초대되면서 자신의 방법에 대한 더욱 확고한 검증을 시도하고 있다. 2001년의 《그랑 에 죈Grand et Jeune》(파리)전과 2003년의 《살롱 콩파래종Salon Comparaison》(파리)은 그 대표적인 전시다.

그의 데뷔기의 작품과 1970년대에서 1990년대에 이르는 작품상에서 두드러진 공통성은 자연에서 오는 감동과 분방한 제스처 중심의 표현이다. 서성록은 이 점을 다음과 같이 술회하고 있다. "분망한 힘과 속도가 내재되어 있는 몸짓은 연속과 비연속, 일회성과 중복 그리고 긴장과 이완 사이를 숨가쁘게 오고가면서 화면을 극적인 무대공간으로 돌이켜놓고 한편으로 그러한 몸짓의 요소들은 여러 유형의 필선을 타고 한층 표현적 충동의 너비를 확대시켜간다." 위의 지적에서 엿볼 수 있듯이 그의 작품에는 적잖이 상충하는 요소들로 인해 극적 시추에이션이 조성되고 있음을 만날 수 있다.

제스처 가운데서 특히 핸드라이팅의 속사가 두드러지게 발견된다. 그것은 암시적인 형상의 개념일 수도 있고 어떤 의미도 내포하지 않는 순수한 자동기술일 경우도 있다. 핸드라이팅이란 일종의 드로잉을 말하는 것이다. 손에 의해 그려지는 행위를 이름이다. 그러면서도 그의 화면은 적절한 색면의 구사와 핸드라이팅이 교묘히 교차하고 있음을 엿볼 수 있다. 다시 말하면 그린다는 것과 칠한다는 두 개의 방법적인 측면이 스스럼없이 교직되고 있음이다. 조문자와 같은 세대의 작가들에서 발견되는 핸드라이팅은 일종의 서체충동의 연장으로 보아야 할 것이다. 1950, 60년대만 하더라도 모필에 의한 글쓰기가 보편화되어 있었다. 많은 사람들이 모필로 편지를 썼으며 일상생활 속에 문방은 필수적인 것이었다. 그러니까 당시 기성세대는 말할 나위도 없거니와 20대의 젊은 세대들 역시 전통문화에 대한 감화를 적지 않이 받고 있었다. 따라서 조문자의 작품 속에 명멸되는 것은 어쩌면 상충하는 두 개의 문화의 교직이라 해도 과언이 아니다. 즉 그린다는 동양적 서체충동과 칠한다는 서양화의 방법의 교직으로서 말이다.

데뷔기에서 1970, 80년대를 거치는 과정에서 두드러지게 표상되는 화면의 특징은 이미 지적한 바와 같이 격렬한 몸짓에 의한 표현의 자율성이다. 예컨대, 네 개의 판넬로 이어지는 대작 〈워크Work 89〉에서 보이는 격렬한 브러쉬워크brush work의 전면화는 그린다는 것과 칠한다는 것의 한 극명한 예가 될 것이다. 운필에 실린 힘은 붓자국을 타고 선명히 부각되는가 하면 바탕 속으로 파묻혀 부단히 지워져 가기도 한다. 긋고 지우는 행위의 이원성은 바로 그리는 것과 칠하는 것의 반복에 의해 일어나는 자동적인 화면의 결정체라 할 수 있다.

1990년대의 일련의 작품들에서 만나는 공통성은 색채의 응결상태가 한결 음악적 리듬으로 전이되고 있다는 점이다. 그만큼 화면은 경쾌한 리듬과 동시에 색면의 매스화가 두드러지게 드러나고 있다. 자연에서 오는 감동은 무언가 구체적인 형상으로보다는 대단히 암시적인 흔적들로 나타나고 있어 더욱 상상력을 자극시킨다. 식물적 상상력이라고나 할까. 식물의 내면에 숨 쉬는 생명의 기운이 흐르는 붓 자국을 따라 선명히 전달되고 있다. 1990년대 중반 경으로 오면서 색채의 상호 침투 현상은 더욱 현저해진다. 여기에 부분적으로 자동기술적인 운필의 흔적이 명멸된다. 안으로 향한 고요한 울림은 다시 화면 밖으로 반향하면서 명상의 깊이를 더해 가는 인상이다. 〈접목〉이란 나무와 나무의 물리적인 만남이라기보다 자연과 인간작가의 교감에서 일어나는 희열과 감동이라고 부르는 것이 적절할 것 같다.

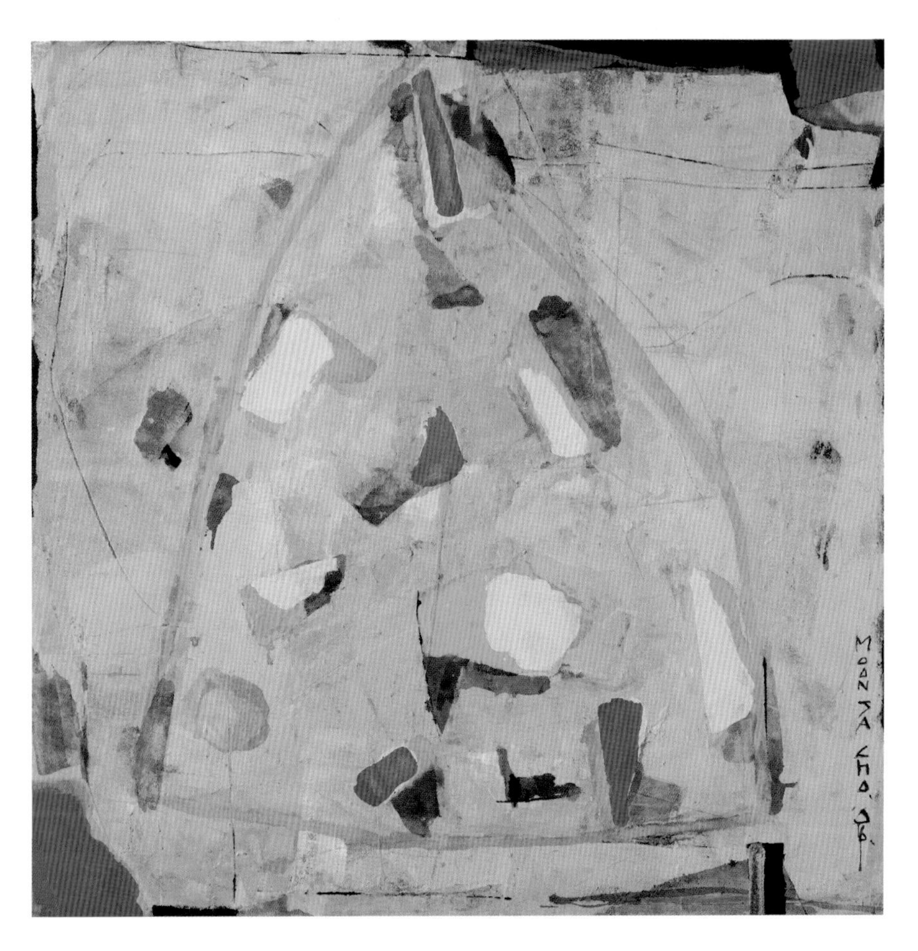

〈광야〉 2006년 캔버스에 아크릴 180x180cm

〈광야〉 시리즈는 1998년경부터 시작되어 최근에까지 이른다. 여러 평자들이 광야를 두고 종교적 관념으로 해석해주고 있음을 엿볼 수 있다. "그가 차용하고 있는 이미지들은 과거 이스라엘 민족이 시나의 광야에서 목도했던 것들로서 들판에 버려져 있던 나무요, 꽃이며 이름 없는 들풀이다."라고 한 김복영의 지적도 그 가운데 하나다. 이집트를 탈출하여 젖과 꿀이 흐르는 약속의 땅을 찾아 40년을 광야를 방황하였던 구약성서의 출애굽기의 장면을 떠올린 것이다. 물론 사적인 종교적 신심이 명제를 통해 구현될 수도 있다. 특별히 명제에 주요한 의미를 부여하는 작가들이 없지 않다. 그러나 조문자의 광야라는 명제는 반드시 종교적 관념의 산물만은 아닌 듯하다. 오히려 그의 경우 광야는 오랜 조형의 방황 끝에 찾아온 어떤 계시의 메시지로 볼 수 있지 않을까 본다. 사막 민족의 예언자들이 신과의 만남을 이루기 위해 광야로 나아가듯 그 역시 어떤 계시를 받기 위해 광야로 나아간 것은 아닐까. 스스로 설정한 광야에서 자신에게 울려오는 내면의 소리를 경청하기 위해서 말이다. 그러기에 이미 지적했듯이 분방한 제스처 중심의 화면에서 자신 속으로 몰입하는 사념의 구조가 두드러지게 표상된다.

화면은 자신의 온몸을 던져 구현하던 행위의 장이 아니라 자신 속으로 침잠하는 한없는 명상의 장으로 탈바꿈된 것이다. 따라서 화면은 그지없이 순화된 색조의 투명성을 보이고 있다. 색면과 색면이 겹쳐지면서 화석과 같이 견고하면서도 오랜 세월 응고된 시간의 퇴적이 선명하게 들어난다. 그것은 마치 땅 속에서 파내어진 고대의 유물과 같은 오랜 세월의 켜가 덕지덕지 쌓인 형국이다. 햇볕을 받아 어스러질 것 같은 눈부신 흔적이다. 모든 감정이 풍화된 상태로 화면에 쌓이는 예감에 넘치는 이 건축적 형태들은 마치 오랜 시간 풍화를 이겨낸 기념비처럼 당당함으로 현현된다.

"지금 눈 나리고 매화 향기 홀로 아득하니 내 여기 가난한 노래의 씨를 뿌려라. 다시 천고의 뒤에 백마 타고 오는 초인이 있어 이 광야에서 목 놓아 부르게 하리라"는 이육사의 시, 「광야」에서처럼 홀로 초인을 기다리는 예감의 마당으로 우리 앞에 놓인다.

『조문자』 2007년 화집

한만영
HAN MANYOUNG

1946 서울생
1972 홍익대학교 미술대학 회화과 졸업
1983 건국대학교 교육대학원 미술교육과 졸업

개인전

1979 한국화랑 서울
1981 그로리치 서울
1984 동산방화랑 서울
1987 현대화랑 강남 서울
1990 갤러리 서미 서울
1992 두손갤러리
갤러리 상문당 서울
1994 갤러리 상문당
갤러리 나인 서울
1996 박영덕 화랑 서울
1999 가람화랑 서울
노화랑 서울

단체전

1979 1990 Ecole De Seoul전 국립현대미술관 서울
1981 상 파울로 비엔날레 상 파울로 브라질
1984 한국현대미술전-70년대의 조류 대북시립미술관 중화민국
1985 제2회 아시아 현대미술전 후쿠오카 일본
1986-1987 현상전 그로리치화랑 서울
1987-1992 현대미술초대전 국립현대미술관 서울
1988 80년대의 형상성의 흐름과 전망 나우갤러리 서울
1990 한국미술 오늘의 상황 예술의 전당 서울
1991 한원 갤러리 개관기념전 3부 한원갤러리 서울
한국현대회화전 유고슬라비아
1992 창작과 인용 무역센타 현대아트갤러리 서울
1994 현대미술 40년의 얼굴 호암갤러리 서울
1995 카뉴 국제 회화제 카뉴 프랑스
광주비엔날레-한국미술의 오늘 광주
1996 아시아 국제미술전람회 메트로폴리탄뮤지움 필리핀
동시대작가전 아라리오 화랑 천안
1997 동방으로부터의 제안 솔레릭뮤지움 팔마 스페인
1998 한국현대미술전 유럽 8개국 순회전 벨지움 체코 불가리아 이탈리아 스위스 오스트리아 폴란드 영국
1999 1999년의 자화상 갤러리 퓨전 서울
2000 페이스! 포스코미술관 서울

공간과 시간의 고고학

한만영韓萬榮의 작가적 위상을 어떻게 설정해야할 것인가, 그의 작품경향을 어떤 조형적 문맥에 놓아야할 것인가에 대해 적지않은 연구자들이 고심한 흔적이 보인다. 한 작가를 이해하기 위해서는 그가 누구의 영향을 받았는가, 어떤 사조의 세례를 받았는가를 먼저 살펴보는 것이 하나의 접근법이다. 말하자면 그가 속해 있는 시대적 미의식으로서의 보편성과 자신의 독자한 관심의 편력을 추적함으로써 그의 조형의 전체적 위상을 가늠해 볼 수 있다는 것이다. 사실 그렇긴하나 지나치게 어떤 카테고리에 끼어맞추기 식이어서는 오히려 그의 정체를 관념적으로 파악하는 실수를 범하기 쉽다.

이 점에 대해 일찍이 이일은 이렇게 지적한 바 있다. "한만영의 회화를 이야기할 때 우선 짚고 넘어가야할 것이 그의 작품에 대한 잘못된 선입관이다. 그 선입관은 다름 아니라 그를 이른바 하이퍼리얼리즘Hyperrealism의 계보 속에 묶고있다는 사실을 말한다".[1] 그러니까 이일이 지적하고 있는 것은 섣부른 문맥화에서 일어나는 조형의 화석화에 대한 경고이다. 그러나 한 작가를 파악하기 위해 일정한 문맥찾기가 없다면 좀처럼 접근하기가 용이하지 않다. 때때로 어디에도 매이지 않고 어디에도 속하지 않는다는 식의 언급은 그 작가의 독창성을 강조하기 위한 수사적 언술은 될 수 있을지는 모르나 사실 그러한 작가가 있을 수 있는가는 의문이다. 어디에도 속하지 않고 어떤 영향원도 없다는 것은 마치 뿌리없는 나무같은 존재를 연상케 되고 족보없는 사람처럼 들리기 쉽다. 지나치게 어떤 카테고리 속에 끼어맞추려는 것은 잘못된 것이지만 어떤 작가든지 뿌리와 족보가 없다는 것은 그의 정체성 자체를 근원으로부터 의심받게 하는 대목이다. 한만영이 어느 정도 하이퍼리얼리즘에 이끌렸는지는 알 수 없으나 한 시대 작가들이 지니는 의식의 견인상태에서 자유로울 수 없다는 전제를 떠올려보면 하이퍼리얼리즘에 대한 공감이란 지평을 전적으로 배제할 수는 없다. 그가 등단하던 무렵, 그와 동세대 작가들 다수가 하이퍼리얼리즘에 경도되어 있었다. 적어도 그들과 그룹활동은 하지 않았지만 그들과의 일정한 교류와 상호감화의 관계를 지속시켰음은 부정할 수 없다. 그에게 따라 다니는 하이퍼리얼리즘이란 이런 수준에서 파악되어야 하지 않을까 한다.

한만영의 초기작으로 1972년의 〈무제〉, 1976년의 〈병〉, 〈공간의 기원〉을 꼽을 수 있다. 대체로 이들 작품에서 발견되는 조형적 요소는 하이퍼리얼리즘과 초현실주의다. 하이퍼리얼리즘적 방법에다 초현실주의적 시각이 공존하고 있다고 말할 수 있다. 이재언은 이에다 팝적인 요소를 첨가하고 있다. "그의 화면 질서는 확실히 초현실주의적 문맥임과 동시에 일상적 환경에 주목하는 팝아트 내지는 포토리얼리즘photorealism의 것에 가깝다."[2] 한편, 김홍희는 "극사실주의, 초현실주의, 신표현주의 등 대표적인 형상화운동이나 사조에 결부되면서도 그 어느 것에도 연루되지 않은채 자신의 양식을 구축하고 있는"[3] 작가로 기술하고 있다. 한 시대 보편적 지평에서 그가 하이퍼리얼리즘에 공감하면서도 그를 단순히 그러한 카테고리로 묶기에는 무리한 복합적인 관심이 그의 작품에 편재되어 있음을 발견할 수 있는데 신표현주의니 팝아트니 하는 지적이 그것이다. 또 한편 송미숙은 그의 작품을 두고 "문학성이 강한 그림"이라면서 "문필가들의 특별한 주목과 관심을 받았다"한만영에 대한 글 가운데는 유독 문필가들의

〈Reproduction of time 85-3〉 1985년 패널에 유채 오브제와 거울 162.3x130.3x9.5cm

글이 많이 보인다[4]는 점에서도 그의 조형이 갖는 진폭을 헤아려 볼 수 있게 한다.

초기작 〈무제〉는 공간에 크기가 다른 입방체 상자를 탑처럼 쌓아올린 구도에 상자 속에 각각 같은 여인의 이미지를 거꾸로 묘사해넣고 있다. 조금 지난 시기인 1976년의 〈병〉은 조니워커 술병을 사실적으로 묘사한 작품이다. 병의 표면에 라벨이 부착되어 있고 병속에는 술이 아니라 파란 기체가 담겨있다. 이 기체는 이후 그의 작품에 가장 빈번히 등장하는 공간의 또 다른 표현이다. 〈공간의 기원〉은 체스판 위에 세 개의 석고상을 배치한 것으로 여기서도 화면 상단부가 파란 기체로 덮혀 뒤쪽에 치우친 두 석고상은 거의 이 파란 기체에 파묻히고 있는 형국이다.

초기의 세 작품에 두드러지게 들어나는 공통성은 신비로울 정도의 맑게 정제된 청색의 침윤이다. 하늘 빛 청색은 이후 빈번히 나타나고 있다. 그것이 단순한 청색이 아니라 무한한 창공을 암시하는 투명성을 지닌다는 점에서 일반적 색채체계에선 약간 비껴나 있다. 창공의 색 아쥐르azure다. 1980년대 중반 〈시간의 복제Reproduction of Time〉 시리즈가 등장하기 전 작품이 〈공간의 시원〉 시리즈임을 감안할 때 창공의 아쥐르는 시원으로서의 공간이 지닌 신비로운 기운을 말해주는 것이라 할 수 있다. 그리고 이 청색이 어느 한 시기에 집중하기 보다 초기작에서 근작에 이르기까지 가장 지속적으로 이어져있다는 점에서 단순한 기호색이기보다 어떤 상징체계를 내장한 원형감각 또는 원초의식이 아닌가 생각된다.

한만영이 과거 거장들의 작품을 패러디형식으로 원용하기 시작한 것은 1970년대 후반 경이다. 거장들 작품은 일정한 계통화를 지니지 않고 무차별이라고해도 좋을 정도로 전 시대에 걸쳐 있는 형국이다. 르네상스시대에서 20세기에 걸쳐 있을 뿐아니라 동서양을 왕복하기도 한다. 예컨대, 미켈란젤로Michelangelo Buonarroti:1475–1564의 〈다비드〉, 다빈치Leonardo da Vinci:1452–1519의 〈모나리자〉, 앵그로Jean Auguste Dominique Ingres:1780–1867의 〈발팽송의 욕녀〉, 〈샘〉, 다비드Jacques Louis David:1748–1825의 〈레까미에 부인〉, 브루겔Pieter Bruegel:1525–1569의 〈맹인의 우화〉, 〈게으른 자의 천국〉, 뷰세Francois Boucher:1703–1770의 〈다이아나〉, 베르메르Johannes Vermeer:1632–1675의 〈우유를 따르는 여인〉, 고야Francisco José de Goya:1746–1828의 〈누드의 마야〉, 루소Henri Rousseau:1844–1910의 〈잠자는 집시의 여인〉, 마티스Henri Matisse:1869–1954의 〈춤〉, 모딜리아니Amedeo Modigliani:1884–1920의 〈와상의 누드〉 등이 빈번히 등장하며 동양의 역대 산수화와 고구려 고분벽화 역시 심심치 않게 등장한다. 과거의 명화 뿐이 아니다. 마릴린 몬로Marilyn Monroe:1926–1962의 사진, 우주비행사의 달착륙 기록사진도 끼어든다. 이들 명화나 기록사진은 이미 만들어진 기성품이란 점에서 레디메이드로 분류된다. 한만영의 경우, 이들 기성품목이 단순한 일상제품이 아니란 점에서 독특한 문맥을 지닌다. 과거 거장들의 작품이 대부분이란 점에서 선택의 집중성을 보이고 있음을 가늠할 수 있다.

왜 하필 과거 거장들의 작품인가. 거장들의 작품을 패러디한 예는 이미 많은 작가들에 의해 시도된 바 있다. 다다이스트Dadaist나 팝아트 계통에서 그 현저한 예를 엿볼 수 있다. 그럼에도 불구하고 한만영의 패러디가 유독 우리의 눈길을 끄는 것은 부분의 확대, 부분의 생략이란 장치를 통해 "그것들이 지니는 회화적 의미는 완전히 거세되고 단순한 회화적 소재로 탈바꿈"[5]되기 때문이다. 어느 일부는 완전히 지워버린 상태로, 어떤 경우는 인체의 윤곽만을 드러내는 등 다양한 변주를 통해 특정한 명화이면서 부단히 명화가 아닌 상태를 드러내고 있다. 명화가 지니고 있는 아우라를 유쾌할 정도로 일시에 제거시켜버리고 어느덧 자신의 회화적 문맥 속에 새롭게 태어나게 만드는 것이다. 일종의 비판적 편집증이랄까. 명화가 누리고 있는 기념비성을 일시에 허물어뜨리고 일상의 비근한 사물로 끌어내리고 있는 점에서 말이다. 기존의 이미지를 원용하면서도 비판적 기제에 의해 자신의 회화언어로 탈바꿈시키는 점이야말로 한만영의 화면이 지니는 신선한 충격이랄 수 있다. 이 충격은 명화란 무엇인가 하는 근원에 대한 물음을 줄기차게 잠재시키기 때문에 화면은 언제나 문제제기 또는 이의제기의 당돌함을 함의하고 있다. 아마도 그의 작품이 우리에게 주는 신선한 매력은 이미 만들어진 권위에 대한 비판적 시각을 유지하면서 동시에 회화의 근원에 대한 물음을 제기하고 있음에서 찾아질 수 있을 것 같다. 김홍희는 이를 풍자 내지는 해학으로 보고 그를 비판적 알레고리 작가로 명명한다. "부정적 현실이나 현상에 대한 비판적 인식이 그를 심미적 초현실주의나 극사실주의와 구별시키는 동시에 그를 풍자, 해학을 함의하는 비판적 알레고리 작가로 분류시키는 단서"[6]라고 한 대목이 그것이다.

한만영의 작업이 비판적 알레고리로 규명되게 하는 단서는 비판적 사물의 병치현상에서 두드러지게 찾아낼 수 있다. 예컨대, 명화 속에 마치 흠자국처럼 작은 스포츠카나 도로표시판 따위가 그려지므로서 단

〈Reproduction of time 92-T1〉 1992년 상자 안에 혼합매체 오브제와 거울 347x173x36cm

순한 과거 명작들의 변주라는 지평에서 단숨에 벗어나게 하는 장치가 그것이다. 전혀 다른 위상의 사물들끼리의 의외로운 병치는 시각적 충일을 일으키면서 세계에 대한 새로운 인식을 수반하게 되는데, 이 점은 다분히 초현실주의가 구사했던 데페이스망dépaysement의 수법을 연상시키게 한다. 아마도 이같은 엉뚱한 사물끼리의 만남이 없었더라도 단순한 과거작품의 부분원용이란 테두리를 벗어나지 못했을 것이다. 이 독특한 비틀기야말로 그의 작품이 지니는 신선한 기제가 된다.

한만영의 화면은 지극히 단순하고 명쾌한 데가 있다. 명화의 어느 한 부분이 명확하게 떠오르는가하면 어느듯 모호한 기체 속으로 사라져버린다. 거대한 사물 옆에 극히 작은 오브제를 병치시키는 대비와 충격묘법은 모호한 공간 속에 하나의 긴 메아리로 되돌아온다. 이런 점을 감안할 때 그의 작품상의 기법적 특징은 선택과 집중, 그리고 대비와 충격으로 요약할 수 있을 듯하다. 과거 작품의 선택은 단순한 매개로서의 그것이 아니라 선택됨으로서 상황의 변주를 동반함이다. 더욱이 이 선택은 전체를 드러내는 것이 아니라 부분의 강조, 부분의 지움이란 집중적 현상으로 인해 어느 특정한 작품의 원용이면서도 부단히 이 원용을 뛰어넘는 것이 된다. 선택과 집중적인 방법 속에 시각적 충일을 동반하는 대비적 상황설정을 가함으로서 더욱 복합적인 내용을 함의하게 된다. 무엇보다 애초의 명화를 벗어나게 하는 기제의 복합적인 설정이 흥미를 배가한다. 과거의 명작 속에 극히 작은 오브제를 삽입함으로써 명화가 지니는 아우라를 단숨에 벗어버리는 놀라운 반전 같은 것이 그 하나다. 이같은 반전은 그의 이후의 작품에까지 연면하는 근간임을 발견할 수 있다. 물론 이같은 반전 역시 초현실주의에 닿아있지만 바로 그것으로 초현실주의로 묶기에는 다양한 변주와 알레고리의 풍부한 내연이 직조되어 있음을 간파케 한다. "단선적 정의나 카테고리에 묶이기를 거부하는"[7] 그의 작화의 방향은 따라서 그만큼 진폭있는 것으로 파악하지 않을 수 없다. 만약, 그의 방법이 초현실주의나 하이퍼리얼리즘이라는 특정한 사조에 단선적으로 연결되어 있다면 그의 조형이 오늘날에도 여전히 신선함을 잃지 않는 것이 될 수는 없었을 것이다.

대비적인 사물의 배열은 시간이 지나면서 그 유형이 조금씩 바뀌어지고 있음을 엿볼 수 있다. 대체로 1984년 경부터 작업의 명제가 〈시간의 복제〉로 나타나는데 이 무렵부터 빈번히 만날 수 있는 것이 분해된 괘종시계의 부품이다. 이전의 작품들이 〈공간의 기원〉인 점과 대응되면서 시간에로의 관심의 추이가 시간의 상징체계로서 시계의 내부를 선택한 것은 참으로 흥미로운 일치이다. 〈공간의 기원〉에서는 스푸마토sfumato 기법으로 대상의 부분을 은은한 대기 속으로 매몰되게 하였다. 이 무한히 깊어지는 대기의 구현은 알 수 없는 공간의 시원을 상징시켰다. 〈시간의 복제Reproduction of time〉에서는 경계선이 지워지면서 깊어지는 공간이 아니라 구체적인 윤곽으로 떠오른다. 예컨대, 해안과 같은 분명한 자연의 묘사로 대치된다. 시간은 기억의 장치다. 시간을 구체적으로 묘사한다는 것은 불가능하다. 공간이 어떤 주어진 대상을 통해 선명히 표상될 수 있는 반면 시간은 기억의 장치를 통해서 암시될 뿐이다. 그렇다면 1980년대 중반 이후 나타나는 레디메이드ready-made는 기억의 장치를 위한 대용물에 지나지 않는다고 할 수 있다. 거의 대부분의 레디메이드가 파편화되어 있다는 것이 흥미로운 점인데 파편화란 그만큼 시간의 기억자체가 편집증적 현상으로 떠오르기 때문인지 모른다. 모든 시간을 다 담을 수는 없지 않겠는가. 어느 특정한 기억의 파편들을 통해 전체의 시간을 추적해갈 뿐이기 때문이다. 말하자면 어느 특정한 기억의 파편들 만이 떠올라 시간을 대신하는 것이다. 그에게 시간이란 무엇인가. 아득한 저쪽그것은 언제나 지나온 것에 묶이는의 고즈넉함이다. 파란 하늘과 바다가 맞닿는 곳에 마치 벽에다 세워놓은 것같은 깃털 하나, 무령왕릉의 터널같은 벽돌 아취 저쪽으로 아득하게 펼쳐지는 바다, 사면이 거울로 장치된 박스 속에 해체된 시계의 내부와 모나리자의 복사판, 그리고 전화기와 실꾸러미와 깃털이 놓이는 벽걸이 그림, 세 개의 면으로 분할된 박스의 왼편에는 창공을 배경으로 한 다비드상, 오른 편에는 고구려 고분벽화, 가운데는 몇 개의 실꾸러미. 그것들은 한결같이 시간의 파편으로 떠오르는 것에 지나지 않는다.

1980년대 후반의 작품 가운데는 박스형에다 내면을 3등분 한 것이 유독 많이 등장한다. 좌우가 크고 가운데가 작으면서 동시에 2층 구조를 띤 것, 가운데 화면이 크고 좌우가 작으면서 나름의 발란스를 유지해 보인다. 1980년대 초까지 주로 서양의 명화가 차용된 점에 비해 후반에는 서양의 명화와 더불어 조선시대 풍속화나 고구려 벽화의 단면들이 빈번히 채용된다. 시간은 고대에서부터 현재로 가로 지르며 이미지들은 서양과 동양을 왕복한다. 박스로 대용된 화면에 등장하는 오브제는 극히 제한되면서도 풍부한 상상력을 수반한 것으로 나타난다.

박스의 등장은 1980년대 중반경부터 현저해지지만 이미 초기작에도 화면에 그려진 박스가 나타나는 것을 보면 박스에 대한 작가의 집착은 근원적인 것으로 연결되어 있는 듯하다. 박스란 무엇인가를 담는 장치로 화면에 등장하는 이미지나 오브제objet들이 일단은 박스라는 공간 속에 갇히는 형국을 띤다. 화면에 그려진 박스가 아닌 구조물로서의 박스는 이미지나 오브제들을 내밀한 공간 속에 가둔다. 그것이 박스란 구조에 의함으로써 안의 공간, 고여 있는 시간의 메타포로 표상된다. 박스를 몇 개의 작은 공간으로 분절하는 것은 어떤 특별한 의미를 지니는 것은 아닌 듯하다. 구조상의 균형에 의한 시각적 안정감을 의식한 듯 보인다. 물론 각 면에 등장하는 이미지나 오브제는 전혀 이질한, 대단히 대극적인 것이 대부분이다.

1990년대의 작품에서 발견되는 것은 빈도에 있어 서양의 명화나 이미지보다 동양의 산수화나 풍속화 또는 토우土偶와 금동관 같은 보다 고풍한 것들이 단연 많아진다는 점이다. 박스와 캔버스화면이 적절히 배분되고 있음도 현저한 양상이다. 캔버스의 화면은 박스의 작업에 비해 한결 스케일이 커지고 있음도 두드러진 현상이다. 박스가 갖는 밀도에 비해 대형의 캔버스가 큰 만큼 밀도가 떨어지고 있음도 발견된다. 때때로 캔버스에 일정한 색띠의 막대를 첨가하는 것은 어쩌면 박스에서 보였던, 안으로의 밀도를 의식한 것이 아닌가 보인다. 때때로 박스는 아주 작은 오브제로 대형의 화면 어느 가장자리에 첨가되는 형국으로 나타나기도 한다. 작은 박스 안이나 위에 석고상이나 토용土俑을 첨가하는 경우도 있다. 전반적으로 이 계열의 작품들은 큰 것과 작은 것의 시각적 대비로 시선을 끄는데 마치 무한 공간과 작은 존재물이란 우주론적인 메타포metapho와 다름 아니다.

박스란 일종의 장치이지만 그것이 벽에 부착되는 한 반입체적 개념으로 규정된다. 그러니까 그의 작업은 평면과 입체를 왕복하기도 하고, 평면 속에 입체적 구조물을 병치하는가 하면 아예 입체구조물 속에 평면적 이미지를 끌어들인다. 이미, 작품의 자기 위상의 면에서 설치의 요소를 다분히 내포한다. 1990년대는 평면과 입체라는 대비적 공간설정보다 설치로서의 오브제의 연극적 설정이 현저해진다. 날개의 등장은 설치로서의 연극적 공간을 극명하게 표상해주고 있다. 한 쪽 날개, 그것은 부러진 날개라는 메타포를 반영함으로써 인간의 끝없는 탈출의 욕망을 드러낸다. 인간은 날고 싶어하지만 끝내 날지 못하는 욕망의 좌절이 한 쪽 날개로 공간에 놓이게 된다. 날개는 토우나 토르소torso의 작은 오브제가 내장된 박스에 첨가됨으로써 욕망의 화석화를 은유적으로 드러낸다.

설치작업은 1990년대 중반의 벽시계나 아예 벽에다 무수한 박스형을 만드는 차원으로 발전된다. 동시에 사진 이미지의 차용도 그 빈도가 증가된다. 그려진 이미지가 아니라 현실적 이미지의 직접적 구현으로서 현재적 상황의 기념화에 대비된다. 2000년대로 오면서 화면은 더욱 단순화되고 더욱 비어있는 공간으로 진행된다. 화면이 좌우로 이분화되는 구조상의 특징도 두드러진다. 한 쪽에는 그려진 이미지를 담고 한 쪽에는 단순한 선조線條의 오브제를 첨가한다. 날카롭게 휘어진 철사는 마치 날카로운 필선을 연상케 한다. 일격의 회화에서 보는 그러한 날카로운 일획으로서 말이다. 청색의 기조가 증가하고 있음도 발견된다. 그린다는 자체가 점차 암시적으로 공간에 파묻히고 대신 날카로운 철사오브제가 등장함으로써 구체적인 것과 암시적인 것의 대비가 더욱 극명해진다. 추상으로서의 회화의 영역과 현실로서의 오브제가 팽팽한 대결의 양상을 드러낸다. 또 하나의 국면을 맞을 어떤 증후임이 분명히 느껴진다.

1 이일 「회화에 있어서의 기성 이미지」 『미술춘추』 1981년 봄
2 이재언 「한만영의 변하는 것과 변하지 않은 것」 『문화예술』 1992년 4월
3 김홍희 「한만영의 알레고리 형상화」 『21세기 한국의 작가』 2000년 도서출판 재원
4 송미숙 『시간의 복제, 상상을 통한 시간의 유희』 아르비방 서문 1994년 도서출판 시공사
5 이일 위의 글
6 김홍희 위의 글
7 송미숙 위의 글

『한만영』 2005년 화집

〈Reproduction of time-Lichtenstein C.02〉 2009년 상자에 아크릴 콜라주에 오브제 305x385x310cm

홍정희

HONG JUNGHEE

1945 서울생
1969 서울대학교 미술대학 회화과 졸업
1979-1980 미국 미시건대학교 미술대학 Fulbright 교환교수

개인전

1973 신세계미술관 서울
1976 신세계미술관 서울
1978 신세계미술관 서울
1979 현대화랑 서울 한국화랑 뉴욕
1980 Slusser 화랑 앤 아버 미시건
1981 미국 국제교류처 화랑 서울
1982 공간화랑 서울
1983 한국문화원 로스앤젤레스
1985 한국갤러리 서울
1987 예화랑 서울
1990 현대화랑 서울
1992 신현대화랑 서울
1995 조현화랑 부산
시공갤러리 대구
1996 갤러리 현대 서울
1997 로고스갤러리 런던
2001 예화랑 서울
2002 U.N갤러리 뉴욕
2005 갤러리 현대 서울

단체전

1966-1967 신인미술전 국립현대미술관 서울
1967-1981 대한민국미술전람회 국립현대미술관 서울
1973-1974 한국미술전 국립현대미술관 서울
1973-1978 제1회-제6회 여류화가회전 국립현대미술관 서울
1974-1978 제19회-제23회 창작미협전 국립현대미술관 서울
제2회-제6회 한·일 작품교류전 후쿠오카미술관 후쿠오카
1976 제1회 청년미술가상전 문화화랑 서울
제3회 한국미술대상전 국립현대미술관 서울
1977 역대 국전수상작품전 국립현대미술관 서울
1978 제1회 중앙미술대상전 국립현대미술관 서울
정부수립30주년기념 미술단체 초대연립전 국립현대미술관 서울
1981 한국미술'81선 국립현대미술관 서울
1981-1987 오늘의 작가전 문예진흥원 서울
1981-1995 한국현대미술초대전 국립현대미술관 서울
1982 한국현대미술20인의 여류초대전 관훈미술관 서울
제17회 한국미술협회전 국립현대미술관 서울
정예작가초대전 서울신문사 서울
1982-1987 서울현대미술제 문예진흥원 미술회관 서울
1983 제18회 한국미술협회전 국립현대미술관 서울
제17회 상파울로 비엔날레 브라질 상파울로
1984 60년대의 한국현대미술 : 앵포르멜과 그 주변 워커힐미술관 서울
1985 환태평양 순회전
ISPA 서울전 워커힐미술관 서울
동·서양화 100인전 서울갤러리 서울
1987 국제아시아전 국립역사박물관 대만
한·독 미전 프랑크푸르트
갤러리 현대 개관기념전 갤러리 현대 서울
1988 박재호 최경안 홍정희 전 아나갤러리 서울
1989 오늘의 작가전 문예진흥원 미술회관 서울
한국 현대미술-80년대의 정황 동숭아트센터 서울
한국화랑미술제 예화랑 서울
현대 한국회화 호암미술관 서울
1990 서울신문사 초대전 서울신문사 서울
판화18인전 갤러리 서미 서울
한국미술-오늘의 상황 예술의전당 서울
5인전 힐튼화랑 서울
1991 한국현대미술 초대전 선재미술관 경주
한국현대미술 유고슬라비아 순회전
1992 5인의 초대전 신현대화랑 서울
'92 LAA서울기념전 예술의전당 서울
제17회 에꼴 드 서울전 관훈미술관 서울
1993 예화랑 개관15주년기념전 예화랑 서울
1994 현대미술40년의 얼굴 호암미술관 서울
1995 한국미술 '95 질·양·감 초대전 국립현대미술관 서울
서울국제미술제 국립현대미술관 서울
한국여성미술제 서울시립미술관 서울
한국미술50인 유네스코 초대전 유네스코본부 파리
1996 유네스코 초대전 프랑스 파리
1998 바젤아트페어 스위스 바젤
1999 여성미술제 예술의전당 서울
시카고 아트페어 미국 시카고
석주미술상 수상작가전 갤러리 현대 서울
2000 백상기념관 신년미술기획 초대전 백상기념관 서울
2002 서울시립미술관 개관전 한민족의 빛과 색
Women&Art A Global Perspective2002 Shariah Womens' Club U.A.E
2003 작은미술관-한국의 색채와 꿈 정부대전청사 대전
전통과 혁신 한국현대미술전 베를린 동아시아 시립미술관 베를린 독일
2004 서울시립미술관 남서울분관 개관기념 한국현대작가 초대전 서울
신소장품전 서울시립미술관 서울
전통과 혁신 한국현대미술의 세계와 갤러리 현대 서울
2005 서울미술대전-회화 서울시립미술관 서울
2006 L.A 중앙아트홀개관전 L.A U.A.S
2007 Kwai Fung Hin Gallery China Club 홍콩
1970년대 한국미술-국전과 민전작가들 예술의전당 서울
한국현대미술100인전 : 1970-2007 코리아아트센터 부산
3인의 초대전 SP 갤러리 서울

수상

1967-1981 제16회-제30회 대한민국 미술전람회 연15회 입선
문화공보부 문예진흥원 주최
1971 제20회 대한민국 미술전람회 문화공보부 장관상
문화공보부 문예진흥원 주최
1976 제1회 청년미술가상 알파화학 주최
제3회 한국미술대상전 특별상 한국일보사 주최
1978 제1회 중앙미술대상전 장려상 중앙일보사 주최
1996 제7회 석주미술상

작품 소장

미시건대학교 미술관 앤 아버 미시건주
링컨시청 링컨 네브라스카주
링컨도서관 링컨 네브라스카주
국립현대미술관 서울
워커힐미술관 서울
호암미술관 서울
대영박물관 런던 영국

열망과 환희 그리고 순수

예술가의 변모의 양상은 밖으로 향하는 외면적 확대와 안으로 향하는 내면적 심화로 나누어 볼 수 있다. 밖으로 향하는 외면의 확대는 그만큼 뚜렷하고 분명한 양상으로 들어나지만 안으로 향하는 내면의 심화는 쉽게 드러나지 않는 깊이감을 지닌다. 대부분 밖으로 향하는 확대의 양상은 비교적 외부적 변화에 민감한 반면, 안으로 향하는 심화의 양상의 경우 자신의 내부의 소리에 침잠하는 것만큼 외부의 변화에는 큰 관심을 드러내지 않는다. 시대적인 미의식과 무관한 자기세계의 탐구에만 골몰하는 타입이다. 자의식이 강한 작가일수록 자기탐닉적이다. 홍정희洪貞憙의 작가적 편력을 일관해보건대 그는 단연 후자의 예다.

그의 작품은 초기인 1970년대 초반부터 현재에 이르기까지 적어도 밖으로 드러나는 심한 변모의 양상은 찾을 수 없다. 그렇다고 전혀 변화없다는 이야기는 물론 아니다. 그는 꾸준히 변모를 거듭해왔으면서도 그것이 현저하게 들어나지 않는다는 것이다. 이는 그가 출발에서부터 오늘에 이르기까지 자신에 충실한 길을 걸어왔다는 또 다른 증거에 다름아니다. 바깥보다는 자신의 내면의 소리에 귀기울여온 내역이 그만큼 밖으로 흩어지지 않고 있다는 이야기이기도 하다.

분류한다면 홍정희의 방법은 추상표현주의의 감화에서 출발한 것으로 볼 수 있다. 그가 수학하던 1960년대는 추상표현주의가 한국미술계에 커다란 물결을 형성하고 있을 무렵이었을뿐 아니라 그것의 정체화가 일부에서 진행되고 있었다. 대부분의 젊은 감수성의 작가지망생들이 이같은 방법에 자연스럽게 동참할 수 있었다. 그의 작가로서의 데뷔 무대는《국전》이었고 이어서《창작미술가협회전》과 같은 그룹전이었다. 오랫동안 국전의 입선을 기록하다가 1971년 문화공보부장관상을 수상하면서 그의 존재는 서서히 많은 사람들의 관심의 대상으로 떠올랐다. 그리고 이어지는 1976년의《청년미술가상》(알파화학 주최),《한국미술대상전》의 특별상, 1978년《중앙미술대전》의 장려상은 이미 신인으로서 위상을 벗어나 당당한 한 사람의 작가로서의 자립을 알리고 있다.

이미 1970년대로 들어서면서는 추상표현주의의 방법적 회의가 미만되고 있을 무렵이며 그와 동년배의 많은 작가들이 서둘러 변모를 시도하고 있었다. 그럼에도 불구하고 그는 출발에서의 기운을 잠재시키면서 조심스럽게 자신의 세계를 점검하고 있었다. 그가 현재에 이르기까지 초기의 조형적 관심을 여전히 바탕에 내재하고 있음도 이 같은 작가적 태도에서 기인함이다. 1973년 첫 개인전의 작품들과 최근의 작품을 비교해보면 적어도 그의 방향은 일관되게 유지되어온 것을 확연히 느낄 수 있다. 지층으로 가라앉는 무게와 심플한 형태의지, 그리고 거친 표면의 질감은 초기의 작품들에 나타나는 특징들이자 근작에서도 여전히 맥락되는 조형적 인자들이다.

두번째 개인전인 1978년전에서도 이 특징들은 여전히 지속되면서도 전면화에 대한 관심이 부분적으로 겉잡히는 변모를 드러내고 있다. 화면전체를 동일한 색면으로 뒤덮는 균질화와 다소 유동적인 제스쳐가 가미된 생성의 의지가 바닥을 밀치고 솟아오르고 있다. 더불어 안료에다 이물질을 섞어 마티에르를 더욱 견고하게 단층화하려는 시도가 현저해지고 있음도 발견된다. 톱밥이나 생선뼛가루 또는 커피가루 같은 질료를 안료에 섞는 시도는 이미 1970년대 초반부터 발견되지만 그것이 시간

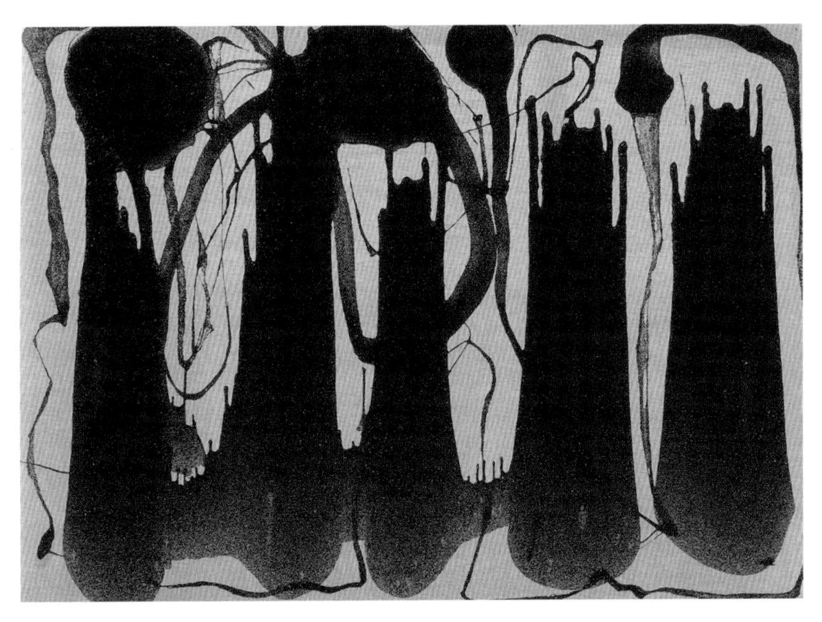

〈我-한국인〉 1982년 캔버스에 유채 커피 170x227cm

이 갈수록 더욱 현저하게 표면화되고 있다. 혼합매재가 주는 견고한 밀착도와 동시에 화면전체에 부과되는 균질성은 그의 작품이 지니는 스케일과 일정한 관계를 유지하면서 중후한 화면의 분위기를 조성해가는 요인이 되고 있다.

어디에도 휩쓸리지않는 일관된 자신에의 탐익은 명제에서도 들어나고 있다. 2회전부터 그의 작품의 명제는 〈아- 한국인〉으로 나타난다. '아我'는 '나'란 한자어다. 즉 '나 한국인'이라는 의미다. 그리고 3회전부터는 〈탈아脫我〉로 이어진다. 자신을 벗어난다는 의미다. 이 명제는 꽤 오랫동안 지속되고 있다. 극히 최근에 와서는 〈열정〉, 〈나노〉 등이 표기된다. 추상미술의 경우, 작품의 명제란 특별한 의미를 지니는 것이 아닌, 단순한 부호로 인식되는 경우가 대부분이다. 구체적인 이미지를 구현하는 작품의 경우 명제는 주요한 설명수단이 되지만 추상의 경우는 언제

〈脫我〉 1995년 캔버스에 유채 230x920cm

나 명제는 작품이 완료된 연후에 부가되는 것으로 설명의 수단은 되지 못한다. 그럼에도 때때로 추상작가들의 명제가 자신의 내면의 소리에 화답하는 형식으로서 등장되는 경우를 목격할 수 있다. 한 시기의 작업의 의지가 일정한 명제를 통해 표명되어지는 예가 적지 않은 편이다. 홍정희의 작품에 부과된 명제 역시 단순한 부호 이상의 강한 자의식의 반영이 아닌가 생각된다. 작가에게 있어 작업이란 일종의 정신적 노동의 결정체이며 그 노동을 통해 끊임없이 자신을 순화시켜나간다고 했을 때 그것의 표명형식이 명제로 대변된다고 볼 수 있다. 그가 오랫동안 〈탈아〉를 지속시켜온 내면에도 이같은 순화의 도정이 도사리고 있음을 발견할 수 있다.

1980년대의 작품들은 전반적으로 1970년대의 연속선상에 놓여있지만 전면성과 오토마틱한 표현의 요소가 현저하게 발견된다. 전면성은 화면전체로 안료가 잠식해들어가는 특이한 구성으로 일관되면서 표면은 기표와 같은 작은 흠집들로 메꿔지고 있다. 마치 달표면과 같은 시공을 넘는 공간에의 열망이 숨쉬는 형국이다. 격한 동세와 두터운 마티에르를 들추어보면 거기 숨쉬는 내면이 걷잡힐 것 같았던 1970년대의 작품들에 비하면 1980년대는 안과 밖의 균형이 적절히 유지되면서 안의 호흡과 밖의 운동이 현저한 대비관계를 보여준다. 그러다가 1980년대 후반으로 갈수록 밖의 운동이 강화되고 있다. 캔버스의 올이 그대로 들어난 생지의 표면에 쏟아부은 것 같은 안료의 잠식이 마치 흘러내리는 용암을 연상케한다. 에너지는 밖으로 향해 발산한다. 그러한 힘의 용출에 비하면 화면구성은 더없이 간결하고 단순하다. 거대한 매스가 화면을 꽉 채우는 형국이다. 때로 화면가장자리로 흘러내리는 드리핑의 자국이 힘의 여적餘滴을 암시할 뿐이다. 알버트 웨버Albert Weber는 이같은 화면의 표정을 다음과 같이 기술해주고 있다. "대담한 형상들과 매스가 화폭 위에 쏟아져들어와 화폭 외곽쪽으로 부드럽게 밀리고 굽이쳐 흐르다가 화폭의 가장자리에 가까워지면서는 이름다운 곡선으로 마무리된다. 이 반복되는 곡선미는 그의 작품에 활력과 서정성을 불어넣어주는 화법의 한 기본요소가 되고 있다. 또한 간간히 툭 트인 여백이 나타나면서 조심스러우면서도 활기찬 바로크의 특성을 드러낸다. 형상과 매스, 그리고 선이 마치 유유히 흐르는 강물이나 용암의 분류, 또는 조수의 운동처럼 자유분방하게 화폭 위에 어우러지고 있다."[1]

알버트 웨버가 지적했듯이 그의 화면은 대담하고 거대한 형상과 매스가 화면을 채우는가 하면 화면의 가장자리로 올수록 유동적인 기운이 흘러넘침으로써 화면은 육중함과 동시에 경쾌함을 아우르게 된다. 마치 존재의 절대적 부동과 부단한 생성으로서의 존재의 기운을 시사한다고 할까. 거친 표면은 마치 지상으로 솟아오른 용암이 서서히 응고되면서 들어나는 현상과 같다. 그러나 그의 작품은 사화산이 아니다. 아직도 용암이 흘러넘치는 순간순간에 놓여있다. 새로운 생명의 질서를 요구하는 그의 내면의 울림이 강하면 강할수록 화면은 폭발하는 기운에 휩싸인다. 이경성은 이를 두고 "바위의 촉감과 흙의 질감과 같은 원초적인 감각으로 그는 새로운 생명의 근원을 예술적으로 탐구하려하고 있다."[2]고 지적하고 있다. 생명의 근원에로 향하는 탐구는 부단히 표현을 앞질러가고 있다. 언제나 뒤에 남아난 표현에 집중되었던 일반적 회화의 방식에서 벗어난다. 이제 남아난 표현의 귀결은 중요하지 않다. 생성의 지평으로 향해 열린 의식의 치열함만이 화면을 지배함으로써 화면의 가치가 결정된다. 가공되지 않는 표현의 생경함이 오히려 화면을 살아있는 장으로 치환시킨다. 결정되면서도 동시에 결정되지 않은 상황을 지향하는 화면은 그만큼 지속적이다. 이 점은 화면을 만든다는 지배개념에서 벗어나 화면 스스로가 창조된다는 생성개념으로의 치환을 말해준다. 화면은 일정한 의도와 일정한 물질의 시술에 의해 조성되는 것이 아니라 화면자체가 생성의 논리를 작가에게 부여한다고 말해야 한다. 작가와 화면이 더불어 사는 관계로서 말이다. 작가와 화면은 주체와 대상이 아니라 동시에 주체이고 대상이 된다. 이 분리되지 않는 자의식에서 생명의 발아는 그만큼 순수성을 가늘 수 있게 된다. 1980년대의 일련의 작품들에서 발견되는, 너무 싱거울 정도로 단순화되어있다든지 , 아직도 마무리가 채 끝나지 않은 것같은 느낌을 준다든지, 그래서 전체적으로 미완의 인상을 주는 것도 이에 연유된다. 그것이 단순화된 상태일수록, 마무리가 되지 않은 상태일수록 화면은 살아있는 상황으로서의 자신을 드러내놓는다.

일관속에서 변화가 홍정희의 전체 작품을 관류하는 특징이다. 변하지 않으면서 부단히 변화를 꿈꾸어온 내역內譯이 시대를 가로질러 다가온다. 1990년대는 1980년대와 확실히 다른 기운들이 감잡힌다. 지층에서 솟구쳐오르는 용암의 분출이 만들어내던 거대한 포름과 매스, 그리고 흘러넘치는 안료의 자적이 만드는 힘의 구성은 1990년대로 오면서 전체와 세부의 긴밀한 긴장관계와 색채의 풍요로운 증식으로 화면은 더욱 심미적인 차원으로 진행된다. 화면에서 같이 숨쉬었던 작가의 모습은 이제 일정한 거리에서 화면을 바라보는 입장으로 되돌아왔다. 화면과의 오랜 동반여행에서 잠시 숨을 돌린다고 할까. 정신없이 오르던 산의 정상에 도달한 후 자신이 올라왔던 저 아래의 계곡을 내려다본다고 할까. 여유로움이 회복되고 있다. "화면 속에 뛰어들어 화면과 작가가 일체가 되었던 몰아의 상태가 아니라 화면 밖에 나와서 화면을 바라보는 여유로움의 회복"[3]이라고 나는 쓴 적이 있다. 이같은 여유로움의 회복을 추상적 풍경으로 대위시켰다. 풍경이란 자아와 타자와의 관계 위에서 설정되는 거리를 말한다. 1980년대의 거리지우기에서 1990년대의 거리회복은 어떤 의미에선 자신을 되돌아보는 계기의 산물이라고 볼 수 있다. 어쩌면 그것은 이일이 지적했듯이 "관조적 자연"인지도 모른다.

1990년대의 작품들에서 발견되는 특징은 이미 언급했듯이 풍부한 색채의 감정이다. 여기에 곁드려 안료의 밀착도가 더욱 두드러진 점이다. 흘러넘치던 생성의 기운은 수축되고 응고되어 탄력있는 지층의 단면을 만들고 있다. 견고한 단층화는 이일이 지적한 "벽화적 성격"에 대응된다. 벽화적 성향이란 스케일감각의 또 다른 지적일 것이다. 초기부터 스케일감각이 두드러진 특징으로 나타나지만 1990년대 작품들에 관류하는 스케일은 보다 구체적이다. 거대한 암벽을 앞에 하고 있는 듯한 실감이나 끝없이 펼쳐지는 광대한 대지를 내려다보는 느낌이 그렇다. "원격시遠隔視적인 전체"[4]라는 지적이 적절하다.

색채에 대한 풍부한 감정은 적, 녹, 황과 같은 원색의 대비와 교차에서 밀도를 더해가고 있다. 여전히 거친 표면이 지속되면서도 표면보다는 색층과 색층이 만드러내는 구조의 긴장이 화면을 지배해가고 있다. 단일한 색면으로 뒤덮혔던 화면은 색과 색의 관계가 만드러내는 탄력으로 인해 시각적 충일을 더해준다. 보는 것의 감동이 그만큼 고양된다. 아마도 그것은 이일이 지적한 바 있듯이 "색채 그 자체로서의 독자적인 서정성"에서 기인되는 것인지도 모른다.

극히 최근인 2000년대에 오면 그의 화면은 이전에는 감지되지 않았던 또다른 분위기가 서서히 들어나고 있다. 그가 선호하는 색채와 질료의 마감처리는 여전히 1990년대와 맥락되지만 강한 전면성에서 벗어나 간결하면서도 선명한 형태, 또는 기호들이 등장된다. 타오르는 지열과 강렬하게 밀어붙였던 안료의 밀착도는 더 없이 허심한 상태를 지향한다. 밝은 색채의 대비가 주는 경쾌한 화음은 오랜 인고의 터널을 벗어나 마침내 찬란한 햇빛 속에 나온 일탈의 자유로움, 해방의 노래라고나 할까. 관조적 풍경으로서의 색면의 단층화는 다시 서서히 간결한 구조로 치환됨으로써 사각, 삼각, 꽃잎모양과 같은 가장 기본적인 도형으로 탈바꿈된다. 풍경으로서의 시역을 접고 단순하지만 절대한 형태에로의 욕구가 강하게 반영된다. 삼각형, 사각형 그리고 네잎 크로바는 존재감으로서의 형태를 극명히 드러낸다. 설명을 앞질러 오기 때문에 그것들은 더욱 강한 존재감을 부여한다.

형태의 존재감에 못지않게 두드러진 것은 색채의 연금술이다. 여전히 두터운 마티엘로 구성되지만 색채는 한결같이 투명한 내면을 드러내기 시작한다. 예컨대 적과 녹의 보색관계의 색들을 대비시킴으로써 색채자체의 존재감을 선명하게 획득해가는 경우를 엿보면 그가 얼마나 뛰어난 색채의 연금술사인가를 실감하게 된다. 추상표현주의에서 출발한 작가들, 그와 비슷한 연배의 작가들을 통틀어 이만큼 풍부한 색채감정을 지니고 있는 작가가 또 있을까. 단순함 속에 풍부함, 간결함 속에 시적 함축이 내재하는 그의 근작은 생의 열락, 창조의 희열이 빚어낸 산물이다. 그것은 작가 자신에게나 보는 이들에게 다 같이 환희와 자유, 순수에로 향하는 열망의 감정을 안겨다 줄 것이다.

1 알버트 웨버 「홍정희의 작품세계」 개인전 서문 1983
2 이경성 「홍정희의 작품세계」 개인전 서문 1983
3 오광수 「뜨거운 정감, 또는 내밀한 구성」 개인전 서문 1990
4 유준상 「색의 주술사」 개인전 서문 2001

『홍정희』 2005년 화집

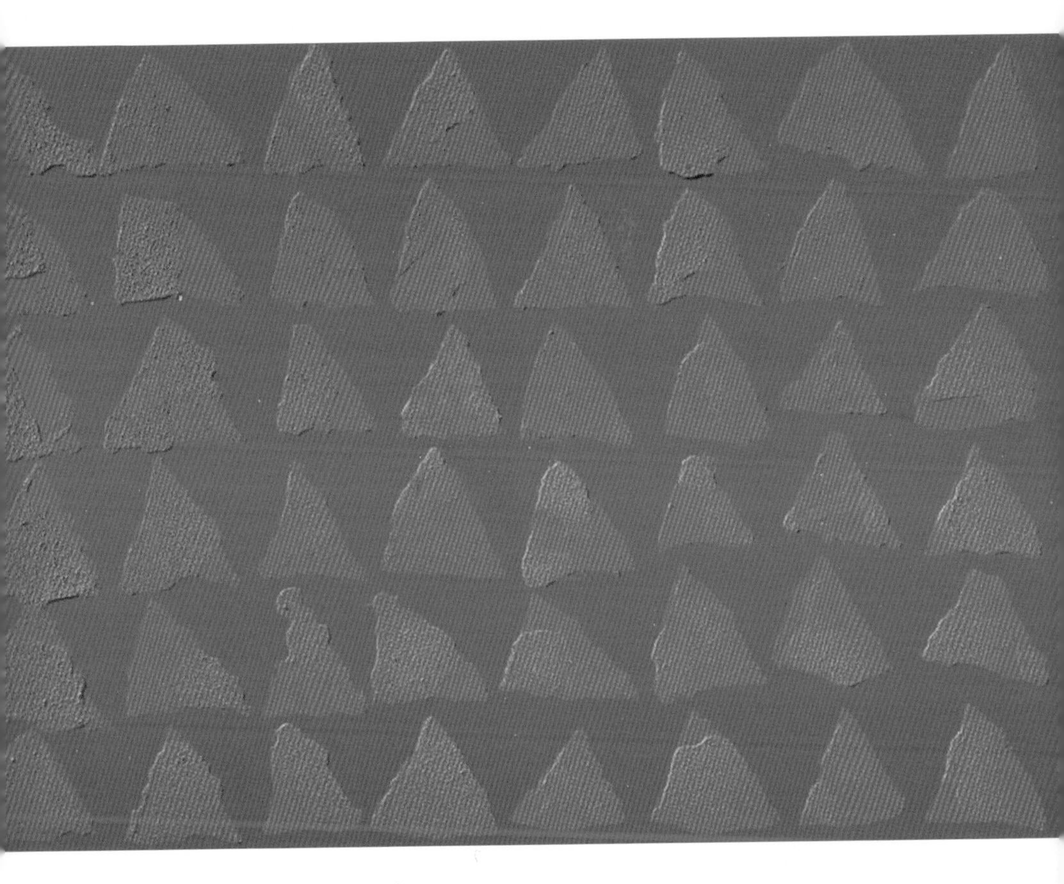

〈Passion〉 2003년 캔버스에 유채 194x259cm

구 조 와 상 형

김청정
KIM CHUNGJUNG

1941 부산생
1962 홍익대학교 미술대학 조소과 졸업
1982 계명대학교 교육대학원 졸업
1984-2006 신라대학교 예술대학 미술학과 교수

개인전

1977 태인화랑
1980 수로화랑
1983 고려화랑
1986 두손갤러리 · 사인화랑
1989 인공갤러리
1990 박여숙 화랑
1992 갤러리 월드
1994 정송갤러리
1996 가인화랑
1997 조현화랑
2001 갤러리 인
2002 조현갤러리
2005 갤러리 인
2009 학고재 갤러리

주요 단체전

1959 경남미전 특선 부산상공회소전시장
1961 제10회 대한민국미술전람회 특선
1965-1967 습지회전 부산
1969-1983 공간회전 부산
1971 A G전 국립현대미술관
1974 한국현대조각대전 국립현대미술관
1975 서울현대미술제 국립현대미술관
1975 서울현대미술제 국립현대미술관
1980 한국판화 드로잉 대전 국립현대미술관
1981 제16회 쌍파울로 비엔날레 상파울로 브라질
1986 서울아트페어
1987 부산작가 10인전 갤러리 누보
1988 88 한국현대미술전 국립현대미술관
1989 한국미술 80년대 정황전 동숭아트센터 갤러리
1990 추상 새로운 정신전 금호미술관
1991 한국현대미술의 〈한국성〉모색 2 한원갤러리
1992 에꼴드서울 관훈갤러리
1994 한국추상미술 서남미술전시관
1995 오늘의 동서작가 85인전 포스코갤러리
1996 한국미술미술 현재와 미래전 홍익대학교 현대미술관
1997 한국화랑협회전 예술의전당 미술관
97 마니프전 예술의전당 미술관
한국미술 오늘의 상황전 전북대학교 삼성문화센터
1998 3가지 중심_한국미술을 여는 키워드 부산롯데화랑
부산미술재조명전 부산시립미술관
98경주문화엑스포 야외조각심포지엄 경주아사달조각공원
서울올림픽10주년기념 야외조각심포지엄 서울올림픽공원
20세기 한국미술-부산지역 조각을 통해서 본 환경과 미술
부산롯데화랑
일상의 미학전 조현화랑
1999 공간의 본질과 관조의 거리전 부산시립미술관
2001 전환과 역동의 시대전 국립현대미술관
21세기현대한국미술의 여정_원로작가100인전
세종문화회관 미술관
또 하나의 국면 한국현대미술의 동시대성 3부_
개념화 그리고 비물질화 한원미술관
2002 부산비엔날레 조각심포지엄 아시아드 조각공원
2003 경남도립미술관 조각공원조성 조각심포지엄
경남도립미술관
2005 Playing Light 김해문화의 전당 윤슬미술관
2006 김세중조각상 20주년전 성곡미술관

수상

1996 봉생문화상
1999 김세중조각상
2005 KNN 문화대상

작품 소장

국립현대미술관
부산시립미술관
경남도립미술관
홍익대학교현대미술관
포스코 센터
경주아사달조각공원
서울올림픽공원
광안 만남의광장
아시아드 조각공원
해운대트럼프
월드마린
노을조각공원

환원의 형식

2001년 국립현대미술관에서 열린 《전환과 역동의 시대》전은 1960년대 중반에서 1970년대 중반에 걸친 약 10년간의 한국 현대미술의 전개 양상을 회고해 보는 기획전이었다. 이 전시에 김청정金晴正의 〈무제 695〉, 〈무제〉, 〈표본된 구체〉 등 3점의 작품이 출품된 바 있다. 〈무제 695〉는 그룹 《공간회전》(1969년)에, 〈무제〉는 《동아국제미술전》(1968년)에, 그리고 〈표본된 구체〉는 《이후작가전》에 나온 것이었다. 그 무렵 김청정은 부산에 근거를 두고 있었던 《공간회》와 《이후작가전》에 관계하고 있었으며, 이어 《한국 아방가르드협회(AG)》에도 참여할 때이다. 물론 그의 작가적 연보는 이보다 상회하지만 1960년대 후반에서야 작가로서의 뚜렷한 위상을 드러낸 시점으로 추정해 볼 수 있을 것 같다. 1960년대 후반은 지각변동에나 견주어야 할 변혁과 실험이 이 땅 미술계에 소용돌이치던 시대이기도 하다. 이 점은 그의 작가로서의 자각과 인식에 영향을 준 배경이자 자극원이었을 것이다.

작가가 시대를 만들기도 하거니와 동시에 시대가 작가의 행동반경을 윤곽 짓기도 한다. 이 상호관계의 긴장이야말로 20세기 미술의 신화의 내역이 아니겠는가. 1950년대와 1960년대를 통한 한국현대미술은 작가가 한 시대의 물마루를 만들었으며 작가 또한 그 물마루와 함께했다. 그 신화는 아무것도 없는 열악한 바닥에서 무엇인가를 일구어낸 것에 비유되기도 한다. 궁핍한 시절에 열정 하나로 새로운 풍토를 빚어낸 정신에서 한국현대미술의 신화는 발아되었고 영글어갔다. 그래서 우리는 그 시절을 신뢰와 애정으로 되돌아 볼 수 있다. 현재 남아있는 김청정의 1960년대의 작품에서 〈무제 695〉와 〈무제〉는 그의 조각 언어의 형성을 유추하게 하는 자료가 된다. 철과 나무라는 재료의 차이에도 불구하고 두 작품이 연계되는 조형인자는 강한 환원의식이 아닌가 싶다. 원통과 원형이라는 기본구조를 공유하고 있음이다. 〈무제 695〉는 위로가면서 좁아지는 원통의 기둥이다. 나선의 굴곡이 몸체를 감고 있다. 단순구조에 풍부한 표정의 기미가 포착된다. 구조가 갖는 기념비적인 성향과 나선의 유기적인 상형은 상승의 의지를 강화시킨다. 〈무제〉 또한 원형의 간결한 구조를 갖고 있다. 〈무제 695〉가 나선이 개입된 것처럼 여기서는 유기적인 요철이 작용하고 있다. 〈무제 695〉는 주철 표현에 채색을 했고 〈무제〉는 나무를 그대로 살렸다. 이를 두고 그의 한 시대의 작품 전체 경향을 조감한다는 것은 다소 무리가 있겠으나 적어도 그의 조형적 지향과 시대와의 견인관계를 유추해 보는 자료가 되기에 충분하다.

김청정의 지속적인 조형성향의 큰 틀은 다름 아닌 환원의식이다. 본질에로의 회귀를 지향하는 강한 의지가 전체 작품을 관류한다. 이는 개인의 사적 조형관심의 지속적인 표출이기도 하지만 한편으로는 시대적인 미의식의 공감도 결코 간과할 수 없게 한다. 작가는 자기 고유성과 더불어 시대적인 보편성과 끊임없는 화해의 모색을 전개해 나간다. 자신의 고유성과 시대적 보편성이 어떻게 융화되어 왔느냐에 따라 작품의 진로를 가늠하게 된다. 자신의 고유성이 강한 반면 시대적 보편성이 결여되었을 때, 반대로 시대적 보편성이 강한 만큼 자신의 고유성이 이에 상응되지 못할 경우 작품은 아집과 유행의 어느 굴레에서도 자유롭지 못하게 된다. 김청정의 예술이 독특하면서 넓은 공감을 형성할 수 있었던 것은 이 사이의 균형을 잘 유지했기 때문이다. 〈무제 695〉를 놓고

〈무제 695〉 1969년 철조에 채색 55×55×198cm

보아도 그가 지니고 있는 형태의지와 더불어 시대적 조형감각으로서의 미니멀리즘Minimalism을 떠올리게 한다. 철 표면에 채색을 시도한 점은 조각에 색채를 부여했던 1960년대 프라이머리 스트럭처Primary Structure와 만나게 된다. 기본적인 형태에로의 환원과 색채의 도입이라는 프라이머리 스트럭처와 미니멀리즘의 등장은 조각에 구조적인 인식을 새롭게 했다. 앞서의 추상표현주의 추상언어가 정감에 바탕한 작가 내면의 기술이라는 언술에 떠받쳐 있었다면, 미니멀리즘과 프라이머리 스트럭처는 감정을 고도로 억제한 형태의 자율성이라는 언표를 가리킨다. 온갖 수사적인 요소를 걷어내었을 때 남는 것은 기본으로서의 최소한의 형태, 조각분야에서의 형태의 자율성은 환원의식으로 구현되었다는 것은 주목할 필요가 있다. 일루전에 기초한 회화와 달리 조각이 구체적인 물체를 매개로 이루어지는 형식이기에 환원의식은 더욱 강도를 지닐 수 있다. 김청정의 구조적인 형태회귀가 시대적 조형의식의 보편성에 대한 견인관계를 보여준 것이라면, 1970년대 중반에 나타난 돌멩이 시리즈는 형태회귀를 자연으로 확대한 것이라 보여진다.

시멘트로 돌덩이를 만들고 여기서 일정한 흠집을 주어 마치 자연석같이 채색을 한 돌멩이 시리즈는 일반적인 조각의 어법구사에서나 그 자신의 전체적 조형 문맥에서 다소 예외적인 작품군으로 비친다. 그러나, 형의 회귀란 환원적인 맥락에서 보면 자연회귀의 시도가 아닌가. 돌은 오랜 세월 비바람에 마모되고 부식되어 닳아져, 수많은 흠집으로 덮여 있다. 자연에서 우리가 흔히 대면할 수 있는 바로 그러한 돌멩이를 재현해 놓은 것이다. 이는 돌멩이를 돌멩이 자체로 되돌려 주려는 의도이며 자연을 자연으로 환원시키려는 은유이다. 그러면서 다분히 착시적 계략을 꾀하고 있는 또 다른 단면이 확인된다. 무심코 본다면 자연 그대로의 돌덩이다. 하이퍼리얼리즘Hyperrealism이 시도했던 대상의 극도의 사실적 재현을 연상시킨다. 우리 주변에 널려있는 돌멩이. 이 돌멩이를 재현한다는 것은 어떻게 보면 하잘 것 없는 존재에 대한 각별한 확인의 작업이기도 하다. 그것은 자연의 한 파편을 통해 자연이라는 거대한 현상으로 근접하려는 의도로도 읽힌다. 표면에 드러나는 많은 흠집 자국은 돌멩이 자체의 역사의 각인이요 징표다. 작은 물체 속에 감추어진 자연현상과 섭리의 아늑함을 투시해 보려는 작가의 의도는 돌멩이를 돌멩이로 다시 확인함으로써 존재의 의미를 되새기려는 것이기도 하다.

그러면서도, 정작 돌멩이 만들기가 자연회귀라는 의도와 함께 조각 본연의 촉각적인 요소를 강하게 드러냄으로서 촉각적 매재로서의 조각 형식을 떠올리게 한다. 조각은 보는 것만이 아닌 만짐에 의해 그 형태가

〈빛살-울림〉 1999년 설치

파악된다는 점에서 조각이 다른 시각적 예술과 다른 일면을 일깨우기도 한다. 작업은 또 재료를 바꾸어 다른 매재로 이동하면서 생성과 소멸 시리즈로 이어간다. 돌멩이에 세월의 자국이 생겨나듯, 나무나 쇠도 시간이 지남에 따라 벌레가 먹고 부식이 된다. 모든 사물은 소멸의 과정을 진행시킨다. 불변의 존재란 있을 수 없다. 나무에 의한 일련의 작업에서도 소멸 현상이 뚜렷하다. 소멸 현상자체를 조형적 인자로 적극적으로 끌어들이고 있다. 나무에 벌레가 먹어 구멍이 생겨나고 끝내 나무의 형체는 사라지게 될 것이다. 어떻게 보면 소멸이라는 현상도 궁극적인 환원의 방식에 닿아있다. 존재 자체를 비워버리는.

큼직한 원형의 철판작업이 등장하기 시작한 것은 1980년대 후반에서 1990년대 초에 걸친 시점이다. 형태적인 문법에 있어서는 이미 글머리에 언급했듯이 대단히 환원적이다. 원형의 철판 가운데 심을 넣어 비스듬히 누인 상태로 등장한다. 이미 1960년대 후반의 작품에 명멸되었던 구조적인 환원의 형태가 더욱 절제되어 견고한 조형으로 구현되어 나온 것이리라. 이후 작품에는 다른 관심도 없지는 않으나 기본구조의 맥락은 항상성을 띠어 심화되는 인상이다. 가운데 막대를 박은 원판이 막대를 지지체로 바닥에 비스듬히 놓여 있는 구조는, 얼핏 위싱안테나나 팽이가 회전을 멈추고 누워 있거나 해시계 같은 모습을 연상시킨다. 때로는 긴 쇠막대에 몇 개의 원판이 꿰어져 있는 형국으로 등장하기도 한다. 특히 원판이 몇 개씩 꿰어진 상태로 자리한 모습은 부둣가 하역장이거나 아니면 공장의 부속품 창고에서나 만날 듯한, 어떤 기계의 부속물로서 여겨진다. 그러기에 완성된 형체로서보다 미완인 채로 놓여 있는 물체로 보인다. 이는 바로 작품이 그 자체로 완성되지 않고 일정한 시간의 진행 속에 존재한다는 사실을 반영하는 것이기도 하다.

〈빛갈피 Light layers〉 2009년 스텐레스 스틸 아크릴 LED 전시전경

그의 최근작에 나타나는 거울 효과와 투명한 질료의 차용은, 빛의 투과와 굴절 반영에 의한 일련의 빛과 그림자와 열려진 공간과의 상황으로 설명되어진다. 빛살 울림 시리즈는 이와 같은 현상을 구조화하려는 의도를 더욱 진척시킨 것으로 볼 수 있겠다. 형체는 투명한 구조체로 환원되어 안으로 잠기는 명상의 세계를 은밀히 드러내고 있다. 조만간 모든 형체는 사라지고 오로지 빛과 소리만이 남아날지도 모를 일이다. 조각은 무엇인가. 형체를 빌려 비형체를 사유함이 아니겠는가. 우리가 그의 작품을 보는 것도 형체를 통해 빛과 소리의 울림을 느끼는 것이다.

『김청정』 2004년 화집

박석원

PARK SUKWON

1942 출생
1960-1975 홍익대학교 미술대학 조각과 및 동 대학원 졸업
1972-1978 국전추천작가
1972-1981 국전초대작가
1977-1981 국전심사위원
1983-1987 대한민국 미술대상전 심사위원
1998-2001 한국미술협회 이사장
1993-2007 홍익대학교 미술대학 교수

개인전

1974-2008 명동화랑 서울
村松화랑 동경
그외 개인전 15회 개최

단체전

1966 제5회 Biennale de Paris France
1969 제12회 13회 한국 현대 작가 초대전 조선일보사 주최 국립현대미술관
1969 제10회 Biennale de Sao Paulo Brazil
1973 제1회 Sydny Biennale Sydny Opera House Australia
1974 제3회 인도 Triennale India
1980 아시아 현대미술전 후쿠오카 시립미술관 일본
1983 한국현대미술전-70년대 후반 하나의 양상 동경도미술관 도지끼겡 근대미술관
호카이도 도립미술관 후꾸오까시미술관 일본
1987 88서울올림픽기념 1차 국제야외조각 심포지움 올림픽 조각공원
1993 「작은 조각」 Triennale1993 쉐라톤 워커힐 미술관
2003 2003 국제아트 심포지움 Santo Tirso Portugal
드로잉의 새로운 지평 국제현대미술관
2004 Athens Olympic기념 국제현대미술 초대전 Athens 자유공원시립예술센터 Greece
2008 국제 돌조각 심포지움 익산국제 돌문화 프로젝트 추진위원회
2009 난지도 조각공원 심포지움 서울시 난지도 조각공원
2010 문신조각 심포지움 창원

수상

1968-1969 제17 · 18회 국회의장상 문화공보부주최
1974 제23회 국전추천작가상 예술원회장상 문화공보부주최
1980 제7회 한국미술대상전 지명공모부문 최우수상 한국일보사주최
1992 제6회 김세중 조각상 김세중기념사업회
1995 제6회 김수근 미술상 김수근 문화재단
2003 제17회 예총 예술문화상 한국 예술총연합회
2008 서울시 문화상 서울
대한민국 미술인상 한국미술협회

물질과 본질

새로운 개념의 조각

조각장르가 겪고 있는 현대적 변혁은 1960년대 이후 회화가 겪은 변혁에 못지않은 근원적인 것이다. 단순히 소재와 표현방법의 혁신이 아니라 보다 본질적인 문제로서의 내용의 변혁, 즉 기초개념의 변혁을 드러내고 있다.

조각이 지닌 인습으로서의 시각적 대상물에서 벗어나 공간의 새로운 존재방식과 관계상황을 추적함으로써 그것의 변혁은 가장 첨예한 양상으로 드러나기 시작했다. 회화가 틀 속에 갇힌 하나의 독립된 존재로서 확인되었듯, 조각 역시 오랫동안 대좌 위에 놓임으로서 비로소 그것의 형식이 완성되어졌다. 그것은 곧 바라보는 시각물로서의 대상이란 것을 전제로 한 관념이었다. 이러한 관념은 오랜 전통적 소재인 인체를 벗어나 다양한 모티프의 선택과 거기에 따른 소재의 폭넓은 체험이 지속된 1960년대까지도 여전히 잔존해왔었다. 철기시대의 도래를 연상시킬 정도로 소재로서의 철이 다양하게 다루어진 1950년대와 1960년대에 걸친 철조들이 한결같이 대좌臺座 위에 놓여있음을 발견할 때도 이러한 관념의 잔재는 여전히 지속되고 있음을 읽게 된다.

그러나 1970년대로 오면서 조각 속에 포용된 소재와 소재의 유연성은 이 바라보는 대상으로서의 관계를 벗어나게 하는 요인을 만들기 시작했고 그것이 종내는 조각이라는 전통적 관념을 무너뜨리는 추세로 진행되었다. 여기서 드러났던 현상은 다름 아닌 조각이 지닌 고유한 관념을 부단히 와해시키는 다른 장르와의 침투현상이었다. 일종의 회화적 조각과 조각적 회화란 새로운 용어가 등장하면서 모순에 찬 일련의 유개념類概念의 조각이 현대조각의 표층을 형성해간 것이었다.

대체로 유개념의 조각은 레디메이드Ready-made나 오브제Object로의 급속한 확산을 통해 어느덧 현대조각의 한 주류를 형성했다고 볼 수 있는데, 이미 그러한 추세는 보치오니Umberto Boccioni:1882-1916의 '미래파 조각기술 선언' 이후 지속적인 현상으로 나타난 바 있다. 유개념의 조각, 또는 반조각적 현상이 한국현대미술 속에 나타나기 시작한 것은 1970년대로 접어들면서라고 할 수 있다. 1960년대를 통한 새로운 소재의 다양한 체험에서 그러한 변혁의 점진적 기운이 포착되고 있다.

1970년대에 등장했던 많은 조각가들이 의식 또는 무의식적으로 이와 같은 추세에 영향을 받았을 것으로 보이는 것은 극히 당연하다. 이 무렵에 등장했던 조각가들에서 잠재된 변혁의 논리를 발견한다는 것도 따라서 어렵지 않다.

완결에서 생성으로의 전이

박석원朴石元은 1962년 신인예술상1회과 국전에 장려상과 특선을 차지함으로써 등단하고 있다. 아직도 미술대학에 적을 두고 있을 때이다. 그리고 1968, 69년의 두 차례에 걸친 국전 국회의장상과 1967년 파리청년작가비엔날레의 한국출품작가로 지명됨으로써 그의 작가적 위치는 확고한 것이 되고 있다. 그러나 그의 작가적 면모가 하나의 뚜렷한 방법론의 제시로 들어가기 시작한 것은 1970년대에 들어오면서라고 할 수 있을 것 같다.

그것은 현대조각에 나타나기 시작한 반조각적 어법의 체험 속에서

〈핸들106-A〉 1968-1969년 알루미늄 50×50×250cm

자신의 방법을 열어가고 있음을 말해주는 것인 바, 박석원 조각의 한 전체적 문맥도 일단은 1970년대에 형성되기 시작한 상황으로서의 조각으로 파악되어야 하겠기 때문이다.

우리 미술에 있어 1970년이란, 〈A·G그룹〉의 등장과 더불어 하나의 전환이 비롯된 해라고 말할 수 있다. 박석원의 〈A·G〉 참여도 변혁의 가장 첨예한 위치에 자신을 두고 있는 것으로 보인다. 1970년대에 들어오면서 그의 작품은 상황으로서의 조각의 가장 두드러진 특성인 대좌의 제거를 분명한 의식으로 드러내보여 주었다. 대좌가 지니는 조각의 전통적 종속관계가 제거되면서 이제 조각은 공간에 하나의 분명한 관계상황으로서의 위치를 다지기 시작한 것이다.

1970년과 1971년에 걸쳐 지속된 〈핸들〉 시리즈는 대좌를 갖지 않음으로써 과거의 조각이 지닌 한정된 위치의 관념을 단번에 벗어난 것이었다. 좌우상칭이 뚜렷한 형태의 핸들은, 그가 1960년대에 주로 시도해보였던 용접 철조의 표현적인 재질감을 부분적으로 남기면서 점차 원형적인 덩어리라는 스케일을 나타내주기 시작했는데 1973년경 일련의 〈핸들〉은 벌써 핸들 고유의 의미가 탈각된 채 순수한 형태의 환원을 보여준 것이었다.

1970년대 중반에는 〈핸들〉 시리즈가 자취를 감추고 알루미늄 대신 목조木彫가 등장하고 있다. 나무는 철조나 알루미늄재료와는 또 다른 물적物的체험을 유도한다. 그의 경우는 나무의 표면을 매끈하게 처리한 후, 그 위에 원형의 음각을 반복하는가 하면, 나란히 음각과 양각의 형태를 대비시키기도 한다. 그런가 하면 일정하게 물결치는 반원형 양각을 만들기도 하고 단순한 형의 반복과 증식의 논리를 추구해 나가기도 한다. 이 반복과 증식의 표정은 나무 자체의 고유한 생태로서의 생명력의 암시적 변형에 대위되기도 하는데, 〈핸들〉 시리즈에서 보여준 완결의 형形보다 생성적 형으로의 추구를 나타내준다. 여기에는 〈핸들〉 시리즈가 내포했던 역사주의적 내지는 설화적 요소와는 또 다른 물리적 측면과의 관계에서 파생되는 변화의 체험이 만드는 지주를 엿볼 수 있다.

판의 표면을 장식한 요철凹凸의 형태논리는 퍽 단순·명쾌하면서도 감추어진 형과 드러난 형의 대위적 긴장관계를 자연스레 유도해주고 있다. 이렇게 드러난 형의 상반관계가 전체상으로서의 생성으로 변화되어가는 것이 1974년과 1975년경에 주로 다루었던 목조계열이다. 평평한 나무판에 일정의 형태를 새겨넣던 방법이 덩어리 전체를 감싸는 유기적 곡면曲面으로 확산되면서 표면으로서의 구조의 문제가 더욱 선명하게 드러나면서였다.

소재 자체가 갖는 원질原質을 가능한한 드러내면서 표면구조의 신체성身體性을 극대화시키려는, 일견 모순에 찬 방법에서 우리는 종래의 조각이 갖는 시각적 전제에서의 관계가 아닌, 대상이 되는 물질과 작가의 개입이 만드는 또 다른 관계성을 만나게 된다. 물질 내면에 도사리고 있는 내재적 생명의 극히 자연스런 촉매에 의해 얻어지는 표면구조, 그것은 동시에 지금까지의 조각이 지닌 양괴量塊의 실체감을 미묘하게 제거시키면서 외부적 공간이 만들어놓는 형상의 지각현상에 다름 아니기도 하다. 다시 말하면, 자기완결적인 양괴가 아니라 상황의 변화에 따라 부단히 열려지는 형태로서의 관념이 이 시기 그의 조각을 강하게 지배하고 있는 듯하다.

새로운 소재 탐구

이미 여러 비평가들이 지적해주었듯이 박석원만큼 조각예술 그 자체에 꾸준한 열의를 지속시켜온 조각가도 많지 않을 듯하다. 우선 그가 접근하고 있는 다양한 소재와 그 소재에의 유연한 적응성을 미루어 보아도 조각예술에 대한 끈질긴 대결의식을 쉽게 확인할 수가 있을 것이다. 1960년대 초반에 다루어졌던 캐스팅방법에 의한 철조에서 드러난 역사주의적인 공간해석은 그의 만만치 않은 출발을 알리는 것이었다고 할 수 있다.

〈핸들〉 시리즈에서 보여준 알루미늄과 시멘트의 새로운 소재와의 대결, 그리고 목조에로 나아가면서 드러나기 시작한 표면구조의 문제는, 그가 꾸준히 새로운 소재와 그러한 소재가 내재한 새로운 조각의 방법을 탐색하고 추구해왔다는 사실을 나타내는 것이다.

이와 같은 방법적 천착은 1970년대 후반 경에 오면서 다루기 시작한 석조石彫에서 그대로 지속되고 있음을 엿볼 수 있다. 1979년 공간화랑에서의 개인전은 그가 새롭게 시도한 석조작품들을 전시하였다. 이 시기의 석조는 목조작품 속에 이미 드러나기 시작했던 선적線的인 구조의 특성을 보다 분명하게 결정화시켰다.

극히 단순하게 뚫린 사각형, 이 사각형을 모로 세운 뚫린 마름모형, 이 사각형에서 윗부분이 잘려나간 U자형, 옆으로 펼쳐진 삼각형, 고리처럼 윗부분만 약간 잘린 원형, 그리고 단순한 주형柱形.. 때때로 이 주형들은 어느 부분에서 한번 꺾어짐으로서 일종의 엇물림의 형태를 드러내

기도 한다.

화강석이라는 소재에 의해 시도된 이 일련의 기하학적인 선형線形은 일견 기이한 느낌을 주기조차 한다. 원래 돌이 갖는 소재적 관념은 육중한 물질감이었는데, 그의 석조는 어디서고 이러한 덩어리로서의 육중함은 찾아볼 수가 없기 때문이다. 마치 철이나 목조에서 다루어지듯 유연하게 잘리어진 석조는 이미 석조로서의 소재적 의식을 벗어난 것이라고 해도 과언이 아니다. 굳이 그러한 형태는 돌에 의해서만 가능한 것은 아니기 때문이다. 실제로 그의 이 시기의 작품 가운데는 석조를 고스란히 금속의 재료로 옮겨놓은 것들이 있다.

그런 점에서 본다면, 목조에서 석조로의 이행은 단순한 소재의 대치로 인식된다. 석조의 표면에 들어난 곡면의 구조는 목조의 작품들이 지녔던 표면구조의 자연스런 발전으로 파악할 수 있겠기 때문이다. 이 점은 적어도 이 무렵의 그의 조형적 관심이 소재 자체에 있는 것이 아니라 구조로서의 조각에 일관되었음을 말해주는 것이기도 하다. 일련의 목조나 석조가 이전의 철조나 알루미늄 소재, 그리고 최근의 석조들에서 드러나는 소재의식과는 또 다른 관심의 결정임을 확인시켜주고 있기 때문이다.

물질로서의 돌과 구조로서의 돌

1981년 공간화랑에서 가진 그의 다섯 번째의 개인전에서도 석조로만 이루어진 작품들이 출품되었다. 그러나 1979년을 전후로 한 시기의 선적線的구조는 아니었다. 오히려 덩어리로서의 구조를 보다 분명하게 드러내놓은 것이었다. 이 점에선 훨씬 소재적 특성이 강하게 드러난 것이라고 할 수 있을 듯하다.

커다란 덩어리의 돌을 일정하게 여러 토막으로 자른 후, 그것을 다시

〈積 Accumulation 8707〉 1987년 화강석종합 820x320x100cm 올림픽조각공원

고스란히 제 자리에다 물리게 한, '절단'과 '쌓음'의 반복이 이들 작품의 구체적인 조각적 방법이라고 한다면, 여기서 작가는 1979년경의 잘 다듬은 표면구조로서의 선적 조각과는 분명히 다른, 돌을 돌로서 먼저 드러낼려고 하는 소재적 접근을 보여준다고 할 수 있다.

이렇게 자른 돌들을 다시 붙여 바닥에 누이기도 하고 옆으로 놓기도 한다. 때로는 기둥 모양으로 세우기도 한다. 여기에는 분명히 돌이 갖는 소재적 특성이 짙게 드러나 있으면서도 동시에 거기에 가해진 절단의 흔적으로서 선이 구체적인 요소로서 작용되고 있다. 말하자면 여러 개의 덩어리들이 쌓여진 집적集積으로서의 구조와 이 구조를 구체적으로 암시해주는 선의 확인이 조각의 내용을 이룬다.

어떻게 보면 이 무모하기 짝이 없는 절단과 그것의 다시 물림의 반복되는 논리 속에서 덩어리로서의 돌은 어느덧 구조로서의 돌의 존재로 탈바꿈되어가는 모습을 읽을 수 있게 된다. 돌을 돌로서의 모습으로 되돌려주면서도 그것을 부단히 구조로서의 질서 속에 가두어둠으로써 '물체로서의 덩어리와 조각작품이라는 재의적再義的인 공존을 가능하게'이일 만든다. 이렇게 일정하게 잘리워진 돌덩이는 정직하게 잘린 원래의 부분에 다시 물리면서, 그 반복되는 덩어리의 규칙적인 전개로 인해 그의 종전의 목조작품에서 보였던 반복과 증식의 극히 자연스런 변이로 파악되게 하고 있다.

이 일정한 규격의 증식은 일종의 전면적全面積 구조로서의 조각적 특성을 유도해주고 있다. 말하자면 어느 일부를 제거시켜도, 또 더욱 증가시켜도 별다른 문제가 일어나지 않는다. 마치 전면회화全面繪畵의 어느 일부를 잘라내어도, 또는 무한히 증면시켜도 별다른 문제가 일어나지 않는 논리와 같다. 이 무한한 형태의 증식논리는 열린 구조로서의 그의 새로운 조각적 방법임이 분명하다.

그러면서도 그는 돌을 돌로서 되돌려주려는, 이른바 돌의 확인을 조금도 늦추지 않고 있다. 1979년 전후의 선적인 석조에 비해 보면 확실히 1981년 개인전을 계기로 새롭게 등장한 석조는 '돌 본래의 무기적인 표정을 무기적인 속성 속에서 개방시키려는'윤우학 의도를 강하게 드러내 보여주고 있기 때문이다.

명확한 구획의 선이 만드는 구조적 특성과는 대조적으로, 돌의 표면은 돌 자체의 본성으로서 거친 표정을 드러내게 만든다. 그러므로 해서 화강석이 갖는 거친 자연이 선명하게 인식된다. 분명히 이 자연으로서의 표면과 기계적인 방법으로서의 선의 개념이 만드러내는 상층적인 요소가 전체의 구조를 몹시 긴장시키기도 하고, 무한한 여유로서의 개방성을 유도해주기도 한다. 그래서 '자연의 본성을 개방시키려는 인간적 여유가 소박한 하나의 의지로서 나타나고 있으며 이 의지를 통해 돌의 표면은 새로운 숨소리와 호흡으로 가득 차게도 되는 것이다.'윤우학

되풀이되는 반복과 증식의 논리

그가 지금까지 다루어온 소재는 철조에서 알루미늄, 시멘트, 브론즈, 목조, 석조 등 퍽 다양하게 나타난다. 이 풍부한 소재의 접근은 현대조각이 겪은 소재적 체험을 대변해주는 것이라고 해도 과장이 아닐 듯하다. 현대조각의 변혁은 다양한 소재의 체험에서 그 풍부한 내력을 이루어놓고 있다. 한 작가가 많은 소재를 다룬다는 것은 이처럼 소재 자체의 내재적 조형성이 유도하는 풍부한 실험의 잠재성을 체득한다는 것으로 들릴 수 있다. 박석원의 조각적 편력도 일단 이 소재의 자유로운 선택의 추이에서 찾아질 수 있는 것 같다.

그러나 〈핸들〉 시리즈 이후, 그의 일관된 주제가 〈적積〉으로 나타나듯, 반복과 증식의 형태논리를 지속적인 방법으로 유지하고 있다. 나무 표면의 일정한 요철의 형태를 반복시키는 경우나 표면구조의 미묘한 증식논리, 또는 1980년대에 들어와 시도된 돌덩어리의 일정하게 쌓아올린

상황적 구조에 이르기까지 그의 작품의 배면을 형성시켜주는 것은 반복과 증식의 논리로 통일된다. 그러고 보면 그가 다양한 소재를 다루어 왔으면서도 그러한 소재 자체가 지니고 있는 실험의 가변성에 치우치지 않았다는 점을 확인하게 된다. 물론 그렇다고 해서 소재가 주제에 종속된 것은 아니었다. 이 점은 그의 뛰어난 소재적 체험을 말해주는 것이기도 한데, 하나의 일관된 문제를 소재의 특성 속에 적절히 융화시킴으로서, 통일 속에서의 변화를 보여준 것이라고 할 수 있을 것 같다.

그의 최근 작품은 다시 브론즈에 의한 금속 소재의 것들이 많아지고 있다. 주물鑄物의 방법에 의한 금속 소재의 매끄러운 표면은 화강석 표면이 보여주었던 원생적인 숨결과는 또다른 인공적이자 기교적인 특성을 드러내준다. 일견 대단히 대조적으로 보이는 돌과 브론즈의 표면에도 불구하고 그의 방법상의 문제에 있어 별다른 변혁은 찾아볼 수 없다. 여전히 반복과 증식의 논리적 문맥 속에 이들 근작近作을 자연스럽게 갖다 놓을 수 있을 것 같다. 아마도 이 지속적인 자기세계의 확대는 작가적인 뚝심이라고도 할 수 있겠는데, 어쩌면 이 뚝심은 소박한 이 작가의 인간적 체취를 가장 진솔하게 나타내주는 부분이 아닌가 생각된다.

『계간미술』 34호 1985년 여름

〈積 Accumulation 051006〉 2004년 철 용접 240x40x40cm 2개

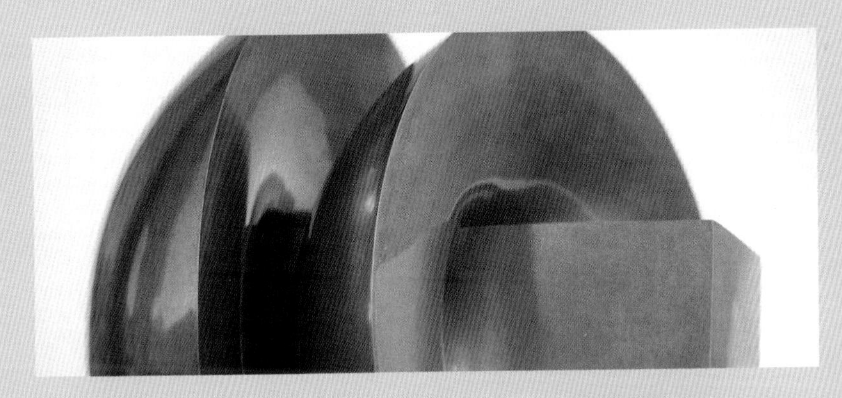

박종배

PARK CHONGBAE

1935 경남 출생

홍익대학교 미술대학 조소과 및 동대학원 졸업
미국 미시건 크랜부룩 아카데미 졸업
현재 미국에서 활동중

개인전

1969 버밍햄 갤러리 미시간 미국
1971 제이 월터 톰슨 월드갤러리 뉴욕 미국
1981 원화랑 서울
1986 원화랑 서울
1995 원화랑 서울

주요 단체전

1964 국전
1965 파리 비엔날레 한국대표 파리 프랑스 국전
1967 상파울루비엔날레 상파울루 브라질
1972 미네아폴리스 성바오로 국제미술제 미네소타 미국
1976 2인전 윌리스갤러리 미시건 미국
상파울루비엔날레 상파울루 브라질
해외작가초대전 국립현대미술관 서울
조선일보 주최 현대미술초대전 서울
원형전 현대조각회 서울
한국현대조각가협회전 서울
재미 한국작가전 한국문화원 뉴욕 미국
드로잉과 조각 미국
미시간 회화와 조각전 디트로이트 인스티튜트 미국
오브아트 미시건 미국
인터로켄 미술제 미시건 미국
표준 '70전_미시건미술대학 교수초대전 미시건 미국
디트로이트갤러리협회 추천작가전 디트로이트 미국
크랜브룩미술관 미시건 미국
중서부형상전 메사추세츠 미국
미시건 초대 현대브론즈조각전 미시건 미국
에꼴 드 서울 서울
조선일보미술관 개관기념전 서울
재미현대작가 한국문화원 뉴욕
Art of Casting 포커스갤러리 미국
미시건 옥외조각초대전 국제시민센터 미시건
1995 공간의 관조적 탐색 호암미술관 서울

수상

1964 제14회 국전 국무총리상
1965 제15회 국전 대통령상
인디아나 볼 주립대학 주최 드로잉 및 조각전
위스킨신 주립대학주최 미국금속 조각전 수석
섬머셋 아트페어초대전 조각분야 수석

무기적 구조와 유기적 형상

박종배朴鐘培의 작가적 역정은 통상 두 개의 시대로 구획해 볼 수 있다. 1970년을 경계로 이전과 이후로 나눌 수 있는데 1970년 이전 한국에서의 활동시기와 1970년 이후 미국에서의 활동시기가 그것이다. 조각가로서의 데뷔는 1960년대 초반에 해당된다. 국전에서의 국무총리상(1964년)과 대통령상(1965년)으로 이어지는 1960년대 전반은 그가 한 사람의 조형작가 또는 예술가로서의 확고한 위상을 다진 시기에 해당된다. 그리고는 미국으로 유학의 길에 올랐는데 1960년대 후반은 미국에서의 수학기이자 미국에서의 활동 초기가 된다. 이 무렵 각종 공모전, 그룹전의 참여는 왕성한 활동을 반영한 것이라 할 수 있다. 1970년 이전 한국에서의 활동은 두 차례에 걸친 국전 수상과 새롭게 출범한 전위적인 조각 서클인 〈원형회〉의 참여가 포함된다.

박종배의 데뷔기인 1960년대 전반은 조각에서의 중대한 방법상의 변혁이 전개된 시기이기도 하다. 다름 아닌 용접 철조의 방법이다. 조각은 오랫동안 두 개의 방법으로 지지되어 왔다. 떠내는 주조 방법과 각하는 방법이다. 흔히 조소彫塑라고 부르는 것은 여기서 유래된 것이다. 즉 조각과 소조가 결합되어 조소로 불리게 된 것이다. 용접은 주조도 각하는 것도 아닌 제3의 방법이다. 철판이나 철사를 이어가거나 겹쳐가면서 형태를 조성하는 방법이다. 주조의 방법이나 각하는 방법은 애초에 일정한 형태를 예견한 것이라 한다면 용접은 일정하게 예견된 형태를 상정하는 경우도 물론 없지 않으나 진행 가운데서 형태의 변형을 얼마든지 기할 수 있는 유연성에 있어서 지금까지의 어떤 방법보다도 뛰어난 면을 지니고 있다.

용접 철조는 전후에 등장하였다. H. 리드Herbert Read:1893-1968는 이를 두고 '신철기시대'가 도래하였다고 언급한 바 있다. 그만큼 폭발적인 수용이 한 시대의 새로운 조류를 형성하기에 이른 것이다. 다소의 시차는 있으나 이 새로운 조형적 방법은 1950년대 후반에서 1960년대 초반에 걸쳐 이 땅에도 풍미되었다. 이를 최초로 시도한 작가는 김종영金鍾瑛, 송영수宋榮洙, 김정숙金貞淑, 전상범田相範 등으로 꼽을 수 있다. 김종영, 송영수, 전상범 등이 해외에서 유입된 미술 잡지나 기타 정보를 통해 이 새로운 방법을 터득하였는가 하면, 김정숙은 1950년대 후반 미국에 유학하여 이를 전수하였다. 용접이란 철사나 철판을 자유자재로 연장, 확대할 수 있었기에 그만큼 공간에 대한 새로운 차원의 설정에 민감할 수밖에 없게 된다. 조각 자체가 공간의 예술이긴 하나 이전의 주조나 각하는 방법이 그만큼 제한된 점을 감안한다면 용접은 전연 예기치 않는 공간의 증식이 이루어져 이미 예견된 형태보다 진행의 순간순간에 일어나는 창조적 결정이 작가로 하여금 창작에 몰입할 수 있게 했으며 창작의 희열에 있어 앞선 어떤 것과도 비교되지 않을 정도로 매력적이었음은 말할 나위도 없다. 1960년대 초에 이르러 용접 철조가 마치 유행 현상처럼 조각가들 사이에 확장되어간 것은 바로 이에 연유된 것이다. 이 시대의 중심에 박종배가 있었다.

그가 시도한 용접 조각이 1964년 국전의 국무총리상을 수상함으로써 주목을 받기 시작했으며 이듬해 대통령상을 수상하자 이 새로운 방법에 대한 공인이 이루어진 것으로 인지되었다. 용접의 주매재

〈못과 사연〉 1989년 청동주물 46×50×32cm

인 철사와 철판은 산업화 시대를 예고한 1960년대 초반 한국 사회의 급진적 변화와도 맞물리면서 공감대가 더욱 굳건해진 것은 물을 나위도 없다. 같은 용접 철조이긴 하나 국제 사회에서 널리 파급되고 있었던 용접 철조는 철판이나 철사를 주재료로 하면서 공간 속에 구조적인 형태를 구현한 것이 대세를 이루었다고 할 수 있다. 그러나 1960년대 초반 한국에서의 용접은 단순한 형태를 구현하는 차원을 벗어나 철판을 부식시키는가 하면 구멍을 내기도 하고 부분을 일그러뜨려 질료로서의 철의 소지를 무화시키면서 독특한 형상화를 추구한 것이었다. 이 점에서는 보편적인 경향에서 다소 벗어난 특수한 상황을 만든 것이라 해도 과언이 아니다. 박종배의 국전 대통령상 수상작인 〈역사의 원〉(1965)을 비롯한 그의 태반의 작품들이 철 고유의 견고한 소지에 머물러있지 않고 부단히 표면을 부식 또는 일그러뜨려 표면 자체에 많은 표정을 기한 것이었다. 마치 사진에 찍힌 달 표면의 동공이나 얼룩과 같은 침울한 표정이 표면 전체를 뒤덮는 형국이었다. 구조적인 형상의 내연성이 강한 철이 용광로에서 달구어져 완전히 비정형화된 형국이었다. 기묘하게도 이 같은 표면의 부식과 동공, 그리고 침울한 내면성은 당시 풍미하고 있었던 서양화에서의 앵포르멜비정형의 예술을 연상시키게 하였다. 한 시대의 이념의 공감대를 확인한 것이었다. 단지 평면과 입체라는 차이 밖에는 찾을 수 없었다.

박종배의 미국에서의 유학과 이어진 미국에서의 체류는 그의 작업상에 커다란 변화를 가져다주었다. 그가 1960년대 후반 미국 유학에서 돌아오면서 잠시 홍대에 몸담아 있었던 것과 A·G에의 참여가 기록되긴 하지만 곧바로 미국으로 되돌아감으로써 사실상 그의 미국에서의 활동이 이 시점을 경계로 시작되었다고 볼 수 있다. 무엇보다도 작업상에서의 변화가 이 기점을 더욱 명확히 해주고 있다. 작업상의 변화란 지금까지의 용접 철조에서 벗어나 다시 캐스팅주조의 방법으로의 회귀이다. 비교적 간략한 사각의 구조와 둥근 원형의 형태를 대비적으로 조합한 것이 이 무렵의 작품이었다. 무기적인 구조물과 유기적인 형상을 대비시킴으로서 어떤 극적인 상황을 유도한 것이었다고 할 수 있다. 이 극적인 대비가 그의 조형의 전개에 많은 암시를 던져준 것은 물론이다. 이 점에 대해 나는 일찍이 다음과 같이 기술한 바 있다. "그의 형태 언어를 지탱시켜주는 두 개의 요체는 심메트리symmetry와 생명적 리듬이라고 할 수 있을 것 같다. 심메트리는 단순한 좌우 대칭뿐 아니라 내부와 외부의 상칭, 유기적인 것과 무기적인 것의 공존, 또는 생태적인 것과 기계적인 것의 상충 등으로 등장되고 있다. 이러한 대비적 요소는 생성의 긴장과 더불어 극적인 상황인식으로서 새로운 공간의 창조를 유발해내었다."오광수 〈생명의 비밀과 종합의 의지〉 1988, 원화랑 개인전

단조로우면서도 한편 모뉴멘탈한 기둥 모양의 구조물은 생성하는 유기적인 형상에 밀리면서 점차 단순한 연결태로서만 가까스로 남아나는 형국이 되고 있다. 말하자면 꽃 모양의 형태는 꽃을 받쳐주는 꽃대로서의 모양으로 남아나는 형상이라고 할 수 있다. 유기적인 형상은 한층 생명의식에 부풀어 올라 각가지 팽창하는 모양으로 결정되었다. 꽃봉오리가 열리는 듯한 형상이나 인체의 어느 부분을 상기시키는 터질 것 같은 팽창감의 형상으로 떠올랐다. 팽창하는 형태는 스스로 내재하는 생명의 리듬으로 인해 에로티시즘의 극치를 보여주는 느낌이다. 그럼으로 해서 형태는 어떤 의지에 의해 지배되거나 통어되기보다 스스로의 삶을 구가하는 자율에 지배되고 있는 인상을 주고 있다. 어쩌면 이 같은 느낌은 그의 창작 태도에 연유된 것이 아닌가 생각된다. 그는 언젠가 나에게 하나의 형태가 태어나기를 기다린다고 말한 적이 있다. 형태는 형태를 낳고 그 형태는 또 하나의 형태를 유도한다. 그것은 형태 내부에 일정한 생명의 질서가 유도하는 어떤 인자라 할 수 있을지 모르겠다. 그런만큼 태어난 형태는 자체의 형성의 밀도 높은 내재율을 지니게 마련이다. 하나같이 형태가 완벽한 것은 이에 연유된 것임은 말할 나위도 없다.

미국에서의 그의 작업 방식은 거의 수공업적인 단계로 지지되고 있다. 직접 형을 떠내고 마지막 손질까지를 일일이 처리한다. 주물공장에 발주해서 만들어지는 일반적인 방법의 작품과는 비교될 수 없을

〈관철〉 1990년 청동주물 38x38x43cm

정도로 정교함을 지니고 있음도 바로 이 수공업적인 작업 방식에서 기인된 것이다. 하나의 형태가 태어나기를 기다린다는 것도 이 같은 방식에서 연유된 작업의 과정을 은유한 것에 다름아니다.

그의 미국에서의 생활은 여러모로 서울생활과 다른 것은 물론이다. 그러나 뉴욕이나 시카고 같은 대도시가 아니라 미시간주의 한 한적한 시골에 정착했기 때문에 서울생활과는 퍽 대조적인 삶이 아닐 수 없을 것이라는 점을 예감할 수 있다. 서울시대의 각박하고 불안한 삶, 언제나 긴장에 차 있는 창작 태도와는 비교되는 한결 여유로운 것임은 말할 나위도 없다. 작가가 처한 환경은 창작에 가장 직접적인 영향을 주기 마련이다. 서울시대가 긴장에 차있는 만큼 작품상에서도 치열한 의식의 반영을 엿볼 수 있다. 그러나 미국에서의 삶이 한결 목가적이고 전원적인 만큼 여유로우면서 명상적인 요소가 짙게 반영되고 있음을 엿볼 수 있다. 하나의 형태가 태어나기를 기다린다는 것은 그만큼 여유로운 창작의 태도를 이야기함이다.

나는 우리 조각의 두 개의 경향을 구조주의와 생명주의로 구분한 바 있다. 김종영, 전상범, 이운식李雲植, 엄태정嚴泰丁, 전준全晙, 심문섭沈文燮, 최인수崔仁壽로 이어지는 서울대 출신들에서 구조주의적인 특징이 두드러지게 드러나는 반면, 윤효중尹孝重, 김정숙, 윤영자, 김찬식金燦植, 김영중金泳仲, 박종배 등으로 이어지는 홍대 출신들에서 유독 생명주의 현상을 목격할 수 있다. 물론 구조주의와 생명주의를 아우르는 또 하나의 경향도 지적할 수 있다. 예컨대 최종태崔鍾泰, 최만린崔滿麟, 송영수 등이 이에 속한다. 아마도 이와 같은 경향은 스승의 영향에서 비롯된다고 볼 수 있는데 김종영이 비교적 구조주의적 특징이 강한 반면 윤효중, 김정숙이 생명주의적 요소가 강한 데서 기인된 것으로 보아야 할 것이다.

박종배의 작품이 누구보다도 생명주의적 특징을 강하게 반영하고 있는 것은 윤효중, 김정숙으로 이어지는 감화에서 비롯되었음을 짐작할 수 있지만 또 한편 그의 미국에서의 삶의 태도, 명상하는 삶의 방식에서 크게 기인된 것이 아닌가 생각되기도 한다. 이와 더불어 독실한 기독교인으로서의 신앙심이 생명의식에 대한 치열한 추구로 반영된 것이 아닌가 유추되기도 한다. 그가 추구해 마지않는 형태의 창조는 보다 큰 섭리로서의 형태의 창조, 창조의 신화와 연계된 것으로서 말이다. 그는 하나의 형태가 태어나기를 기다린다. 하나의 생명이 잉태하기를 염원한다. 자연스럽게 태어나는 하나의 형태 또는 하나의 생명을 그 전체로서 받아들이려는 태도야말로 숭고한 정신으로서의 신앙이 아닐 수 없다.

평론가협회 『한국현대미술가100인』 사문난적 2009년

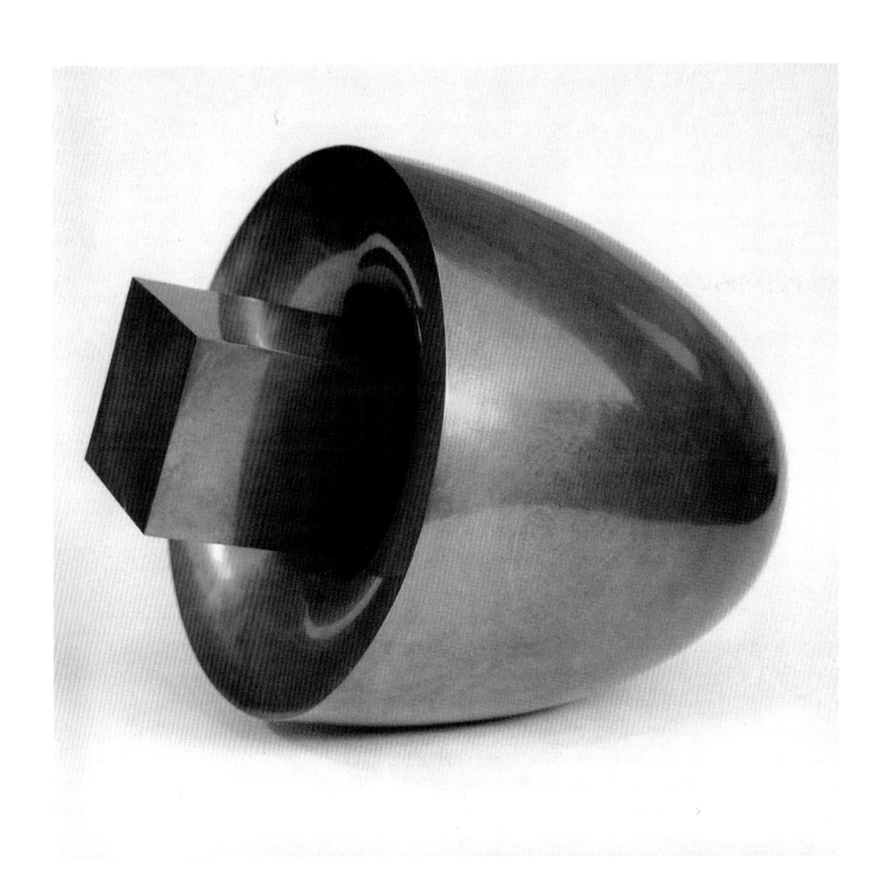

〈못과 심연〉 1994년 청동주물 52x40x43cm

이종각
LEE JONGGAK

1937 충북 청원 출생
1961 홍익대학교 미술대학 조각과 졸업
1979-1980 덴마크 왕립미술학교 수학
현재 리각미술관 관장 경희대 명예교수

개인전

1975 현대화랑
1984 현대화랑
1990 호암갤러리
1993 현대화랑

단체전

1963 조선일보 현대작가전 초대출품
1964 원형회전 출품
1969 한국현대작가 9인전 출품 신세계미술관
1970 한국 미술대전 초대출품 한국일보사
1970 한국현대조각 연립전 초대출품 국립현대미술관
1972 상파울로 비엔날레 출품
1972 한국현대60년전 출품 문공부
1973 한일현대조각전 일본 고베
1976 중앙미술대전 초대출품
1977 한국미술 오늘의 방법전 문예진흥원
1980 오늘의 조각13인전
1982 중진조각가 19인전 선화랑
1986 서울갤러리 개관기념 조각초대전 서울신문사
1986 서울미술대전 초대출품
1988 88서울올림픽 국제조각 심포지움 참가 올림픽조각공원
1989 서미화랑개관 기념전 구미화랑
1990 부산환경조각전
1992 김종영 추모전 김종영미술관
대전시립미술관개관 기념전
1995 미술의 해 기념 파리유네스코전
2000 한국조각50년전 현대화랑
2009 서울노을공원 야외조각제작설치

수상

1960 1962 1965 국전 특선
1990 김세중 조각상
1991 김수근 문화상

작품 소장

국립현대 미술관 서울시립미술관 대전시립미술관 선재미술관
올림픽조각공원 서울노을공원 독립기념관 호암미술관 한국미술관

새로운 금속의 신화

삼송리 주물공장에 갔을 때는 대작 두 점이 주조되어 끝손질을 하고 있었다. 여느 주물공장과 같이 이곳도 흡사 가설무대 같은 엉성한 시설에 폐품장같이 어지럽게 늘어진 금속조각들로 그 영세성을 한눈으로 읽게 해주었다. 우리나라 대부분의 조각작품들이 이런 공장에서 주조되고 있다고 생각하면 놀라움을 금할 수 없다. 시설이나 기술이 수준 높은 조형적 의도를 얼마큼 소화시킬 수 있을지 적이 의구심을 갖지 않을 수 없게 하고 있다.

조각가는 두 사람의 공장 일꾼들을 독려하면서 주조된 형태의 마금질에 여념이 없었다. 한 작품은 공장 초입공터에 아무렇게나 뉘어놓았다. 첫눈에 그 엄청난 스케일이 압도적이었다. 근작 가운데 가장 큰 것들이라는 설명이다. 전시장에 반입될 수 있을까를 걱정하고 있었다. 아닌게아니라 저 큰 덩치가 갤러리를 통과할 수 있을지가 의심된다.

주변이 뚫린 야외에서 보는 것 하고, 폐쇄된 내부공간에 놓였을 때, 전혀 다른 느낌을 줄 것이다. 한정된 공간이 이 거대한 작품을 어떻게 수용해 줄지가 또 한편 염려스러웠다. 이종각李種珏의 작품으로는 올림픽조각공원에 세워진 것 다음으로 큰 스케일의 것이었다.

한 일주일 간격을 두고 상도동 그의 아뜰리에에 갔다. 아뜰리에 내부 구석구석에 구작들도 보이면서 그만그만한 크기의 근작들이 빽빽하게 자리를 차지하고 있었다. 규모로 따진다면 인체 크기만 한 중형과 한 두 사람이 거뜬히 들어올릴 수 있는 소품으로 나눌 수 있었다. 스케일이 큰 대작의 몇 작품을 포함한 중, 소형의 두드러진 양은 전시공간이 좁은 화랑이 아닌 대형 전시공간을 의식한 것일 것이다. 그것이 어떻게 놓여질지, 그리고 어떠한 효과를 거둘지는 두고 볼 일이지만 엄청난 작업량과 의욕적인 진행은 충격적인 반응을 주기에 충분하다.

그는 비교적 자기작업에 욕심이 많은 편이고 그런 만큼 충실한 편이기도 하다. 작가들의 아뜰리에를 방문했을 때, 작품이 없는 작가들이 의외로 많았다는 경험을 지니고 있다. 작품이 없다는 것은 남아날 여유가 없을 정도로 작품이 팔려나간다는 극히 일부의 경우를 제외하고는 제작을 하고 있지 않다는 게 대부분의 경우다.

조각가의 경우, 적지않은 조각가가 후자의 경우에 속했다. 역설적으로 들릴지 모르나 우리나라에는 모뉴멘트monument는 많아도 내세울 만한 조각은 그렇게 많지 않다. 많은 조각가가 모뉴멘트에 관심을 기울이고 그 관심이 지나쳐 하나의 사업으로 확대 인식하고 있는 것이 우리의 실정임을 감안하면, 자기 일에 경주하고 있는 작가들을 만날 때, 그의 작업이 어떠했든, 질적인 내용과는 상관없이, 그의 태도와 작가 의식은 소중하게 다루어지지 않으면 안 될 것이라는 생각을 갖게 한다.

한 예술가가 태어나기 위해서는 무엇보다 그의 수업과정이 주요한 몫을 한다. 그리고 작품의 변모는 내부적 요인과 더불어 외부적 요인에 결정적인 계기가 마련되고 있음을 살펴볼 수 있다. 이종각의 작가로서의 성장도 대체로 이러한 측면에서 살필 수 있을 것이다.

그가 홍익대 조각과에 재학하고 있었던 1950년대 후반은 최초로 철조가 시도되었던 시기였으며, 용접에 의한 구성적인 철조가 주요 과목으로 다루어졌다. 말하자면 아카데믹한 모델링 방법에서 벗어나

〈레일(L형)〉 1973년 브론즈 250×110×460cm

추상적인 조형작업들이 활발히 추진되어갈 무렵에 그의 조각수업이 진행되었다는 것이다. 이 같은 계기는 그의 작가적 성장에 가장 근원적인 영향원으로 작용했을 것으로 추론해볼 수 있다. 왜냐하면, 그의 졸업 이후의 작가활동에서 만나는 작품들이 이때 받았던 조형방법의 바탕에서 이루어진 것들이었기 때문이다. 그리고 최근의 작품에까지 연계되는 그의 전작품의 맥락이 철조의 추상적 방법의 진전으로 크게 규정해 볼 수 있겠기 때문이다.

물론 한 시기, 구체적인 인체의 모티프를 다루긴 했지만 그것은 모델링 중심이 아니라 철조 용접의 높은 수단에 의한 단순한 매개물로서 취급되었을 뿐이었다. 그 자신도 이를 본격적인 작품이기보다는 과외의 작품으로 인식하고 있어 그의 전체적인 작품 맥락에서는 중요성을 띄지 않는다. 이종각의 작품이 선명한 형태와 구체적인 방법의 일관성으로 나타나기 시작한 것은 1970년대 중반 경의 〈레일〉 시리즈부터라고 할 수 있을 듯하다.

레일은 철도레일의 기본형을 구체적인 모티프로 하면서 그것을 자유자재로 유형화한 것이었다. 토막난 레일의 부위를 여러 형태로 굴곡 시켜 하나의 독립된 공간으로 결정지우는 작업이었다. 철도레일이라는 구체적인 형상을 빌려오지만, 그것이 공간속에 단면화 되었을 때는 레일이 갖는 구상성을 떠나서 이경성李慶成:1919-2009의 표현을 빌리면 「철도 레일的인 추상의 세계」가 되는 것이다. 〈레일〉 시리즈는 그가 덴마크의 왕립아카데미에 초빙 연수를 떠나던 1979년까지 이어졌으니까 거의 5, 6년 가까운 시기를 통해 지속된 셈이다.

대체로 일회적인 터치의 용접에 의한 구상적 모티프의 작품에서 〈레일〉 시리즈로 이어지면서 특징되는 그의 조각의 방법은 대단히 선적線的인 공간의 문제에 결부된 듯한 인상을 준다. 그것은 덴마크 연수 후의 작품들과 대비시켜볼 때 특히 두드러지게 나타나는 특징이기도 하다. 1984년 개인전 때 서문을 쓴 이일李逸의 표현이 「바로크」라는 특징적인 용어개념을 사용한 것을 떠올려보아도, 1970년대 후반의 선적인 요소와 대단히 대비적이라고 할 수 있다. 작품의 변모의 계기는 작품자체에 내부적으로 일어나기도 하지만 외부적인 상황과 환경의 변화에서 촉매되는 경우도 있다.

이종각의 1980년대 작품은 덴마크 연수를 계기로 한 외부적 상황과 환경의 변화에서 먼저 찾을 수 있을 것 같다. 물론 이러한 변화는 단순한 외부적 충격만으로 이해되어질 수 있는 것은 아니다. 거의 5, 6년 가까운 시기를 통해 추구해온 〈레일〉 시리즈에 대한 탈피가 동시에 강한 내적 동인으로 작용되었다고 볼 수 있기 때문이다. 이일도

「〈레일〉연작으로부터 탈피의 몸부림이 오늘의 그 작품을 낳게 한 것으로 생각해도 좋을 것이다」라고 언급해주고 있다. 이렇게 본다면, 그가 지금까지 지속해오던 작품에서 벗어나야 되겠다는 자기 나름의 강렬한 내적 욕구를 지니고 있었는데 그것이 덴마크 연수라는 상황의 변화와 맞아떨어지면서 촉구된 것이라고 보아도 무방할 것이다.

이일의 언급대로, 이종각의 1980년대 작품은 바로크적인, 육중하고도 거친 덩어리로 나타난다. 바로크적인 개념이 그의 작품의 전체를 규정지을 수 있는 것은 아니지만 우선 인상기로서 그러한 표현이 가장 적절하지 않을까 본다.

그는 1980년 덴마크에서 귀국하면서 몇몇 초대전에 변모된 작품들을 선보였으나 역시 1984년 개인전을 통해 그것을 보다 뚜렷하게 확인시키고 있다. 레일이 보여주었던 날카롭고도 매끈한 매스는 찾아볼 수 없고 거의 무차별이라고 표현할 수 있는 거친 표면의 덩어리가 압도적인 공간을 형성해주는 작품들이었다.

작가는 "광택이 나고 매끈하게 다듬어진"〈레일〉시리즈에 대해 퍽 회의적인 발언을 하고 있는 것으로 미루어보아도 그의 변모는 점진적인 것이 아니라 탈피적인 것으로 규정지울 수 있다. 그러나 그가 〈레일〉시리즈를 통해 추구해왔던 선적인 포름이 덩어리와 공간과의 함축적인 관계 위에서 추구되었다는 점에서, 1980년대 작품들에서 검출되는 덩어리와 공간의 문제가 반드시 배타적인 것만은 아니지 않은가 생각된다.

매끈한 표면과 긴장된 형태의 함축적인 내면공간과, 더덕더덕 발라올린 것 같은 자국의 표면과 육중한 덩어리의 무게는 일견 이질적인 것처럼 보이지만, 형태와 공간의 문제에 대한 관심의 추적이라는 맥락에서는 적지 않은 유사성을 발견할 수 있게 한다. 「확산공간擴散空

〈확산공간-세 네모꼴의 역동적인 놓임〉 1986년 브론즈 90x256x197cm

間」으로 표기되고 있는 명제에서도 그의 조형적 관심의 내면을 읽을 수 있을 것 같은데, 바로 그러한 확산공간은 〈레일〉 시리즈에서 이미 탄탄하게 반추되어진 바 있다.

1980년대 작품에 나타나는, 덩어리에 매달려 있는 원통형의 휘어진 작은 구조물들은 〈레일〉 시리즈에서 보아왔던 자재롭게 휘어진 형태를 연상시키기에 충분하다. 이미 오래전의 일이지만, 언젠가 작가는 조각은 궁극적으로 촉각의 문제로 환원되지 않느냐는 질문을 던져온 것을 기억하고 있다. 물론 조각이 회화와는 다른 속성으로 촉각의 요소를 들 수 있는 것은 주지의 사실이지만, 특별히 작가가 이 점을 새삼스럽게 음미하고 있었다는 것은 그의 조형적 방법의 관심을 드러낸 것으로 보인다.

만들어지는 것과 태어나는 것은 계획성과 섭리라는, 각각 다른 측면에서 이루어지는 것이다. 이 같은 두 생산의 방법을 이종각의 작품에 대위시켰을 때, 대체로 1970년대 후반의 레일이 전자에, 그리고 1980년대의 일련의 작품이 후자의 방식에 의한 것이라고 볼 수 있을 것 같다.

레일 자체는 이미 생산된 구조물이다. 작가가 선택하기 전에 이미 만들어진 것이다. 그러나 마르셀 뒤샹류의 선택된 오브제는 아니다. 단지 그는 레일이라는 기존의 구조체를 매개로 한 또 다른 작품을 시도하고 있기 때문이다. 단순히 선택된 것이기 보다는 찾아진 것이라는 표현이 더욱 적절하다. 애초에 다른 목적으로 만들어진 사물이 작가에 의해 전혀 다른 물체로의 변질을 가져오는 것이 오브제의 개념이지만, 이종각이 선택하고 있는 레일은 오히려 레일 자체가 지니는 강한 구조적 속성을 적극적으로 끌어들이고 있는 편이다. 누구나가 레일이라는 것을 숙지할 뿐만 아니라 레일이 갖고 있는 긴장이 강하게 전달되어지고 있기 때문이다. 이 경우에 있어 그의 레일은 레일의 해부적 조직화라는 표현에 값한다고 볼 수 있으며 그것이 조직화이기 때문에 레일의 속성은 극대화되는 것이다. 바로 그러한 극대화가 주도한 계획에 의해 이루어지기 때문에 그 제작방식은 만들어진다는 개념에 결부되는 것이다.

1980년대 이후의 작품은 대체로 이 같은 제작방식과는 상반되어 태어나는 형태로 진단될 수 있다. 태어난다는 것은 애초의 면밀한 계획성을 갖지 않는, 진행이라는 과정에서 자율적으로 획득되는 생성의 결정물을 가리킨다. 계획의 엄격성과 수단의 몰입으로 특징되는 〈레일〉 시리즈에 대비시키면 그 자율적인 생성의 결정성은 훨씬 선명하게 드러난다. 합리적 구조에 지지된 차가운 논리가 레일을 지배한 방법론의 근간이라고 한다면, 1980년대에 태어나는 일련의 형태들은 내재적 생성의 요인들을 촉매하는 원격적인 창조의 방법론에 지지된다. 작가는 형태를 만드는 것이 아니라 생명의 씨앗에 영양을 공급하고 그것이 제대로 자라도록 돕는다. 그것의 생성에는 부단한 작가의 개입이 있지만 동시에 형태자체의 자율적인 생성논리에 그대로 내맡겨 두기도 한다. 마치 한 생명이 자라기 위해서는 적절한 환경과 영양의 공급이 필요하지만 생명의 발아와 성장은 자체에 의해서 이루어질 수 밖에 없다는 논리의 적용에 비유된다. 1980년대 이후의 작품에 나타나는 생명형태적 특징은 이 같은 형성의 방법론에 기인된 것이다. 자유로운 생성은 자연히 다듬어지고 짜여지기보다는 거칠고 정제되지 않은, 그래서 더욱 풋풋하고 활기찬 생명력으로 지지된다.

누구나가 받는 그의 작품의 첫 인상은 원시적이란 점일 것이다. 이 일도 아르카이즘Archaism이란 말을 쓰고 있지만, 다듬지 않았기 때문에 오히려 건강한 내재적 아름다움을 구현할 수 있었던 것이 아르카이즘의 양식적 특징이고 보면, 이종각의 전체 작품을 관류하는 생명적 요소도 이 내재적 건강성에서 기인되는 것이 아닌가 생각된다. 그러고 보면, 1980년대 그의 작품은 대체로 바로크적인 분방한 외재성과 아르카익한 내재적 건강성으로 요약될 수 있을 것 같다. 그런데 생명적인 요소로 특징되는 분방함과 건강성은 실은 힘의 이동으로 결정되어진다는 점을 간과해서는 안 될 것이다. 힘의 이동은 단순한 외부로의 방사가 아니라 혈관과 피부라고 하는 조직을 통해 적절하게 구조화되므로써 분방함과 건강성을 동시에 획득하고 있기 때문이다 그러니까 그가 태어나게 하는 생명체는 강한 힘을 소유한 건강한 구조물이란 수식이 가능하게 된다.

1980년대 이후 작품은 「확산공간」으로 명명되었던 1984년 개인전 전후의 것과 극히 최근, 즉 작년과 올해에 걸쳐 제작된 근작으로 나누어 살펴볼 수 있을 것 같다. 편의적으로 전작과 근작으로 구분해서 부르기로 한다. 전작에서 받은 인상은 덩어리라고 하는 볼륨이다.

지상에 버티고 앉은 육중한 덩어리가 시각을 압도한다. 전작에 비한다면 근작은 우선 육중한 볼륨보다는 형태의 구조화라고 하는 측면이 두드러지게 인상된다. 역시 압도적인 상을 유지하고 있긴 하지만 덩어리 자체로 환원되지 않고 확산과 응축, 대립과 조화, 단순과 복잡함의 대립항이 구조체의 긴장을 유도해주면서 훨씬 명쾌한 공간성을 얻고 있다. 말하자면 힘의 덩어리가 구조화라는 시각적 논리성으로 이행되면서 유연함을 획득하고 있다고 하겠다. 비유컨대, 전작이 뭉텅뭉텅 짤려진 고목나무의 등걸을 연상시키는 내재적 카오스현상이 두드러진 반면, 근작은 기둥과 가지가 더욱 분명하게 뻗고 자라면서 구체적으로 특징지울 수 있는 형태의 명쾌함을 얻고 있다고 할 수 있다. 우선 근작들에 나타나는 공통성과 차이성을 구획하기 위해 몇 개의 유형으로 집단화시켜 보기로 한다. 여기서의 명칭은 극히 임의적이고 공통성과 차이성을 발견하기 위한 방편에 지나지 않음을 먼저 밝혀둔다. 섣불리 이런 집단화의 명칭이 통용된다면 오히려 작품의 포용성은 그만큼 제한되어질 위험이 있다.

(1) 책상형, 또는 지석묘支石墓형으로 모을 수 있는 작품군

사각의 패널이 책상 또는 지석묘의 두께처럼 하늘을 보고 있고 그 아래로 이를 지탱해주는 다리들이 받치고 있다. 탁자처럼 반듯하게 뻗은 네 개의 지지체를 갖고 있는 몇 점의 예외를 제외하면, 지지체들은 한결같이 휘어진 파이프의 미묘한 구조로 이루어져 있으며 또한 지상에서 솟아오른 지지체가 언제나 세 개로 이루어져있다는 공통성을 지닌다. 지지체가 패널의 네모서리를 받치고 있는 것은 훨씬 안정감이 있지만 그만큼 정태적이어서 긴장감이 없어지는 반면 세 개의 지지체는 시각적으로 긴장감을 유도해주고 있을 뿐 아니라 지지체 자

체의 역동적인 구조의 변화가 훨씬 자유롭게 이루어질 수 있다. 직선으로 내려오는 지지체는 역학적으로 하중을 직선적으로 모아주는 반면, 미묘하게 휘어지면서 받치고 있는 지지체는 힘의 분산을 용이하게 함으로써 네 개의 지지체 못지않게 안정감을 가져올 수 있다.

이 유형의 작품들을 두고 지석묘에다 비유한 것은 형태가 지표상에 드러나기는 하지만 부단히 바닥에 깔려 있는 듯한 특징에 연유한다. 휘어진 파이프의 지지체로 인해 마치 땅속에서 나와 엉금엉금 기어가는 파충류 같은 인상마저 준다.

(2) 상자형, 또는 자물쇠형으로 모을 수 있는 작품군

사각의 상자모양이 지주支柱로서 등장하고 여기서 파이프가 뻗어나와 지주 위나 옆에 있는 또 다른 상자형을 연결시키고 있다. 책상형이 바닥에서 솟아오른 파이프의 지지체에 의해 패널이 지탱되어 있는 편에 비해 여기서는 평평한 패널이 아니라 덩어리로서 사각상자이며, 그리고 그것이 지상에 버티고 있는 지지체가 된다. 이 경우, 파이프는 지지체가 아니라 연결체로 등장한다.

전작에선 이 파이프들이 어떤 명확한 기능을 부여받지 못하고 있기 때문에 전체 덩어리의 부분으로서 장식적 유물에 지나지 않았다면, 근작에선 파이프가 단순한 장식물이 아니라 서로 다른 두 개의 덩어리를 이어주는 이음쇠이자 동시에 이음구조로서 역학적 기능과 동시에 시각적 기능을 띄고 등장하고 있다. 다시 말하면 전작에서는 전체의 한 부분에 지나지 않았다면, 근작에선 그것 자체가 전체를 이루는 주요한 구조체로서 강화되고 있다고 할 수 있다.

(3) 상자와 패널과 파이프로 구조되는 작품군

이 유형은 앞의 (1)형과 (2)형을 결합해놓은 모양이다. 상자와 파이프, 패널, 파이프의 연결이 아니라 상자와 패널과 파이프가 미묘하

게 연결되어진다. 대개 이 유형에서는 패널의 가운데가 뚫리면서 상자모양의 지지체나 지지체로 강화된 파이프가 끼워지고 이 두 개의 형태를 여러 개의 파이프가 복잡하게 이어진다. 앞의 (1)군과 (2)군에 비해 훨씬 복합적인 양상을 띄며 조립의 구조가 더욱 대립적이며 기념비적으로 진행된다. 유사와 차이의 간극이 생성의 구체적인 동인으로 극대화된다.

(4) 식물형과 같은 파이프의 자재로운 형태가 드러나는 작품군

몇 작품에 국한되지만, 파이프 자체가 자라나는 식물성과 같이 솟아오르면서 두 개의 덩어리를 연결시키고 있다. (2)군과 유사한 모양을 띄고 있으나 파이프 자체가 형태의 중심을 형성해주는 차이를 발견할 수 있다.

근작에서 드러나는 구조의 특징 면에서 보면 단일적, 전체적인 것과 복합적, 통일적인 것으로 대별할 수 있다. 전자는 하나의 덩어리로 끝나는 것을 가리키며, 후자는 두 개의 덩어리로 이어지는 형태를 지칭한다. 비교적 전자는 단순한 특징을 드러내는 반면, 후자는 복잡한 형성의 양상을 띄고 있다. 두 개의 패널을 하나의 파이프가 연결되어 있는 경우나, 하나의 패널을 떠받치는 세 개의 파이프의 경우는 분리되지 않은 체, 한 몸통으로 구조되어 있다. 그러나 두 개의 패널을 두 개 이상의 파이프가 연결되어 있거나 두 개의 상자가 두 개 이상의 파이프로 연결되어 있는 경우, 또는 패널과 사각상자와 파이프가 엉켜있는 경우는 거의 두 개의 덩어리로 분리되어진다. 그러나 결코 운반의 편의를 위해서 고안된 분리가 아니다. 두 개로 나누어지면서 하나로 나타나는 조립구조에서야말로 그의 근작이 보여주는 독특한 형성논리를 발견할 수 있기 때문이다.

물론 스케일이 큰 작품일 경우에는 덩어리의 분리와 조립은 자연

스럽게 강구되어질 수 있을 것이다. 처음에는 자연스러운 고안으로 대형의 작품에 적용되었다가 점차 조립구조란 독특한 방법론으로 발전된 것인지도 모른다. 조립이란 단순히 두 형태를 밀착시키는 것이 아니라 끼워 맞추어진 것을 말한다. 또 그것은 결코 상충적 형태의 끼워 맞춤을 뜻하는 것이 아니라 끼워 맞추어져 하나의 전체를 완성시키는 통일의 구조에서만 적용되는 의미다. 이렇게 본다면 두 개의 덩어리는 애초에 하나의 형태로 태어났다가 두 개로 나누어진 것이며 그 하나하나로선 완전성을 갖지 못하는 불안정한 것들이다. 두 개의 덩어리가 연결되었을 때 비로소 원래의 하나로 태어난 형태를 회복하게 되는 것이다. 그러나 두 개이면서 하나인 형성의 논리는 상충과 친화, 대립과 조화의 내면적 긴장을 언제나 내장하지 않으면 안 된다. 왜냐하면 그것은 언제나 분리, 해체될 수 있고 동시에 언제나 결합, 종합되어질 수 있기 때문이다.

근작이 전작에 비해 비교적 명쾌한 형태, 예컨대 패널형과 상자형의 덩어리와 파이프라는 분명하고도 구체적인 형상의 요소들에 의해 이루어지면서도 전작에 비해 훨씬 긴장감을 동반하는 팽팽한 공간구조인 점은 다름 아닌 분리와 결합의 내재적 긴장요인이 작품형성의 가장 구체적인 방법으로 작용하고 있기 때문이다. 1980년대의 전작이 훨씬 본능적이라고 한다면, 작년과 올해에 걸친 근작은 명백하고 논리적이며 실제적이다. 형태의 구체적인 윤곽을 드러낸다는 점에서 명백하며, 합리적인 조립의 구조적 특성을 띤다는 점에서 논리적이며, 금속이 갖는 보다 명료한 재료의 현전現前이라는 점에서 실제적이다. 전체적인 인상에서 전작이 원시적 생명감으로 충일되는, 즉 바로크적인 특성을 드러내는 형태라면, 근작은 이 감동적인 덩어리에서 벗어나 절제된 감동과 형성의 탄력성이 두드러진 형태로 나타남이다.

전작이 주는 에너지의 분출이 때로 낭비적이며 즉흥적으로 인상되

〈응축형의 변주-서 있는 둥근꼴〉 1998년 브론즈 305x385x310cm

는 반면, 근작은 애매한 디테일이 사라지고 필연적인 생성의 추이를 드러내며, 구체적인 마감의 높은 완결성에 지지된다고 할 수 있다. 어떤 유추나 연상에 앞서 분명한 구조의 현전이기 때문이다. 다른 아무것도 아닌 차가운 금속의 덩어리만이 우리 앞에 놓인다. 그러고 보면, 근작은 금속이 금속임을 확인하는 작업에 다름 아니라는 결론이 된다. 금속이 다른 아무것도 아닌 금속일 뿐임을 확인하는 일이란 무엇인가? 그것은 또 하나의 자기환원이 아닌가.

이 자기환원이야말로 금속을 동시에 벗어나는 일이기도 하다. 금속이면서 동시에 금속을 벗어난다는 일. 그것은 또 하나의 금속의 신화가 될 것이다.

『이종각』 1990년 호암갤러리 개인전 도록

정현
JUNG HYUN

1982	홍익대학교 미술대학 조소과 졸업
1986	홍익대학교 미술대학 대학원 졸업
1990	파리국립미술대학교 조소과 졸업
현재	홍익대학교 미술대학원 부교수

개인전

1992	원화랑
1997	원화랑
1998	프랑스문화원
	레디슨프라자호텔
2001	금호미술관
2004	김종영미술관
2005	아트포름뉴게이트
2006	국립현대미술관
	인천종합문예회관
2007	Gaierie Tokyo Humanite
	Gaierie 21+YO
2008	학고재
2009	북경 금일미술관

단체전

1997	2회 광주비엔날레 광주
1998	드로잉 횡단전 금호미술관
	테마공간 포스코미술관
1999	Contemporary Korea Art Hillwood Art Museum N.Y
	감성과 자유를 그리워하다 프랑스문화관
2002	광주 비엔날레 PROJECT 4 광주
2003	한국현대조각특별전 조각이란무엇인가 한가람미술관
	신체풍경 로댕갤러리
	조각의 환기 물성과 공간 대전시립미술관
	한중현대조각전 CASO 오사카 일본
	1회 베이징 국제 미술비엔날레 중국 미술관 북경
2004	20회 사라예보 국제 페스티발 국립갤러리 사라예보
	북경국제아트페어 북경 중국
	선언 평화를 위한 세계100인 미술가 국립현대미술관
	부산비엔날레(바다미술제) 해운대 외 부산
	서울올림픽미술관개관기념조각전 서울올림픽미술관
2005	이태호 · 이종빈 · 정현 갤러리175
	한 · 일 참우정의 해 오사카 일본
	고려대학교100주년기념전 고려대학교박물관
2006	더 뉴게이트-이스트 개관기념전 더 뉴게이트-이스트
2007	공간을치다 경기도미술관
2008	인생유형시 개관10주년기념 포스코미술관
	미술의표정 개관20주년기념 한가람미술관
2009	한국현대조각의 흐름과 양상 경남도립미술관
2010	Mark Ashton · Chung Hyun Ibu Gallery Paris

수상

2004	김종영 미술관 1회 '오늘의 작가' 선정
2005	국립현대미술관 '2006 올해의 작가' 선정
2008	조선일보 평론가들이 선정한 "100년후에도 잊히질 않을 작가" 선정
2009	한국평론가협회 1회 창작부문대상

작품 소장

국립현대미술관
경기도미술관
부산시립미술관
대전시립미술관
고려대학교박물관
금호미술관
인천문화재단
안동조각공원
수원월드컵경기장 조각공원
영주조각공원
포항시립미술관

환원과 초극의 미학

정현鄭鉉은 파리에서 돌아오면서부터 왕성한 작업을 펼쳐 보였다. 이토록 치열하게 작업의 진행을 주도해가는 경우는 결코 흔치 않다. 1992년 원화랑에서의 개인전을 시작으로, 1998년 프랑스 문화원의 개인전이 이어지다가 2001년 금호미술관, 2004년 김종영미술관, 2006년 국립현대미술관의 잇따른 미술관 개인전은 어떤 정점을 장식해주고 있는 인상이다. 최근 6년 사이 세 개의 주요 미술관에서 초대전을 가졌다는 것은 좀처럼 없는 일로 이는 정현의 작업이 지니는 분출하는 에너지와 창작의 집념이 어떤 공감을 이루면서 가능했던 것이 아닌가 생각한다. 이는 결코 우연한 행운이 아니다.

파리에서 귀국한 후 그의 작업은 석고로부터 시작된다. 흙으로 만든 덩어리를 각목이나 삽과 같은 기구로 내리쳐 볼륨과 날카로운 단면을 만들어 이를 주물로 떠냈다. 이들 작품은 비교적 조각 본래의 양괴에 충실한 것일 뿐 아니라 소재가 인물이라는 점에서 전통적인 조각의 문맥에 밀착된 것이다. 흙덩어리를 주무르고 각목이나 삽으로 일정 부분 강한 물리적 반응을 가하여 일그러진 인간의 형상을 표출한 것들은 때로 고뇌하는 인간상으로 때로 묵상하는 인간상으로 나타났다. 설명적인 부위와 날카롭게 깎아내린 단면을 대비시킨 이들 인간상은 기념비적인 내연을 지닌 것으로 로댕Auguste Rodin:1840~1917의 〈발자크 상〉이나 부르

델Émile Antoine Bourdelle:1861-1929의 〈베토벤 상〉을 연상하게 한다. 그가 에콜 데 보자르École des Beaux-Arts 시절 추구해 보였던 형해화된 인간상에 비하면 풍부한 볼륨을 지닌 것이었다고 할 수 있다. 거의 미라에 가까운 깡마른 뼈대만이 앙상하게 남아난 보자르 시절의 작품이 지닌 선적인 것에 비하면 양괴적인 요소가 되살아난 것이라 할 수 있다. 그러고 보면 그의 작업은 일정한 시기를 두고 환원과 일탈이 주기화하고 있는 것이 아닌가 생각된다. 선적인 작업에 이어 양괴적인 작업이 나타나다가 다시 선적인 작업이 등장하고 이어 양괴로 다시 환원하는 것으로 말이다. 때로는 이들 선적인 요소와 양괴적인 요소가 하나의 작품 속으로 융화하는 경우도 나타난다. 이를테면 침목에 의한 군상 계열이 이에 속한다. 그가 2006년 국립현대미술관의 초대전에 집중적으로 선보인 침목에 의한 작품은 그의 조각하는 태도 또는 조각에 대한 독자적인 인식을 극명히 보여준 것이었다고 할 수 있다. 전시장과 전시장 사이를 연결하는 긴 공간에 진열된 침목에 의한 인간상은 마치 진시황의 토용을 연상하게 했다. 땅 속에 파묻혀 오랜 세월 지하에 있던 흙으로 만든 병사들이 밖으로 드러났을 때의 그 장대한 스케일과 엄청난 땅의 열기를 능히 몇 천 년을 견뎌온 역사의 도저한 무게를 감당한 것이라면, 정현의 침목에 의한 인간상은 그러한 역사적 유물과 비교되면서 인간과 산업사회, 인간과 근대문명의 치열한 대결과 화해의 기념비적 형상으로 인상된 것이었다.

정현이 침목에 관심을 기울인 것은 꽤 오래되었다. 그의 말처럼 침목을 발견하고 바로 그것을 재료로 끌어들인 것이 아니라 오랜 시간 방치된 상태로 놓아두고 보는 것이다. 그는 이를 재료와의 만남이 단순한 사용자와 대상으로서의 관계에서 벗어나 서로에게 순치되는 일정한 시간을 경과한 후그는 약 10년간 놓고 보았다고 한다에 작업에 임한다고 말하고 있다. 이는 발견이 곧 창작이 될 수 있음을 말해주는 것이라 할 수 있다. 마르셀 뒤샹Marcel Duchamp:1887-1968은 발견하는 것도 창작이라고 하였는데, 정현이 침

〈무제〉 2001-2006년 침목 300×75×25cm 40개

목을 발견한 순간 이미 창작이 이루어지고 있었다는 뜻이다.

"어느 날 버려진 침목을 본 순간 레일 아래에서 육중한 무게와 비바람을 묵묵히 견뎌온 인고의 세월이 생생하게 느껴졌다. 마치 침목이 한 인간이라는 역사처럼 다가온 것이다." 그의 말은 침목을 단순한 재료, 물질로 본 것이 아니라 인고의 세월을 한 몸에 지닌 인간의 역사로 보았다는 것이다. 침목의 군상이 그토록 강렬하게 어필해오는 것은 침목이 버려진 재료의 사용이란 점에서도, 조각으로 다루기에 적절한 재질이 아님에도 이를 극복했다는 점에서도 아니다. 그것이 인간의 인고의 역사로 다가왔기 때문에 감동을 주는 것이었다.

정현이 선택하고 있는 재료는 대부분 버려진 용도가 폐기된 질료들이다. 현대 사회에서 버려진 질료란 상당 부분 산업 쓰레기일 것이 분명하다. 침목이 그렇고 아스콘ascon이 그렇고 막돌이 그렇고 철근이 그렇

〈무제〉 1997년 브론즈 53×19×10cm

다. 그것들은 어떤 용도로 사용되었다가 그 용도를 다한 것이다. 버려졌다는 것은 용도가 폐기되었다는 것이다. 그렇게 버려진 질료들이 정현에 의해 발견되고 그의 손을 거쳐 새로운 생명으로 태어나는 것이다. 그의 작업장에는 이렇게 버려진 산업 쓰레기들이 새로운 삶의 탄생을 위해 대기하고 있다.

정현만큼 재료에 대한 인식이 남다른 조각가도 많지 않다는 것은 그의 전체적인 작업의 맥락이 새로운 재료의 만남과 대결 또는 순치의 과정으로 엮여 있다고 해도 과언이 아니기 때문이다. 물질과 부딪치는 것은 물질과 만남의 관계를 설정하기 위함인데, 때로 격렬한 대응의 형식을 띠는 경우는 물질의 내면에 잠자는 본성을 일깨우기 위한 조치이다. "침목 작업에 들어가기 오래 전부터 침목 그 자체의 엄청난 에너지에 주목해왔다."는 말은 침목 속에 잠겨 있는 에너지라는 본성을 어떻게 끄집어낼까 하는 접근이기도 하다. 침목은 길게 이어지는 레일을 받쳐주는 것이지 않으면 안 된다. 작가가 침목에서 엄청난 에너지를 감지했다는 것은 침목이 지닌 역사성에 주목했다는 것이다. 단순히 레일을 떠받치고 있는 물질이라는 사실 외에 오랜 시간을 두고 지탱해왔다는 시간의 두께가 겹쳐진 것이기도 하다. 용도가 폐기된 침목은 레일을 받쳐주는 기능이 폐기되었을 뿐 그것이 지닌 인고의 시간의 두께는 여전히 간직하고 있는 것이다. 그것이야말로 역사의 무게에 다름 아니다. 다른 폐기물에서도 이 역사의 무게를 발견하게 된다. 그가 선택한 재료가 지닌 이 특별한 내재율이야말로 다른 조각가들에게서 찾아볼 수 없는 것이다.

그가 선택하고 있는 재료는 조각 일반의 재료의 범주에서 벗어난 게 대부분이다. 청동에 의한 작품을 제외하면 대부분의 재료가 생경한 것들이다. 과연 이런 재료로 작품이 가능할까 하는 의문이 일어날 수도 있다. 창작에 앞서 발견이 그에게는 더욱 의미 있는 과정이 되는 이유가 여기에 있다. "살아 있음 그 자체. 날것. 예측을 불허하는 이미지"가 그의 작품 전체를 관류하는 요체가 아닌가 생각된다. 생생한 세월의 무게를 그대로 나타내려는 의도나 다듬지 않고 수식하지 않았기 때문에 날것이라 할 수 있는 것의 대담한 제시는 지금까지 조각이 시도해온 변형시키고 해체하고 재구성하는 일체의 방법적 논리에 반하는 것이다. 말하자면 일종의 일탈의 조각이 갖는 의도라 하겠다.

김종영미술관에서의 개인전은 주로 아스콘에 의한 작품이 중심을 이루었다. 침목이 철로 밑에 깔려 있었던 질료라면 아스콘은 길바닥에 누워 있던 것이다. 침목에 못지않게 아스콘 역시 엄청난 시간의 무게, 역사의 결을 지닌 물질이 분명하다. 침목이 조각의 재료로 발견되는 것보다 아스콘이 조각의 재료가 되는 것은 더욱 의외의 시도이다. 아스팔트 콘크리트 덩어리인 아스콘이 조각의 재료로 선택되었다는 그 자체만으로도 가히 혁명적이라 할 수 있다. 여기서도 그는 날것에서 오는 생명력, 거칠고 팽팽한 표면에서 일어나는 엄청난 생명의 에너지를 발견했음이 분명하다. 아스콘이 선택될 수 있었던 것은 이미 막돌이나 석탄 덩어리를 그대로 조각으로 가져올 수 있었던 대담한 선택의 문맥에 이어져 있는 것이라 할 수 있다. 모래 위에 설치된 아스콘 덩어리는 공중에서 내려다본 산맥의 한 단면 같기도 하고 땅에 누인 인간의 모습으로도 유추된다. 땅 속에 파묻혀 있던 오랜 무덤 속의 미라처럼 응고된 형상을 띤 것이다. 다른 어떤 질료보다 생생한, 있는 그대로의 날것을 보여준 것이었다고 할까.

조각가로서 정현은 조각 못지않게 많은 드로잉을 남기고 있다. 드로잉은 그에게 있어 조각과 따로 떼어내 생각할 수 있는 영역이 아니다. 조각의 연장선상에서 이루어지고 동시에 드로잉의 연장선상에서 조각이 이루어지고 있기 때문이다. 드로잉은 종이에 연필로 하는 것도 있고 콜타르coal tar와 같은 끈적끈적한 질료를 사용하는 경우도 있다. 2000년대 초반까지 드로잉은 대체로 인간상 또는 인간의 신체부위에 집중되었다. 일회적이기 때문에 드로잉은 다분히 직설적인 성향을 띨 수밖에 없다. 최근의 드로잉은 질료 자체가 형태를 대변하듯 날카로운 필선 자체가 존재감으로 현전하는 것들이다. "가을을 지나 누렇게 누워 있는 풀들을 철판에 드로잉했다. 착색된 철판을 철근 또는 톱으로 긁어내거나 자동차 뒤에다 철판을 매어 자갈밭을 끌고 다니면 거기서 얻어지는 자연스럽고 우연한 흠집들이 산화되어 녹으로 바뀐 이미지 작업을 얻을 수 있다"고 한다. 드로잉은 날카로운 필의 획, 즉 형태보다도 먼저 달리는 필의 획이 먼저 나타난다. 그린다는 행위에 앞서 그려지고 그린다는 행위보다 먼저 마무리된다. 물질에 강하게 부딪침으로써 드러나는 필의 획이 갖는 날카로움이 날카로움 그 자체로 현전한다. 어쩌면 이는 그의 조각에서 드러나는 행태를 앞질러 질료 자체가 드러나는 경우와 일치한다.

그의 작품이 보여주는 양괴적인 것과 선적인 것의 부단한 반복 현상처럼 수평적인 것과 대비적으로 수직적인 것의 반복 현상도 지적할 수 있다. 아스콘에 의한 수평적인 형상에 비해 그가 최근 시도하고 있는 버려진 철근에 의한 수직적인 형태는 전반적으로 수직적 의지의 상승을 시사해주고 있다. 이미 수직적 형상은 현대미술관의 개인전 때 분명히 드러났다. 미술관 입구에 설치된 기둥들은 그의 이후 작품이 지닌 의도를 흥미롭게 시사한 것이라 할 수 있다. 최근 작품은 폐기된 철근에 의한 수직의 의지를 표상한 것이다. 이 솟아오르는 현상은 최소한의 형태로의 조각의 범주를 벗어나 가까스로 존재한다고나 할까. 조각이기도 하고 조각이 아니기도 한 경계 선상에 가까스로 존재하는 것, 형태이기

도 하고 형태가 아니기도 한 간극 속에 가까스로 존재하는 것, 그것이 발산하는 팽팽한 긴장감이 온 공간을 거대한 탄력으로 끌어당기고 있다.

『정현』 2008년 학고재 전시도록

〈무제〉 2009년 철 60×60×960cm

전 통 과 현 대

송영방 문인화적 정신과 현대적 조형
심경자 시적 공간과 상상의 세계
원문자 한지의 물성과 색채의 환희
이왈종 꿈과 일상의 중도
황창배 일탈의 미학

송영방

SONG YEONGBANG

1936 경기 화성 출생

서울대학교 회화과 졸업
동국대학교 예술대학장 역임
현재 동국대학교 명예교수

개인전

1984 1988 2000 현대화랑

단체전

1960 제9회 대한민국미술전람회
1960-1965 묵림회 회원전
1967-1969 한국화회 미술전
1969-1970 조선일보 현대미술초대작품전
1975 국전 추천작가 이후 초대작가 3회
1986 Asia Olympic game 미술초대전 국립현대미술관
1988 국립현대미술초대작가전 국립현대미술관
1992 제1회 한·중 미술교류전 중국북경 비상
1997 불교미술전 예술의전당
1999 제3회 대한민국 종교 예술제 미술제 예술의전당
2000 세계평화미술 제전 2000 예술의전당
2010 성북구립미술관 개관기념전 "THE PRESENCE"
MANIF 초대작가출품전 예술의 전당
그 외 다수의 단체전 참가

수상

1996 서울시립 문화상 미술상 및 문화훈장상

작품 소장

국립현대미술관
고려대학박물관 국립현대미술관
영국 BRITISH MUSEUM 동양관
한림미술관
광주시립미술관
제주도미술관
서울대박물관 현대미술부
샌프란시스코 동양미술관
서울시립미술관

문인화적 정신과 현대적 조형

문인화적 정신과 현대적 조형은 일견 전혀 어울리지 않는 느낌이다. 문인화적 정신은 고루한 냄새가 나는 반면 현대적 조형은 진취적인 또는 일탈의 미학을 대변해주는 인상이다. 문인화적 정신은 다시 말하면 전통적 정신세계와 이에 연루된 양식을 수식하는 것에 다름 아니라고 한다면 현대적 조형은 시대의식, 또는 변화의 시대에 상응하는 태도와 양식을 가리킨다고 할 수 있다. 이에 먼저 전통과 현대의 길항이란 화두를 떠올릴 수 있다. 상반되는 것과의 관계란 배타적 관계 아니면 긴장의 대결구도를 연상할 수 있다. 적어도 해방 이후 한국화의 상황은 이 같은 구도에서 전개되어 왔다고 해도 과언이 아니며 이러한 상황은 오늘날에도 여전히 한국화 영역에 해당시킬 수 있다. 서두에 이 같은 상황을 늘어놓는 것은 우현牛玄 송영방宋榮邦의 작가로서의 출발과 역정이 그것과 밀접되어 있기 때문이다.

우현 송영방은 졸업하던 해인 1960년에 데뷔하였다. 이 해에 국전에서 특선을 차지했으며 1960년에 출범한《묵림회》에 참가함으로써 미술계의 일원이 되었다. 그가 미술가로서 첫 발을 내딛던 1960년대 초는 우리 미술에 커다란 변혁이 전개되고 있었던 무렵이기도 하다. 4·19혁명과 이어진 5·16 군사혁명은 정치, 사회적으로 거대한 변혁을 몰아왔으며 미술계에도 그 영향은 예외일 수 없었다. 아카데미즘의 온상이었던 국전도 내부적으로 제도적 개혁을 서두르지 않으면 안 되었다. 지금껏 배타되었던 추상미술이 영입되는 변화가 일어났다. 《현대작가초대전》(조선일보 주최)을 축으로 한 재야의 형성이 국전에 맞서는 세력으로 부상된 것도 이 무렵이었다.

대체로 재야권의 형성은 1957, 8년을 기점으로 해서 1960년대 초에 걸쳐 활발히 진척되었다고 할 수 있다. 그것을 추동시킨 것은 말할 나위도 없이 뜨거운 추상의 물결이었다. 1950년대 후반 풍미하기 시작한 뜨거운 추상앵포르멜은 질풍노도와 같이 미술계를 강타하면서 변혁의 수위를 끌어올렸다. 이 운동은 서양화라는 영역에서 벗어나 동양화, 조각에까지 그 영향력을 미쳤다. 동양화의 《묵림회》, 조각의 《원형회》의 출현은 실로 뜨거운 추상 표현과의 정신적 공감대에서 빚어진 것이라 할 수 있다. 우현은 이 같은 소용돌이 속에서 작가로서의 출발을 기하고 있었던 것이다.

당시 《묵림회》는 필선을 위주로 한 수묵 담채의 문인화적 방법에 바탕을 두면서 현대회화로서 동양화의 정체를 모색하려는 의지를 표명하였다. 오랜 관습에서 벗어나 필선과 수묵의 자율적인 운용에 의한 묵흔, 묵상의 세계를 펼쳐보였다. 때로는 번지는 선염의 방법을 극대화한 깊이와 여운을 구현하는가 하면, 활달한 선획의 구성으로 화면에 긴장한 공간의 창조에 이르기도 하였다. 이들에 의한 실험은 수묵에 의한 표현의 자율성이라고 할 만한 것이었다. 대상을 선택하면서도 대상의 객관적 실체에 충실하기보다 필선과 수묵의 질서에 따르는 추상 의지를 극대화해 나갔다. 이들의 추상 방법은 애초에 추상성을 함축한 것으로서의 조형이었다고 해도 과언이 아니다.

우현은 그의 동료들에 비해 대학으로의 진출이 늦은 편이었다. 이미 대학 교수로 진출한 동료들이 적지 않았던 시점에서도 그는 다른 영역

〈雲根〉 1969년 한지에 먹 110×101cm

에서 자기 길을 가고 있었다. 그가 나중에 동국대로 진출한 것은 이화여대 강사 10년 만이었다. 어떻게 보면 우유부단하다고 할까, 세상살이나 세속적 명리에 관심을 가지지 않았다고 해야 할까. 자기가 좋아서 하는 신문, 잡지의 삽화그리기에 매달리는 한편 창작에만 경주하였다. 어쩌면 이 같은 탈속의 의지가 작가로서의 자신을 다지는 데 결정적인 역할을 하지 않았을까 본다. 우현만큼 기본기가 잘 되어 있는 동양화가도 많

〈평화로운 이 강산〉 2009년 한지에 먹 74x141cm

지 않다. 사군자에서부터 인물, 산수에 걸친 그의 작품은 하나같이 고른 수준을 유지하고 있다. 수준이 고르다는 것은 기본기가 잘 되어 있다는 증거에 다름 아니다. 한벽원월전미술관(삼청동 소재)에서 두어 차례 열린 문방전과 최근 윤갤러리에서 열린 개인전 등 근작에서도 이 점을 거듭 확인시켜주었다. 그의 근작전 가운데 이채로운 것은 일본에서의 두 차례에 걸친 개인전이다. 일본에서의 반응은 소식통에 의하면 문인화의 전통이 거의 소멸된 일본 화단에 신선한 인상을 던져주었다는 것이며 문인화 정신의 현대적 존재에 대한 새삼스러운 인식을 불러일으켰다는 것이다.

문인화라는 말이 나왔으니 말이지만 우리에게 진정한 문인화가 존재하는가 하는 물음부터 제기해야겠다. 문인화가들도 많고 문인화전이라는 타이틀도 적지 않게 만난다. 그럼에도 별로 문인화다운 것을 발견하지 못했다는 것은 이들 문인화가 형식의 영역에 머물러있을 뿐 문인화가 지녀야 할 문자향文字香, 서권기書卷氣는 도무지 찾을 수 없기 때문이다. 이 점에서 우현이 보여주는 문자향과 서권기는 우리 속에 아직은 문인화의 정신이 연면되고 있구나 하는 감명을 안겨준다.

그의 그림이 주는 여운은 작위적이지 않는 여유로움에서 비롯된다. 그림이 때로는 싱겁다 할 정도로 무심한 구성, 무위한 발상에 지지되고 있다는 사실이 이를 말해준다. 이야말로 무위자연과 맥락되는 동양예술의 정신의 요체가 아닌가. 그린다는 말이나 조형한다는 말에 앞서 자연스럽게 태어난다라는 말이 적절하다. 자연의 섭리에 따른다는 말이 더욱 어울린다. 따지고 보면 우현의 그림은 대단한 기술의 결정체 또는 기교의 산물이라고 할 수 있다. 그럼에도 그것이 기술이나 기교로 보이지 않는 것은 이미 기술과 기교를 뛰어넘고 있기 때문이다. 이는 고유섭高裕燮:1905-1944이 말한 우리 미술 속의 특징인 '비기교의 기교'에 비유됨 직하다. 그가 그리는 선 하나, 묵점 하나가 결코 작위적이지 않으면서 자연스럽게 태어난 느낌을 준다. 예컨대, 날카로운 선획으로 그려지는 대밭의 소슬한 기운은 마치 대밭을 지나가는 바람을 느끼게 하고 있다. 자주 그리는 연잎이나 연꽃에서도 소박하나마 은근한 아름다움을 내재시킨다. 기교의 결정이 아니면 도달할 수 없는 경지다. 무엇보다 투명한 먹빛이 주는 깊은 여운은 여백의 공간과 어우러져 동양화가 아니면 도무지 맛볼 수 없는 차원을 만든다. 그것은 아마도 이태준李泰俊:1904-?이 말한 "종이 위에 그 먹갈이 향기로운 것이 무엇인가"한 바로 그 향기에 비유되는 것이 아닐까.

그의 소재의 범주는 비교적 폭넓은 편이다. 그럼에도 불구하고 그의 작화의 태도는 실사구시實事求是의 정신에 입각해 있다. 그러기에 자연적으로 생활주변에 취재된 내용이 빈번해질 수밖에 없다. 그의 데생력은 이미 정평이 나있다. 특히 인물 묘사는 타의 추종을 불허할 정도다. 즉석에서 그려내는 인물의 스케치는 절로 감탄을 자아내게 한다. 그가 자주 그린 산수 계통에 〈춤추는 산과 강〉 시리즈가 있다. 산수가 일종의 의인화의 차원에서 다루어진 것이라 할 만하다. 산과 강에 인간의 감정이 전이되면서 일어날 수 있는 현상이라고 할까. 자연에 대한 그의 풍부한 감정이입은 그의 돌 취미와도 관계가 있는 듯하다. 수석뿐 아니라 옛 석물에도 깊은 애착을 지니고 있다. 그것이 단순한 동양화가의 수석 취미에 머물지 않고 자연으로 확대되는 감정이입의 단초가 된다는 데서 특별한 의미를 수렴할 수 있다.

우현의 옛 기물에 대한 애착은 이미 잘 알려진 사실이다. 김종학이 주로 목기木器를 집중적으로 수집한다고 해서 목기 박사로, 우현이 돌에 일가견을 갖고 있다고 해서 돌 박사로 호칭되고 있는 것도 이에 말미암은 것이다. 그가 옛 돌을 좋아하고 수석의 아름다움에 빠지고 있는 만큼 전통적인 서화 문화, 또는 문인화 정신에 밀착되어 있다고 할 수 있다. 실험이란 명목으로 대담하게 어제 것을 버리고 새로운 옷을 바꿔 입는 세태 속에서 그만큼 옛것에, 아니 옛 정취에 집착하는 예술가도 드물다는 생각을 갖게 한다. 그러한 정신의 지향이 그의 작품으로 하여금 온고지신의 경지로 나아가게 하는 근간이 아닌가 생각하게 한다. 그는 옛 동양화의 대가들과 근대기의 대가들에게 깊은 감명을 받았노라고 하였다. 멀리는 팔대산인八大山人:1626-1705, 서위徐渭:1521-1593에서부터 근대 중국의 제백석齊白石:1863-1957, 오창석吳昌碩:1844-1927, 그리고 한국 근대기의 대가이자 그의 직접적인 스승의 반열에 있는 근원近園 金瑢俊:1904-1967, 월전月田 張遇聖:1912-2005 그리고 산정山丁 徐世鈺:1929-으로 이어지는 화맥을 이어가고 있다고 할 수 있다. 그들 스승들에서 발견되는 정신적인 향기는 우현의 예술을 풍부하게 살찌운 자양임은 말할 나위도 없다.

1960년 《묵림회》의 창립으로부터 이미 반세기가 다가오고 있다. 《묵림회》의 출발과 그 행로를 같이 했던 우현의 화력도 어느덧 반세기에 접어들고 있다. 그동안 많은 변화가 점철되었다. 미술계에도 엄청

〈蓮〉 2009년 한지에 먹 91x116.7cm

난 변혁의 회오리가 몰아쳤다. 그런 와중에서 오로지 동양화의 정신세계를 지니면서 동양화의 현대적 조형으로의 전개에 자신을 투구해 온 우현의 외길의 화력은 참으로 소중하다고 하지 않을 수 없다. 그의 아호처럼 깊은 내면으로 뚜벅뚜벅 걸어가는 소의 진중한 탐구의 길을 지켜보지 않을 수 없을 것 같다.

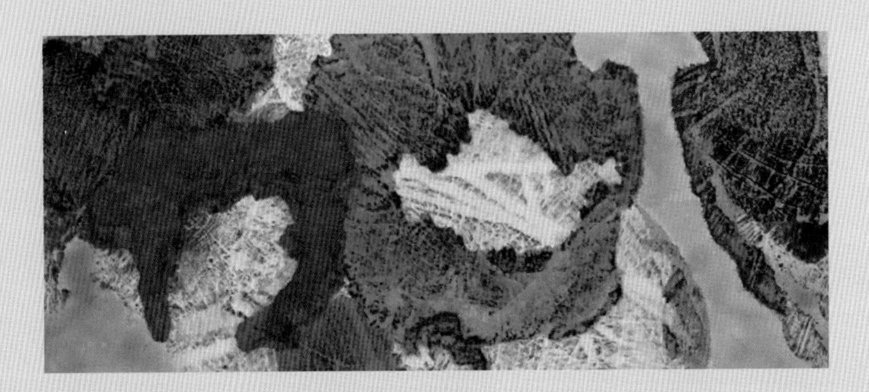

심경자

SHIM KYUNGJA

1966·1968 수도여자사범대학 및 동대학원 졸업
1976–1981 국전 추천초대작가 및 심사위원
1985–2006 대한민국미술대전 심사위원·운영위원·운영위원장
1991–2000 MBC미술대전·중앙미술대전·동아미술제 심사위원
1969–2009 수도여자사범대학·세종대학교 교수 및 학장
현재 세종대학교 명예교수

개인전

11회 서울·파리·런던·뮌헨
1976 미술회관 서울
1978 폴 파겟티화랑 초대전 파리
1986 미술회관 서울
1988 레이트하우스 초대전 런던
1993 갤러리 현대 초대전 서울
1999 조선일보미술관 초대전 서울
2004 에스파스 키론 초대전 파리 갤러리 현대 초대전 서울
2006 비텐브린크 초대전 뮌헨

단체전

1976 한국현대동양화대전 국립현대미술관 서울
1983 국회개원35주년기념 미술초대전 국회의사당 중앙홀 서울
94회 "Le Salon des Indépendent" Grand Palais 파리
이태리 현대미술제 Viscontea Hall 밀라노
1984 오늘의 한국미술 Espace Pierre Cardin 파리
1985 "Le Salon" 기획 한국현대미술 초대전 Grand Palais 파리
국제수묵화 특선 시립미술관 대북
1986 한국현대미술 어제와오늘 국립현대미술관 서울
한국화100년전 호암갤러리 서울
Reconter'86 Gallery Valmay Museum Carcassone 프랑스
1988 제24회 서울올림픽대회기념 한국현대미술전 국립현대미술관 서울
1981–1991 한국현대미술초대전 국립현대미술관 서울
1988–1990 현대한국회화전 호암갤러리 서울
1986–2002 서울미술대전 시립미술관 서울
1990 동방의 빛 시립미술관 키에프 러시아
1998 부산국제아트페스티발 한국현대미술전 시립미술관 부산
2005 전통과 시대정신 쿨트파브릭 뮌헨
2007 한국화 1953–2007 서울시립미술관 서울

수상

1964–1968 백양회공모전 공보부장관상 및 연속3회 특선
1970 한국미술대상전 한국일보사 우수상
1970–1973 국전 문공부장관상 및 연속4회 특선
1981 "Asian Arts Bangladesh '81" 동상
2009 황조근정훈장 문화체육관광부

작품 소장

국립현대미술관 시립미술관 호암미술관 국회 등

시적 공간과 상상의 세계

심경자沈敬子의 초기작에 해당되는 1970년대 초반의 작품들을 보면, 나무의 중심을 잘라낸 원주목의 탁본과 더불어 옛 동경銅鏡의 뒷면이나 엽전, 기왓장, 그리고 떡살들에서 찍어낸 문양들로 구성되어 있음을 발견할 수 있다. 목리문木理紋은 말할 나위도 없거니와 동경, 엽전, 기와장, 떡살들이 한결같이 오랜 시간의 저편에 존재되었던 것들이어서 화면은 옛스러움의 향취로 가득 넘쳤다.

그는 이들 작품들을 〈가르마〉라 명명했다. 명제에선 여성특유의 섬세한 정서가 배어 나왔다. 동양화에서는 사물을 묘사할 때 주름살을 통해 그 형상과 입체감을 구현해내었는데, 어떻게 보면 〈가르마〉는 준皴에 해당되는 그 특유의 묘법으로 간주되어도 무방할 것 같다. 사실 그렇긴 하나 그의 탁본에서 보는 선조線條는 준법에서와 같은 인위적인 것이 아니라 어떤 집성을 통한 우연의 결과일 따름이다. 목리문이나 엽전, 기왓장, 떡살의 문양들이 제각각 특징적인 요소들을 머금고 있으면서도 그것을 한자리에 쏟아부어 놓으므로써 단순한 선의 집적集積에 지나지 않게 됨을 발견할 수 있다. 어떻게 보면, 그의 화면은 평면 위의 아상블라주Assemblage라고 명명해도 좋을 정도로 독특한 집성의 미학을 지니고 있다. 한자리에 집성시킨다는 것은 원래의 오브제가 지녔던 요소를 탈각하고 집성이라는 논리 속에서 추구되는 새로운 구성의 세계를 지칭함이다. 원래 아상블라주는 버려진 폐품들을 한자리에 집성시킨 것의 세계를 창출해내었던 것이다. 실로 아상블라주의 기적은 속성의 치환에서 일어난 것이라 해도 과언이 아니다.

심경자가 동원하고 있는 옛 기물들-비록 탁본에 의한 찍어낸 것이긴 하나-역시 그것들이 갖는 고유한 속성이 탈각된 채 집성이라는 논리 속에 함몰됨으로써 구성의 새로운 세계를 열고 있는 것이다. 일반적인 아상블라주의 작품들이 물질을 집성하는 자체에 머물고 있는 것에 비해 심경자는 구성이라는 새로운 단계로 진척시키는 데 그 독특한 영역을 발견할 수 있다. 그의 화면을 자세히 들여다보고 있으면 다양한 기물들의 표현들이 집대성되지만 한발만 뒤로 물러나 보면 화면은 탄력 있는 구성의 열린 단계로 진행되고 있음을 파악하게 되는 것이다.

탁본은 옛 비석의 글자들을 종이에 옮겨 놓는 방법이었다. 이미 그 역사는 오래다. 이와 유사한 방법이 서양의 프로타주frottage 기법이다. 초현실주의자들에 의해 발견되고 시도되었다. 돌팍이나 나무 판 위에 종이를 얹고 연필이나 초크로 문질러 육안으로 쉽게 파악되지 않는 사물의 미세한 표면의 표정을 건잡는 방법으로 우연성, 예기치 않음에서 오는 놀라움에 착안된 것이다. 옛 비석의 글자들을 종이에 옮기는 탁본은 그 목적이 뚜렷한 기능적인 기법인 점에 비한다면, 초현실주의자들에 의해 시도된 프로타주는 우연에 대한 천착의 결과일 뿐이다. 심경자의 방법은 물체 표면 위에 종이를 얹고 표면의 문양을 떠낸다는 점에서는 동양의 탁본 기법으로 일치되나 우연성에 착안한 점에서는 프로타주에 가깝다고 할 수 있다. 물체의 표면에 아로새겨진 흔적을 선명하게 건잡는다는 것보다 표면에 나타난 흔적들이 지니는 예기치 않은 상상의 촉매에 그의 관심은 집중되고 있기 때문이다.

1970년대 초부터 현재에 이르기까지 그의 기조는 조금도 바뀌지 않았다. 표면상으로는 변화의 흔적들이 편재되지만 탁본이라는 형식과 거

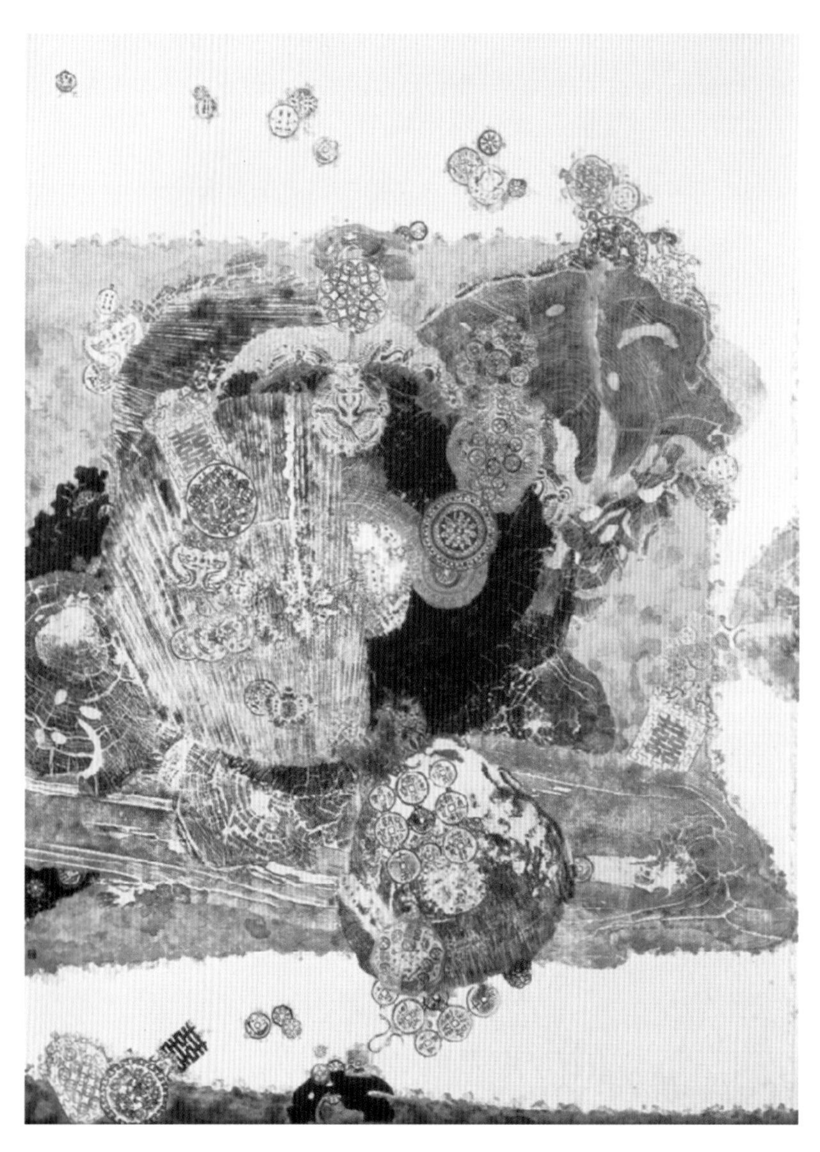

〈가르마〉 1973년 한지에 먹 물감 150×197cm

기서 일어나는 여러 상상의 구성화라는 근간은 그대로 유지되고 있기 때문이다. 작가에 따라서는 변화를 해체와 재구성이란 대담한 방법을 통해 실현해 보이는 경우도 있지만, 내밀한 자신의 목소리에 귀 기울이면서 조심스럽게 안으로 안으로 침잠해 들어가는 변화의 작가들도 있다. 심경자는 확실히 이 후자에 해당되는 작가이다. 변화 없이 보이는 속에 변화를 추구한다는 것은 드러난 변화보다 훨씬 어려운 일이 아닐 수 없다. 그러한 점진적인 자기 속의 변화야말로 굳건한 자기 세계의 확립이요, 다짐이기도 하다.

심경자는 전통회화를 수업했고 동양화가로서 출발하였다. 사실 그럼에도 불구하고 그의 1970년대 초반의 데뷔작들은 전통이라든지 동양화라든지 하는 고식적인 방법을 전혀 찾아볼 수 없는 것들이었다. 그의 1970년대 초반의 작품들은 지금에 보아도 신선함을 주고 있다. 그의 초기의 신선함은 조금도 시들지 않았다. 당시는 더욱 충격적이었을 것임은 말할 나위도 없다. 더구나 그의 등단의 무대가 어떤 재야전도 아닌 국전이라는 관전官展이었다는데 더욱 충격파가 컸음을 짐작할 수 있다. 그렇다고 해서 그의 작품이 전통이나 동양화라는 범주를 완전히 벗어난 것이냐 하면 결코 그렇다고 대답할 수 없다. 그의 작품이 혁신적이고 신선함을 지니면서도 전통이나 동양화라는 오랜 정신의 굴레에서 벗어나지 않았다는데서 오히려 그의 작품이 주는 혁신과 신선함은 더욱 돋보인 것이 되었다.

동양화이면서 동시에 동양화가 아닌 세계란 동양화에서 출발하면서 이미 동양화를 극복해 보인 세계를 이름이다. 그것은 보편적인 회화의 지향이다. 그렇다고 해서 그의 작품을 오늘날 흔히 볼 수 있는 동양화의 서양화 지향이라고 말할 수는 없다. 보편적인 회화의 지향이 곧 서구화, 서양화라는 잘못된 인식이 만연되어 있는 오늘의 한국미술계에서는 그의 제작의 방향이 시사하는 바는 결코 적지 않다. 그에게 있어 보편적인 회화의 지향이란 고루한 형식을 벗어나서 현대적 감수성에 호소하는 것을 의미한다. 동양화가 어제의 양식이 아닌 살아 있는 오늘의 회화로서 자립하기 위해서는 무엇보다 시대적 미의식에 상응되는 보편적 미학을 지니지 않으면 안 된다는 것이 지금까지 그가 추구해 온 방법의 요체라 할 수 있다. 그런 점에서 그의 회화는 단순한 혁신을 위한 혁신의 맹목성이나 동, 서양화를 따지기에 앞서 회화만 되면 그만이라는 그럴듯한 자기위안책과는 거리가 있는, 결코 동양화를 해체하지 않으면서 그것의 오늘날 존재 가능성을 꾸준하게 탐색해온 과정의 결정체라 할 수 있다.

우선 무엇보다도 그가 선택하고 있는 것이 한지와 수성의 재료라는 점에서 전통적 매재의 굴레에서 벗어나 있지 않음을 엿볼 수 있다. 작품에 동원되는 매재란 방법의식을 이끌어 나가는 가장 직접적 계기가 된다는 점에서 매재는 작가에게 대단히 중요한 것이다. 결국, 작가는 매재를 통해 사유하는 것이니까 사유의 형식이 매재에 직접적 영향을 받는다는 것은 너무나 자명한 일이다. 그는 누구보다도 한지가 갖는 독특한 물성物性을 가장 많이 체득하고 있는 작가라 할 수 있다. 탁본을 하는 과정에서, 그것을 찢어 콜라주collage해가는 과정에서 종이는 그의 신체와 가장 많은 접촉을 이루고 있다. 종이는 그 고유한 속성을 잃어버릴 정도로 그의 신체 속에서 육화肉化되는 듯한 느낌마저 주고 있다. 종이의 물성이 물성자체로 드러나는 것이 아니라 작가의 신체와 일체된 어떤 정서의 단면으로 떠오르고 있다고 표현하는 것이 어울릴 듯하다. 특히 한지가 주는 정서는 단순한 물질로서의 그것에 머물지 않고 공간 속에서 생활한다. 전통적인 가옥 구조에서는 특히 이 점이 두드러진다. 한지가 갖는 푸근함은 알게 모르게 한국인의 의식 속에 침투되어 은은하면서도 깊은 정신의 단면으로 체득된다. 심경자의 작품이 현대적 미의식을

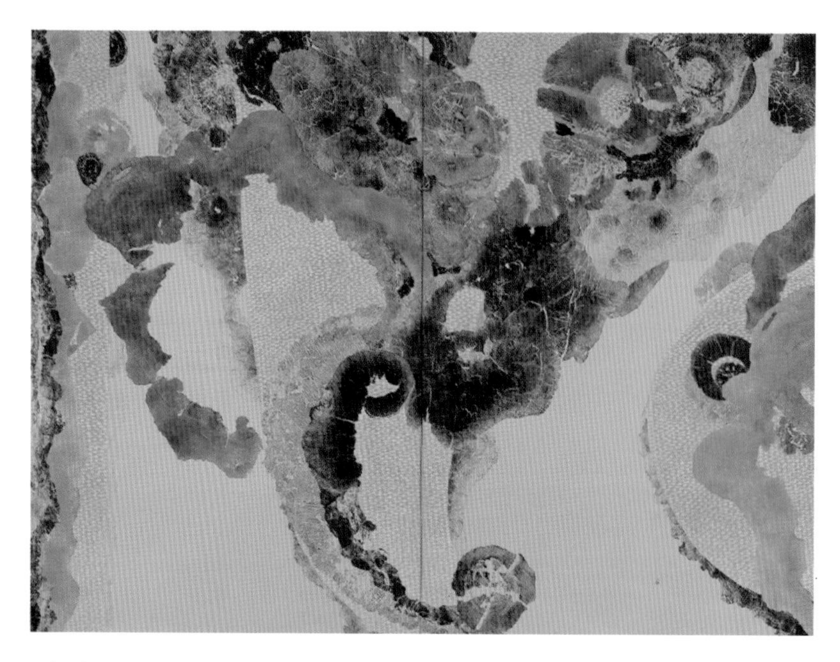

〈가르마〉 1999년 한지에 먹 물감 299x230cm

추구하는 보편적 예술 세계에 도달되어 있으면서도 그의 뿌리는 선험적인 한국인의 정서에 깊게 잇닿아 있음을 부정할 수 없다. 이 점에서야말로 그의 예술은 가장 보편적이면서도 동시에 가장 특수한 것을 내장한 세계로 규명해 볼 수 있다.

이미 앞에서도 지적한 바대로 그의 방법의 근간은 탁본이다. 종이 위에 각인된 다양한 문양과 흔적을 다시 찢어 붙이는 콜라주에 의해 구체적인 구성의 단계로 진입된다. 거대한 원주목의 목리문이 화면중심을 이루면, 나무판의 물결무늬나 돌팍의 얼룩, 기왓장의 선조문양들이 그 주변을 장식한다. 엽전이나 떡살의 문양은 주로 초기에 많이 등장되었지만, 최근작에 올수록 나무의 물결무늬나 원주목의 나이테가 구성인자로 자리 잡는다. 탁본을 찢어 붙인 콜라주가 일단 마무리 되면 주변에 은은한 색채를 가미하여 공간감을 부여한다. 이 마무리의 설채設彩에 의해 비로소 화면은 깊이감을 갖게 되며, 전경과 후경이라는 이중화된 구조를 드러내게 된다. 그의 화면이 평면화에서 벗어나 다분히 입체성을 띠게 되는 것도 이 이중화에서 기인된다.

그의 화면에는 어떤 구체적인 것도 찾을 수 없다. 그러면서도 무언가 찾아질 것 같은 기대와 예감으로 차있다. 지시적인 이미지가 없었다는 점에서 쉽게 그의 예술을 비구상으로 분류하기에는 너무도 많은 상상의 물결로 넘쳐난다. 분명하게 결정지워진 이미지를 주는 것이 아니라 보는 사람으로 하여금 생성하는 이미지를 뒤쫓게 하고 있다. 실로, 그의 예술의 매력은 여기에 있다고 해야 할 것 같다.

활짝 피어오른 모란의 정원을 거니는 것 같은 착각을 일으키는가 하면, 풍광이 수려한 해안의 굽이굽이 휘돌아가는 단애斷崖 앞에 선 느낌을 자아내기도 한다. 무수하게 소용돌이치는 물결 위로 날아오르는 물새들의 울음소리가 귓전에 들릴 것 같은 환각에 젖기도 한다. 이처럼 그의 화면에는 산수가 있고 화조가 있다. 전래의 형식에 얽매인 산수나 화조가 아니라 상상 속에 꽃피는 새로운 산수요 화조다. 어쩌면 그런 상식적인 분류마저 무의미한지도 모른다. 거대한 우주공간이요, 인간의 심층심리의 저 아득한 자리라 할까.

그의 화면을 편의적으로 분류하면 다음 네 가지 유형이 된다. 상상의 이미지와 여백이 만드는 풍경적인 화면, 목리문으로 화면 전체를 메운 전면화 화면, 단편적이긴 하나 구체적인 이미지가 등장하는 화면, 한지의 원료에서 추출하여 실이나 천의 질감들을 살린 새로운 구성의 콜라주 등이 그것이다. 이같은 유형은 조용하면서도 꾸준히 자기 변화를 시도하는 작가의 심화의 양상을 반영하고 있다. 첫 번째 유형은 새로운 산수, 새로운 화조화에 비유되는 작품군이다. 겹겹이 쌓인 아스라한 산맥을 연상시키는가 하면, 거대한 분화구를 통해 흘러

넘치는 용암을 방불케 하기도 한다. 거대한 스케일의 작품이 있는가 하면, 섬세하게 피어오르는 꽃과 야생초의 가녀린 식물을 은유화한 소담스런 내용의 작품도 있다. 거대한 소용돌이의 드라마틱한 구성이 전개되는가 하면, 한없이 안으로 침잠하는 은은한 표현 속에 자적하기도 한다. 조용하면서도 웅장하고 섬세하면서도 폭발적이다. 상충하는 요소들을 가누고 침투하는 요소들을 흩트려 놓는다. 끊임없는 변화가 일어나고 생성의 에너지가 흘러 넘친다.

나무의 물결치는 무늬로 가득 채워진 전면화 화면은 마치 앵포르멜의 표현을 연상시킨다. 공간을 의식하는 것이 아니라 그린다는 행위의 자적에 전체를 내맡기는 유형에 닮아있다. 물결치는 무늬는 찍어낸 것이기는 하나 작가는 그것들을 콜라주 해가면서 소용돌이치는 무늬 속으로 자신을 던져 놓는다. 그 무수한 세월의 흔적 속에 자신을 던짐으로서 예기치 않은 만남의 충격을 획득해 나간다. 화면은 태초의 카오스를 연상시키는 거대한 물결 또는 기운들로 넘실거린다. 이 알 수 없는 혼돈은 창조를 위한 예감으로 충만하다. 단편적이긴 하나 구체적인 이미지를 보여주는 화면은 예컨대, 파도처럼 일렁이는 무성한 작은 돌기 속에 하얗게 드러난 길이나, 공중에 걸려 있는 줄에 매달려 있는 인간의 형상이나, 자전거를 타고 가는 인간의 모습들로 채워지는 것들이 지극히 암시적이긴 하나 지시적인 내용들임에 분명하다.

그의 화면 속에서 이토록 구체적인 영상이 등장하는 것은 1990년대 후반부터이다. 분명히 드러난 하얀 길이나 공간에 매달려 있는, 또는 자전거 페달을 열심히 밟고 있는 인간의 실루엣은 다분히 관조적인 시각의 결정물처럼 보인다. 작가는 생을 되돌아볼 만한 연령에 도달되어 있다. 자신의 삶에 대한 회한이 없을 수 없으며 자신이 걸어온 길에 대한 뿌듯한 감회가 일어나지 않을 수 없을 것이다. 굽이치는 많은 돌기 속에 뻗어있는 길은 어쩌면 자신이 걸어온 변화 속의 일관된 삶의 역정으로 볼 수 있으며, 아슬아슬하게 줄타기하는 인간의 모습은 살얼음을 디디고 살아가는 보편적인 현대인의 자의식의 반영인지도 모른다. 그의 최근작 가운데는 종이 콜라주와 더불어 한지원료를 찢어 붙인 작품군이 새로운 시도로서 등장한다. 그것은 탁본에 의한 종이 콜라주와는 다른 직접적인 물질의 첨가라는 점에서 콜라주의 복합성을 드러내고 있다. 목리문을 탁본한 종이 콜라주에 비해 한지의 원료 콜라주는 구체적인 마티에르matière로서의 표현에 상응된다. 그만큼 화면은 풍부한 변화의 촉매로 넘쳐난다.

동양의 옛 선비들은 회화 속에 시가 깃드는 것을 이상으로 생각해왔다. 남화南畵의 시조로 알려진 왕유王維:699?-759의 작품을 가리켜 그림 속에 시가 있고 시속에 그림이 있다고 했다. 회화가 단순한 기교의 산물이 아니라 높은 정신적 격조의 세계임을 피력한 것이다. 어쩌면 이 점이야말로 동양의 회화가 갖는 독자적 내면일 것이다. 선비의 계층이 사라진 현대에 와서도 이와 같은 작품에 대한 평가의 기준은 사라지지 않고 연면되고 있다. 작품 속에 정신적 향기가 없다면 단순한 기교의 산물로 폄하되고 있음이 그 증거이다.

심경자의 작품은 어떤 면에서는 고도의 기술적 공정을 요하는 작품이라 할 수 있다. 일일이 탁본을 해야 하고 그것들을 다시 콜라주해가는 과정의 전체는 완벽한 기술에 뒷받침되지 않으면 안된다. 그럼에도 불구하고 그의 화면에서 어떤 기교적 잔흔을 찾기는 어렵다. 마치 화면은 자연스럽게 태어나는 듯한 꾸미지 않은 소박함으로 뒤덮여 있다고 해도 과언이 아니다. 이는 기교를 구사하면서도 그것을 밖으로 드러내지 않는 내면화의 경지라 할 수 있다. 무엇보다도 심경자의 예술이 동양화의 이상적인 경지, 즉 그림 속에 시가 있는 경지에 와 있음을 발견하는 일은 그렇게 어렵지 않다. 어떻게 보면, 그의 화면은 시를 회화로 번안해 놓은 것 같은 느낌을 준다. 회화에 앞질러 시가 나타나고 있다고 말할 수 있다. 회화에 앞질러 시가 나타난다는 것은 그만큼 회화 속에 깃들인 시적 상상력의 구현이 회화적 작업을 앞지른다는 것이기도 하다.

누구든지 그의 화면 앞에 서면 무수한 시간의 퇴적 속에 잠겨있는 잃어버린 영상들을 되찾아 상상의 나래를 타고 끝도 없는 기억의 나락으로 자맥질하게 될 것이다. 꿈꾸는 듯한 신비한 공간 속을 자유롭게 유영하고 있는 자신을 발견하게 될 것이다.

『심경자』 2003년 갤러리 현대 전시도록

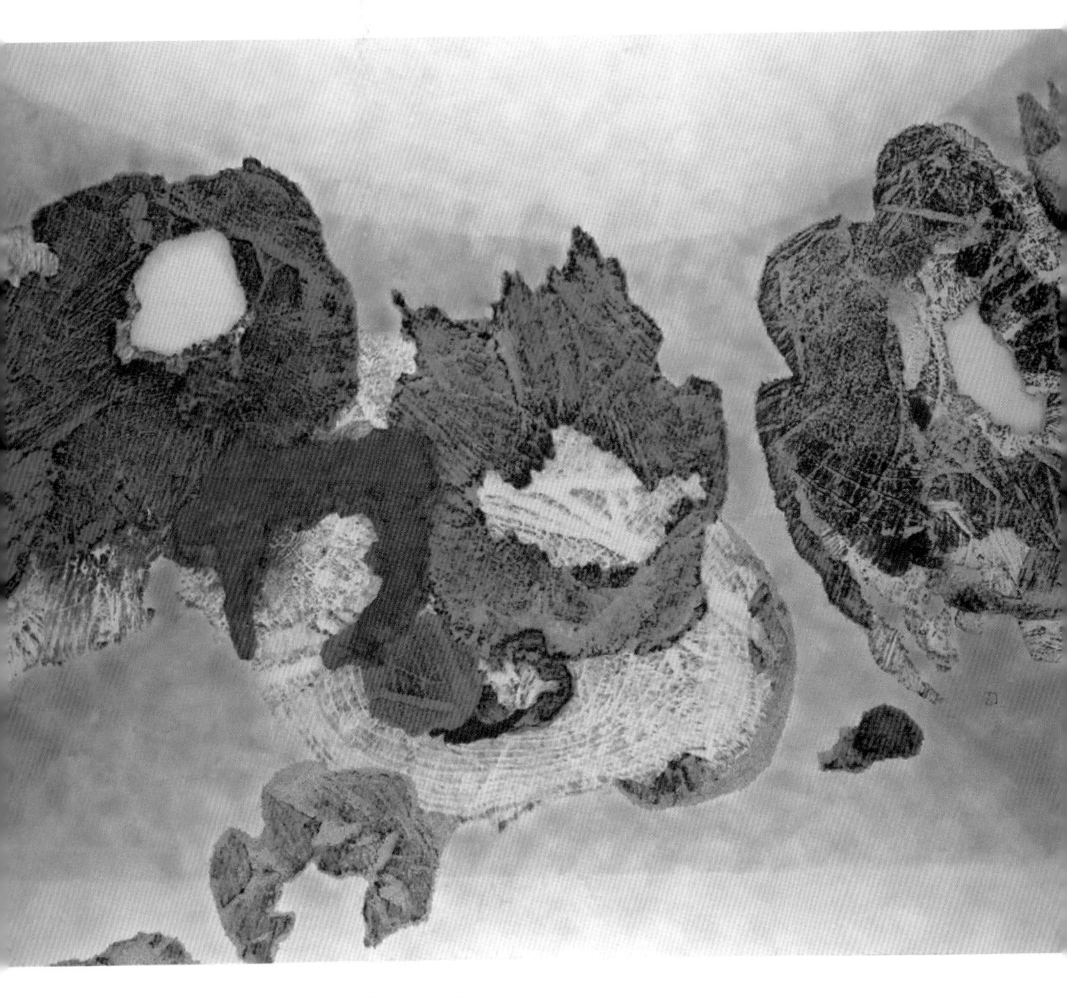

〈가르마〉 2002년 한지에 먹 물감 162x130cm

원문자

WON MOONJA

1944 경기도 부천 생
1966 · 1968 이화여자대학교 미술대학교 회화과 및 동대학원 졸업
현재 이화여자대학교 조형예술대학 미술학부 교수

개인전

1968 신문회관
1978 현대화랑
1985 선화랑
1990 갤러리현대
1993 63갤러리
1994 한성화랑
1996 MANIF SEOUL '96서울국제아트페어 예술의전당 한가람 미술관
1997 제8회 석주미술상 수상기념전 갤러리 선

단체전

1974-1978 6인전
1977 제13회 아시아 현대미술전 동경도 미술관 일본
1979 한국 실경 산수화전 국립현대미술관
1980- 국전추천 작가 초대전 한국 실경 산수화전 초대
1983 '83 KBS 초대미술전 국립현대미술관
1983-1991 현대미술초대전 국립현대미술관 19회 아세아 현대미술전 동경도미술관
1986 한국화 100년전 호암갤러리
1992-1995 채연전
한국현대미술의 어제와 오늘 국립현대미술관
1986-2005 서울미술대전 국립 현대미술관 서울 시립미술관
1990 동방의 빛전 LIGHT FROM THE EAST 소련 KLEV
1992 Toward a new dawn The IMF Vistors Center
1993 Salon D'automne France grand Palais
1994 Contemporaines - Peinture Sculpture France Elffel-Branly
1995 한지 정서와 조형 환기미술관
아시아주 여류작가 대전 홍콩 전람청
한국미술 유네스코 50인 초대전 파리 유네스코 특별 전시장
1996 '96 오늘의 한국화 그 맥락과 전개 덕원미술관 외 다수
중앙 비엔날레 초대전 서울시립미술관
MANIF SEOUL '96 MANIF 11! 05 SEOUL 예술의전당 미술관
2001 제10회 인도 트리엔날 Lalit Kala Akademi 뉴델리 인도

수상

1970 제19회 국전 국회의장상
1976 제25회 국전 대통령상
1997 제8회 석주미술상
2005 제18회 대한민국 기독교 미술상

작품 소장

국립현대미술관 시립미술관 한국외환은행 본점
롯데호텔 L·A레디스 윌스 프라자호텔
중소기업은행 본점 신영증권 본점 대한생명

한지의 물성과 색채의 환희

방법상의 변화라는 측면에서 볼 때, 원문자元文子의 작업은 크게 두 개의 시대로 대별해 볼 수 있지 않을까 생각된다. 그것은 대체로 1980년대 후반을 경계로 한 이전과 이후가 된다. 1980년대 후반 이전을 그의 초기에 해당되는 1970년대 초로부터 잡는다면 이후는 1980년대 후반부터 최근까지로 상정할 수 있으니까 시간상으로는 거의 비슷한 셈이 된다. 그는 재학시절부터 화조화花鳥畵에 특별한 관심을 주력해온 터이며 그로 인해 국전에서의 여러 차례 특선과 최고상인 대통령상을 수상하는 등 작가로서의 확고한 위상을 다지게 된다. 그는 누구보다도 자기 방법에 충실해온 편으로 모티프의 일관성도 이 같은 작가적 기질에서 연유되었음은 말할 나위도 없다. 이전의 화조화에 대한 꾸준한 모색과 이후의 질료적 실험이 크게 다른 양상의 그것임에도 바닥을 관류하는 정신은 두 시대를 견인하는 자기 방법에 대한 주도함이다.

먼저 화조화에 대한 방법의 전개는 동양화의 화목으로서 화조화가 현대에 어떻게 존재해야 하는가의 물음을 앞세운 것으로 파악된다. 화조는 산수와 더불어 동양화의 오랜 화목 가운데 하나이다. 산수화가 관념의 세계로 빠져든 반면 화조화는 현실적 소재에 충실하지 않으면 안 된다는 작화의 조건 때문에 일찍이 근대적 미의식에 견인될 수 있었다. 말하자면 산수가 관념의 세계가 지배한 반면, 화조는 현실에 직면한 소재의식으로 인해 사실주의적 방법이 강구될 수밖에 없었다고 할 수 있다. 그러나 인물이나 화조의 진채眞彩의 작화가 때때로 일본화日本畵의 영향이라는 인식은 오랫동안 우리 미술계에 회자되어온 터이다. 이른바 몰선채화沒線彩畵의 도안풍의 일본화적 방법을 어떻게 불식하느냐가 미술계의 주요한 이슈로 등장된 바 있다. 이전의 원문자의 화조화에 대한 꾸준한 방법적 천착은 바로 이 같은 몰선채화의 방법을 탈피하는 것이었고 필선과 선염의 기조에 화사한 색채의 가미로 나타난 것이었다. 어떤 의미에서 본다면 그의 채색의 구사는 모티프에 충실하기보다 색채 자체가 지니고 있는 환상적인 톤에 더욱 관심을 기울인 것이라 해도 과언이 아니다. 이 점은 비단 이전의 작품뿐 아니라 이후의 재질의 실험적 전개에서도 극명히 드러나고 있다. 원래 화조화가 은유와 상징의 체계를 풍부하게 내장한 화목이란 사실에도 불구하고 원문자의 작품에서의 화사한 색채 구사는 색채 자체의 가치를 고양시키는 외에 어떤 상징이나 은유에 지배되지는 않고 있다. 재질 실험에서도 나타나는 환상적인 톤은 이미 화조화의 영역에 그 뿌리를 두고 있다는 것을 파악할 수 있다.

이후의 작품 경향으로 한지를 바탕으로 한 재질의 실험은 독자한 것임에도 한 시대의 실험적 추세와 일정한 관계를 지니고 있음을 간과할 수 없다. 이미 1980년대에 접어들면서 한지에 대한 관심은 단순한 지지체로서의 영역에서 벗어나 한지의 질료 자체를 조형의 인자로 인식하는 영역에까지 적이 폭넓은 양상을 보였다. 개별적인 작업에서 집단적인 의식의 확대로 이어졌다. 《한지작가협회》 같은 것이 집단적 의식의 결속체에 해당된다. 한지를 단순한 작화의 바탕으로 이해하는 수준에서 한지를 만드는 공정 자체를 조형적 인자로 끌어들인 예에 이르기까지 적이 그 진폭은 넓은 편이다.

먼저 한지의 발견은 1980년대에 들어오면서 그리는 바탕으로서 선

〈무제〉 1989년 한지 169×200cm

택된 데서 비롯되었다고 할 수 있다. 물론 여기서의 한지란 재래식 방법으로 이루어진 일종의 수공업 단계의 전통적인 재질을 이름이다. 주지하다시피 1980년대는 1970년대를 풍미한 개념예술과 미니멀리즘에 대한 반동 작용으로서 다시 그리는 시대의 도래로 장식되었다. 그것이 드로잉의 재발견으로 이어졌다. 드로잉이 단순한 작품을 위한 예비 단계나 밑그림으로 이해되어온 지금까지의 인식을 뛰어넘어 드로잉 자체가 독자한 영역으로 수용되었고 이에 따른 또 하나의 회화의 영역으로 주장되기에 이른 것이다. 한지가 드로잉의 바탕 즉 회화의 지지체로서 발견된 데는 우리의 전통적인 생활공간에 대한 재인식이 도사려있음은 간과할 수 없다. 전통적인 생활공간에서 가장 널리 사용되었던 한지가 현대회화의 소지로서 발견되었다는 것은 따라서 극히 자연스런 귀결이라 해도 과언이 아니다. 장판지에서 창호지에 이르기까지 한지의 사용은 적이 폭넓은 것이었다. 이 점에서 한지의 재발견은 우리의 고유한 정서의 재발견이라는 차원과도 연계된다.

드로잉의 소지로서 한지의 발견은 한지의 질료적 가능성으로 확대되었으며 완성된 한지 외에 한지를 만드는 공정자체와 종이로 완성되어가는 중간단계가 구체적인 조형의 재질로서 선택되기도 하였다. 한지의 원자재인 닥 껍질을 콜라주의 재료로 원용하는가 하면 물에 풀어진 액 자체를 일정한 조형의 틀 속에 넣어 떠내는 방법에 이르기까지 다양한 시도가 이어졌다. 원문자의 한지를 물에 풀어 일종의 한지 풀로서 형태를 떠내는 방법도 그 중의 하나라 할 수 있다.

원문자의 방법은 한지를 물에 풀어 이를 일정한 틀 속에 넣고 떠내는 일종의 요철의 반 입체화를 시도하면서 한지의 재질 실험을 펼쳐 보였다. 이 실험의 초기 작업은 한지가 갖는 물성과 여기에 현란한 색채를 가미하여 소지와 이 위에 겹치는 이미지가 부드럽게 융화하는 단계를 보였다. 한지의 구조로서의 요철과 이전에 구사되었던 화사한 색채의 융합이 그만의 독자한 방법으로 펼쳐지기 시작한 것이다. 그러니까 그가 1970년대와 1980년대 전반을 통해 구사하였던 화사한 화조화의 색채가 한지의 독특한 물성과 어우러져 또 하나의 표현의 영역을 열어 보인 것이 되었다고 할 수 있다. 이전의 화조화가 평면적인 구상의 세계였다면 부조 위에 구사된 색채의 전개는 반추상적, 초현실적 환상의 세계로 진입된 것이라 해도 과언이 아니다. 이미지는 의도된 것이기보다는 바탕의 조건에 의해 자연스레 태어난 것이라 할 수 있으며 그런 만큼 자유로운 상상의 세계가 펼쳐질 풍부한 내연을 지닌 것이 되었다. 이를 요약한다면,

1) 화사한 색채와 선조의 자유로운 결합
2) 종이의 물성이 지닌 표면의 변화에 따른 이미지의 생성
3) 종이의 구조에 따른 자유로운 이미지의 변화가 된다.

1980년대 후반과 1990년대는 어쩌면 자신이 열어놓은 실험의 물꼬 속에 자유롭게 유영하는 여유로움을 보이고 있다. 이미지의 서술에서나 입체화의 시도가 극히 자연스럽게 전개되고 있음에서 자신의 방법에 대한 자신감을 드러내놓고 있다고 할까. 때로는 구체적이며 설명적인 이미지가 등장하는가 하면 곧바로 반추상적, 또는 추상적 몽환의 영역으로 빠지기도 한다. 부드러운 색채의 얼룩 속에 명멸하는 갖가지 생명적 현상, 즉 새의 부리와 비상하는 새의 나래가 펼쳐지는가 하면 꽃, 줄기, 잎 등 식물적 이미지가 피어난다. 동물과 인간의 이미지도 간헐적으로 끼어든다. 이미지는 이미지를 낳고 종이 표면의 변화는 이에 상응하는 이미지의 서식을 이끌어낸다. 변화는 변화로 연결되고 그 변화는 풍부한 내연으로 생성의 무한성을 잠재시킨다. 때로는 설명적이거나 반추상적 이미지의 설정으로 인해 어느 정도 내용을 파악할 수 있는가 하면 때로는 거기 어떤 설명적인 요소도 찾을 수 없으면서도 무언가 풍부한 생성의 기운으로 인해 시각적 충일을 이끌어내고 있다. 구상이던 추상이던 설명적이던 환상적이던 이 모든 수사가 끝나는 지점에서야말로 참다운 그의 예술의 씨앗은 움트기 시작한다.

원문자의 한지 실험은 스티로폼 판에 형상과 구조를 조각한 후 이 위에 으깬 한지 풀을 덮고 떠내는 작업이 기본이 되면서 이를 바탕으로 한 여러 변주의 시도가 가미된다고 할 수 있다. 조각된 스티로폼 판에서 떠내어진 한지의 릴리프는 반입체적이면서 동시에 한지의 독특한 물성

〈무제〉 1998년 한지 180x135cm

의 자립을 이루게 된다. 이 첫 단계자체만으로도 조형화의 완성을 기할 수 있다. 실제로 그의 작품 가운데는 색채가 전혀 가미되지 않은 순수한 한지의 릴리프로 이룩된 작품들이 있다. 기하학적 도형을 바탕으로 한 구조물인 경우도 있으나 유기적인 곡선을 첨가한 경우도 있다. 이에서 약간 벗어난 것이 흑백 대비의 작품이다. 원래 바탕의 소지를 그대로 살린 채 검은 색채로 대비적 구성을 시도한 경우가 여기에 해당된다. 이 단순한 대비를 제외한 태반의 작품은 요철의 판 위에 여러 색채와 이미지를 서술시킨 것이다. 이 계통의 작품은 1990년대와 2000년대를 통한 작품의 대종을 이룬다. 바탕의 한지가 지닌 그지없이 푸근한 질료 위에다 섬세한 선조와 이미지가 시술된다. 불규칙하게 부풀어 오른 표면에 따른 이미지의 생성은 극히 자연스럽게 화면 속에서 잉태된 느낌을 준다. 이와는 관계없이 변화있는 색채를 가하여 화면의 본래적인 변화 자체가 색채에 부응하는 경우도 있다. "종이가 가지고 있는 자체적인 조형성을 대담하게 살려내는 동시에 입체적 효과와 부피감으로 추상성과 형상의 만남을 승화시키고"김종근 있는 경우가 여기에 해당된다.

1980년대 후반과 1990년대 초에 걸친 시기가 색채의 다양한 구사가 두드러진 점에서 이전의 화조화와 자연스런 연계를 떠올릴 수 있다면 1990년대 후반 이후는 보다 복잡한 구성 요인이 개입되는 변화가 건잡힌다. 그만큼 풍부한 이미지와 구성의 결합이 완성미 높은 조형세계에 도달되었음을 시사한다. 그런가 하면 2000년대 후반으로 오면서 보다 간결하고 담백한 구도와 안으로 응축되는 탄력적인 구성도 발견된다. 자연적 이미지에 곁들여 도시적 이미지 또는 의지적인 구성도 산견된다. 표면 위에 5 내지 6cm 굵기의 한지 띠나 노끈으로 형상의 윤곽을 설정하여 보다 입체적으로 돌출시키는 방법이 그것이다. 그런가하면, 입체 구조물 위에 한지를 입힌 후 칼로 '〉'형으로 잘라 안과 밖을 뚫린 상태로 두고 뒷면에서 조명을 가하여 환시적인 변화를 유도하고 있는 등 그의 최근의 일련의 시도가 더욱 공간적인 차원을 획득해가고 있음을 발견할 수 있다. 삼각추의 입체 구조물도 여기에 포함된다. 평면에서 릴리프relief의 상태를 지향하다 완전한 입체물로 진행되는 형국이다. 그러나 입체 구조물에 대한 관심의 증대에도 불구하고 화려한 색채의 환희와 그로 인해 떠오르는 생명의 찬가가 그의 조형의 알파이며 오메가임을 어떻게 부정할 수 있겠는가.

『원문자』 2009년 화집

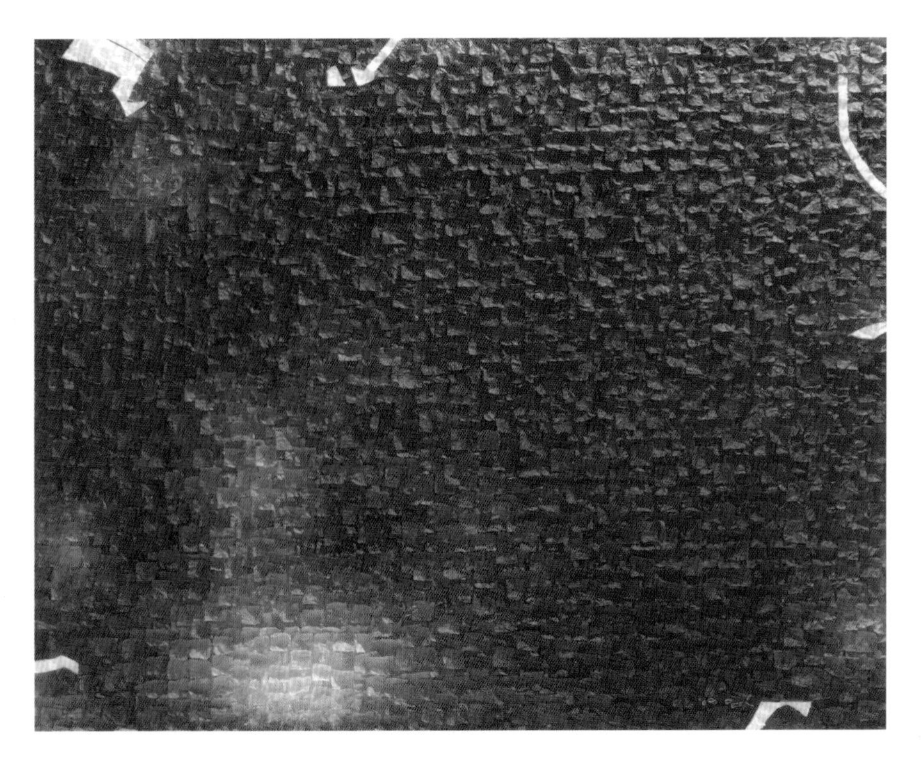

〈무제〉 2006년 한지 168x137cm

이왈종

LEE WALCHONG

1945 경기도 화성 출생
1970 중앙대학교 회화과 졸업
1988 건국대학교 교육대학원 졸업
1979-1990 추계예술대학교 교수
1991- 제주도 서귀포에서 작품생활

개인전

25회
2000 가나아트센터 서울
2001 조선일보미술관 서울
2002 몽쎄라Montserrat 갤러리
미국 뉴욕 맨해튼 브로드웨이
2005 갤러리현대 서울
2006 갤러리Bijutsu-Sekai 도쿄
갤러리H 서울
2008 갤러리현대 강남 서울
2009 상해문화원 중국
2010 노화랑 서울

단체전

1986 한국화100년전 호암갤러리
1987 현대미술 초대전 국립현대미술관
화랑협회전 호암갤러리
1988 현대한국 회화전 호암갤러리
1989 국제수묵화전 북경 중국
1990-1994 서울미술대전 시립미술관
1993 한·중 미술협회 교류전 예술의 전당
1994 서울국제현대미술제 국립현대미술관
1995 MANIF 서울 '95 한가람미술관
전통과 오늘의 작품 선재미술관 경주
서울미술대전 시립미술관
실크로드 미술기행III전 동아갤러리 서울
1996 에로스 바로보기 동산방화랑
20세기 한국미술사 노화랑
도시와 미술전 서울시립미술관
한국화·양화 100호전 천안 아라리오화랑
남북 평화미술전 도쿄 일본
신축 금호미술관 개관전 금호미술관
1997 0의 소리전 성곡미술관
한국미술의 Entarsis전 동덕아트갤러리
1998 한국화 126인 부채그림전 공평아트갤러리
가나아트센터 개관기념전 가나아트센터
제2회 종교예술제 예술의 전당 미술관
1999 세계한민족작가 100인전 세종문화회관
서울미술대전 서울 시립미술관
2000 세계평화 미술제전 2000 예술의 전당 미술관
운경 이재형선생 추모전 세종문화회관

수상

1974 제23회 국전 문화공보부 장관상
1983 제2회 미술기자상
1991 한국미술작가상 미술시대
2001 제5회 월전미술상
2005 서귀포시민상 문화예술 부문
2009 제주도지사 표창 교육공로상
2009 한국미술문화대상

꿈과 일상의 중도

환경은 예술세계에 적지 않은 영향을 미친다는 것은 아무도 부인하지 못한다. 환경은 주어진 것이기도 하지만 때때로 의지에 의해 선택되기도 한다. 예술가들 가운데는 애초에 주어진 환경에 순치되기도 하지만 자신의 예술의 변화를 환경의 선택으로 인해 추구하려는 경우가 있다. 이왈종李曰鐘은 이 후자에 속하는 예술가라 할 수 있다. 이왈종이 대학교 수직을 사퇴하고 제주도로 떠난 것은 상식을 일탈한 사건으로 볼 수 있다. 생활의 안정은 물론이고 사회적으로 존경받는 위치의 교수직을 내팽개치고 홀홀 단신 아무런 연고도 없는 제주행을 결심하게 된 것은 아무나 할 수 있는, 또 쉽게 이해될 수 있는 일도 아니다. 다른 생활의 방편을 갖지않고 오로지 작업에만 전념한다는 전업작가로서의 결행은 자신의 전체를 던지는, 요즘 유행하는 말로 한다면 올인all in작전에 비유됨직 하다. 그것도 단순한 도박이 아니라 자신의 생애를 건 올인이란 점에서 그 강도는 더욱 핍진함을 드러낸다.

이왈종이 제주행을 결심하게 된 시점인 1990년대 초만 하더라도 미술작품이 교환가치를 지니는 품목으로 인식되고 있었다. 그렇긴 하지만 한국화는 일반의 선호도가 상대적으로 떨어지고 있었다. 말하자면 인기품목에서 밀려난 지 오래다. 이같은 상황을 떠올려보면 이왈종이 전업작가로서 결심을 실천에 옮겼다는 것은 상식을 넘는, 무모하기 짝이 없는 만용으로 비치기에 충분했다. 남에게는 만용이나 객기로 비칠 수 있지만 막상 작가자신은 생애를 건 도박이지 않을 수 없었다. 이 진정한 용기가 그에게 더욱 확고한 자신감을 다져주었으며 더욱 풍부한 자신의 내면을 가꾸어주었다. 그의 제주행은 유유자적한 삶을 실현하려는 것도, 풍류에 심신을 몰입하는 과거 예술가들의 도피적 방편도 아니었다. 자신을 변혁시키려는 치열한 의식의 결단이었고 창작에 자신의 전체를 던지는 진정한 용기의 구현이었다. 제주시대의 이왈종의 작품은 이 같은 전제에서 바라보지 않으면 안된다.

따라서 이왈종의 제주생활 이후의 작품은 제주라는 환경과 결부되지 않고는 이야기될 수 없다. 예술과 환경의 친연관계가 이토록 극명하게 나타나는 예도 흔치 않다. 제주의 삶이 이왈종의 세계를 풍요롭게 가꾸어준 만큼 이왈종의 작품은 제주의 원생적 풍광을 아름답게 구현해내었다.

이왈종의 서울시대 작품의 기조는 1980년대 한국화단에 풍미하고 있었던 실경산수를 근간으로 한 것이었다. 물론 그의 실경산수는 단순한 실사에 그치는 것이 아니라 일정한 조형적인 체를 거친 구성된 산수라는 점에서 이채로움을 지닌 것이었다. 제주시대 이후에 나타나고 있는 풍부한 구성의 인자는 서울시대의 실경산수에서도 발견되고 있다. 서울시대의 작품이 〈생활의 중도〉라는 명제로 일관하고 있듯이 제주시대에도 여전히 〈서귀포생활의 중도〉로 연면되고 있다. 중도中道란 일종의 중용中庸의 정신, 어디에도 치우치지 않는 삶의 균형을 모색한다는 의미가 함축되어 있다. 그러고 보면 작업이란 다름 아닌 자신의 삶의 기록이고 삶의 지침이며 일상을 향한 대화이기도 한 것이다. 단순한 일상의 현장을 묘출하는 것이 아니라 자신의 내면에 반영된 삶의 흔적들을 되새김질하는 고백의 기술이라고 말할 수 있다. 일종의 자전의 서술로서 말이다. 자전은 가식된 것이 아닌, 자신을 전체로서 드러내는 것을 말한다. 최근 작품에서 유독 눈에 띄는 골프 장면도 골프에 심취되어있는 일상의 단면을 고백해준 것이라 할 수 있다. 생활 따로 작업 따로가 아니라 생활이 곧 작업이요 작업이 곧 생활이라는 것이다.

이왈종의 작품이 자신의 일기 또는 독백과 같은 형식을 띠고 있지만 그것들이 결코 정직한 기술에 의해 구현되는 것은 아니다. 아마도 일상과 환상, 생활과 꿈이 서로 결속되지 않는다면 내용이란 평범한 서술에 머물 뿐이다. 일상이 환상과 직조되고 생활이 꿈의 경지로 삼투되면서 일상이자 동시에 환상, 생활의 단면이자 동시에 생활 저 너머의 꿈의 세계가 부단히 겹쳐짐으로서 화면은 그 어디에도 경사되지 않는 균형감각을 이루게 된다.

제주는 육지에서는 맛볼 수 없는 환경의 풍요로움과 자연의 순수함을 간직하고 있는 곳이다. 이왈종의 화면에 등장하는 화사하고 무르익어가는 색채의 건강성은 밝고 따스한 제주의 풍광에서 기인된 것이다. 제주의 자연이 아니었다면 이토록 풍요로운 색채의 향연은 진작시킬 수 없었을 것이다.

이왈종의 세계가 갖는 내면은 주제에 있어서 일관성과 방법의 다양성에서 점검된다. 〈생활의 중도〉라는 주제의 일관성에도 불구하고 방법상에서의 변혁과 시도는 상대적으로 풍부한 편이다. 특히 최근 3년 사이의 작품군에서 만나는 방법상의 다양성은 비유할 수 없는 것이라 할만 하다. 평면에서 부조를 거쳐 입체물에 이르고 있다는 것은 조형의 전체적인 영역에 걸친 것이라 할 만하다. 평면에서 입체물에 이른다는 것은 통념상의 장르를 훌쩍 뛰어넘는 것이다. 평면과 입체가 서로 나뉜 별개가 아니라 평면의 연장에서 부조가 등장하고 그것의 발전적 문맥 속에 입체가 놓이고 있다. 그러니까 단순한 여러 장르의 섭렵이 아니라 조형의 발전적 문맥의 필연에 의한 것이다.

다양한 장르에 걸쳐 자신의 세계를 펼쳐 보인다는 것은 매재에 대한 제약을 스스로 극복해감을 말해준다. 그만큼 장인적 정신의 구현이 없이는 불가능한 일이다. 그가 넘나들고 있는 영역을 보고있으면 한 사람이 시도해나가기에는 너무 벅차 보인다. 특히 나무판을 파나가는 목각의 작업이나 도판을 만들어가는 작업은 단순한 평면작업에서는 상상할 수 없는 시간과 노동량이 요청된다. 이만한 작업의 양을 실현해가기 위해선 시간도 시간이려니와 치열한 장인적 숙련이 수반되지 않고는 불가능해 보인다. 평면회화 역시 손의 작업이다. 그러나 목각이나 도판은 입체성을 전제로 하는 것만큼 손의 작동이 더욱 요청될 뿐 아니라 구성에 있어서도 치밀성이 상대적으로 높을 수밖에 없다. 평면회화를 제외한 부조나 입체물이 하나같이 이처럼 밀도 높은 구성과 완성도를 전제로 한 것이라는 점에서 더욱 그렇다.

대체로 최근작들은 평면보다 부조와 입체물이 단연 많은 분포다. 어쩌면 하나의 전기로 읽을 수 있은 변화의 양상이다. 작가 자신도 평면에서의 지루함에 비해 부조나 입체가 훨씬 작업하는 재미에 빠진다고 고백하고 있다. 방법의 다양성은 매재의 진폭을 그만큼 넓힌 것이 되고 있다. 방법이 다양해진다는 것은 그것을 담을 수 있는 그릇이 많아질 수밖에 없다는 것이기도 하다. 최근 3년간의 작업목록을 일별하면 장지를 바탕으로 한 평면회화에서 도판, 목각화, 목각에서 수반되는 목판화, 그리고 같은 평면이긴 하지만 이채로운 순금판회화와 화첩이 있고 입체물로는 향로의 기능을 지닌 오브제와 순수한 입체작품으로 분류된다.

평면의 내용이나 입체물의 내용은 일관된 관심의 띠 속에 놓인다. 방법의 다양성에 비해 내용은 그만큼 함축적이다. 평면작업도 장지를 여러 겹 발라 올려 다분히 입체감을 띠고 있다. 그것의 발전이 목각이

〈제주생활의 中道〉 1999년 장지 위에 혼합 193×253cm

나 도판으로 이동되었음을 직감한다. 평면에서의 물성의 강화가 부조와 입체로 진행된 것이다.

이번 전시에 출품되는 작품은 〈제주생활의 중도〉와 〈색즉시공 공즉시색色卽是空空卽是色〉의 두 개의 주제로 분류된다. 전자가 일기와 같은 생활의 단면을 기술한 것이라면 후자는 다분히 종교적인 관념을 지닌 것이다. 전자가 차안此岸의 세계를 모티프로 한 것인 반면 후자는 피안彼岸의 관념을 구현해준 것이라 할 수 있다.

제주 서귀포의 생활이란 육지의 그것과는 다른 더없이 단조로운 것일 수 있다. 더욱이 창작에만 전념하고 있는 작가의 경우 창작 외 생활이란 판에 박은 것이다. 그런만큼 화면에는 내용상에서의 별다른 기폭을 찾을 수 없다. 자신을 에워싸고 있는 공간- 집과 뜰과 그 너머로 전개되는 바다가 주 모티프로 떠오를 뿐이다. 안이 다 드러나보이는 집안은 때로 남정네가 뒹굴고 있거나 때로 남녀가 어우러져있는 것이 고작이다. 그러면서도 그것이 단순한 일상의 풍경으로만 비치지않는 것은 수선이나 도라지같은 땅바닥에 피어있는 작은 식물들이 집채보다 더욱 크게 그려진다든가 갑자기 하늘로 물고기가 날아오른다든가 하는 의외의 설정 때문이다.

그런가하면 으레 마당가에는 사슴이 기웃거리는 모습이 건잡힌다. 이같은 설정은 다분히 초현실적이다. 현실에서는 가당치않는 정경이기 때문이다. 그러면서도 그러한 정경이 초현실로 함몰되지 않는 것은 예컨대 안방에 놓여 있는 텔레비전이나 집 모서리에 기대여 있는 골프채같은 지극히 문명적인 오브제가 첨가되면서이다. 초극적인 정경과 가장 현실적인 문명의 잔해가 어우러져 초현실도 현실도 아닌 중간항의 세계를 펼쳐보인다. 원래 동양화에서는 산수 속에 일체의 세속적인 요소를 배제하는 것을 이상으로 생각했다. 이상경에 도달하기 위한 장치로서 말이다. 그런데 이왈종의 화면에서는 이런 금기가 완전히 깨어지고 있다. 꽃이 만발한 속에 사슴이 기웃거리는 장면쯤이면 일종의 도원의 경지로 볼만한데 엉뚱하게도 텔레비전이나 전화기나 골프채를 등장시킴으로써 이상적 풍경으로서의 기대를 단숨에 지워버린다. 순후한 자연과 문명이 한자리에 만남으로서 일어나는 위화감, 그 위화감에서 파생하는 잔잔한 충격은 화면에 신선한 시각적 충일을 동반시킨다. 이 역설의 화해야말로 느슨하게 빠질 수 있는 화면의 체온을 단연 조여주는 긴장감이다. 화면에 흩어져있는 대상들이 때로 성좌와 같이 빛을 발하는 것도 어쩌면 이 역설이 만드는 화해의 장치에 기인됨이라 할 수 있다.

제주는 아열대 특유의 기후조건에 어울리는 식물군들로 에워싸여 있다. 길모퉁이에 피어있는 수선화나 뒷담결에 흐드러지게 피어있는 유도화는 제주에서만 볼 수 있는 독특한 정경이다. 여기에다 동백, 매화, 모란, 엉겅퀴, 도라지, 국화와 또 다른 이름 모를 들꽃들이 지천으로 피어있다. 이 화사한 식물들이 품어내는 향기와 색채가 현실이면서 부단히 피안의 풍경으로 함몰되게 하는 요인이라 할 수 있다.

이왈종의 화면에서 만나는 '자연과 더불어'라는 화두는 단순한 자연 속에 묻혀 자연을 노래하는 범주로서가 아니라 인간의 삶과 자연을 일체화시키는 범신적汎神的 관념에 의한 것이다. 범신적 경지란 인간과 인간을 에워싸고 있는 자연이 주체와 객체, 중심과 주변이란 상대적 관계가 아니라 대등한 위상을 점한다는 점에서 출발한다. 사람이나 동물이 또는 산이나 바다가 그 속에 사는 일체의 생물들과 어떤 위계도 갖지 않는 동등한 관계 위에 설정된다. 이 같은 위계의 일탈은 원근과 대소의 관계를 지운다. 혼연의 일체로 함몰되는 장치이다. 이 초현실적 발상에도 불구하고 전적으로 초현실에 매몰되지 않는 것은 현실과의 적절한 간극의 유지에 의해 지탱된다. 텔레비전이나 골프채는 꿈으로만 빠질 수 있는 미망에 대한 적절한 제어장치다.

목각과 도판은 부조의 형식이다. 평면에서 양각으로 돌출되면서 일정한 바탕을 지닌다는 점에선 완전한 입체물과는 차별된다. 평면회화가 숙명적으로 추상적 관념을 지닐 수밖에 없는 작업인 반면, 부조는 관념과 현실, 막연함과 구체성의 중간지대에 놓인다. 평면의 추상성과 입체의 구체성을 적절히 함축한다고 할까. 주어진 판이란 제약의 면에선 평면회화의 바탕조성과 일체될 수밖에 없으나 양각으로 돌출된다는 점에서 부단히 평면의 한계를 일탈하려는 의지를 지닌다. 그만큼 단순한 평면에서 엿볼 수 없는 구성의 밀도를 획득할 수 있다. 이왈종의 일련의 목각이나 도판에서 보이는 강도 높은 구성의 밀도는 실로 이에

〈제주생활의 中道〉 2006년 목조 위에 혼합 217×42×41cm

말미암는 것이라 할 수 있다.

목각의 주 모티프는 화조다. 여기에 때때로 평면의 연장으로서 일상의 풍경적 단면이 첨가된다. 내용적인 면에서나 방법의 면에서 목각은 결코 낯설지 않게 보인다. 그것은 우리들이 흔히 보아왔던 절간의 문창살이나 민간사회의 소박한 목기류에 연면되고 있기 때문이다. 투박하지만 정감이 가는 목가구의 기술이 이왈종의 목각기술에 그대로 겹쳐온다. 그래서 소박한 옛 민화를 대하는 것 같은 반가움을 동반한다. 목각은 단순한 부조로서 남아나기도 하지만 이를 바탕으로 다시 찍어냄으로써 목판화가 태어난다. 독립된 영역으로서의 목판화이면서 동시에 목각의 자연스런 연장이다.

〈제주생활의 중도〉가 주로 평면에서 부조에 걸쳐 있는 반면 〈색즉시공 공즉시색〉 시리즈는 더욱 화사한 색채와 입체적인 구성이 중심이 된다. 도판이나 입체조형물은 테라코타terra-cotta 상태에서 황장토를 입혀 다시 구어냄으로써 완성된다. 도조작업 가운데서 이채로운 것은 향로이다. 마치 토템같이 생긴 원추형으로 속에 향을 피우고 윗 부분에 뚫린 몇 개의 구멍을 통해 향기가 스며나오게 하였다. 그 형태나 여기에 가해진 각가지 환상적인 모티프나 향은 단순한 일상적 기물이 아니라 제의용祭儀用임을 암시한다.

이왈종의 작품은 때로 묵상의 종교적 관념에 빠지게도 하지만 가장 세속적인 모티프를 여기에 첨가시킴으로써 성속을 가로지르는 기이한 정경을 일구어놓는다. 근엄한 종교적 기물 속에 에로틱한 남녀의 성희장면을 새겨넣는 충격적 장치가 그것이다. 어쩌면 이 역시 중도로서의 균형감각인지 모른다. 성스러운 것과 속된 것이 스스럼없이 어우러지면서 성도 속도 아닌 중간항으로서의 균형말이다.

그가 지금껏 다루어온 작품 가운데 성희장면은 가장 빈번히 등장되었다. 그러면서도 그것들이 수치스럽지 않고 건강하게 비친 것은 해학적인 장치를 통한 삶의 진정성에 기인된 것이기 때문이다. 이왈종의 성희장면이 수치감을 불러일으키는 것이 아니라 삶의 건강한 표백임으로해서 잔잔한 웃음을 머금게 한다는 점에서 단순한 포르노의 경지를 저만치 벗어나 있다. 이 건강한 성희장면은 이번 작품 가운데 특별히 화첩형식으로 꾸며지고 있다. 화첩이란 그림으로 이루어진 책자형식으로 공공의 장소에 걸리는 유형이 아니라 돌아가면서 본다는 은밀한 내면을 지니고 있다. 말하자면 반공개적인 형식이다. 떳떳하게 내거는 것이 아니라 은밀히 펼쳐보는 그림이란 점에서 에로티시즘의 금기적 사항을 암시하고 있다.

또 하나 새로운 형식으로 순금판 양각화를 들 수 있다. 엷은 순금판에 양각의 선획으로 이미지를 아로새겼다. 과거에는 금박이나 금동판 같은 형식의 조형물들이 종교적 목적이나 세속적인 위엄을 구현하려는 목적에서 빚어졌다. 이왈종의 순금판 회화가 이런 목적의식에 의해 이루어진 것 같지는 않다. 매재의 실험이란 넓은 시각에서 보아야하지 않을까 생각된다.

이왈종의 세계는 제주시대를 맞으면서 더욱 풍요로운 내면과 완숙의 경지를 아울러 보여주는 듯하다. 환경이 예술가에게 주는 영향이 얼마나 큰가를 다시금 실감시킨다. 제주가 지닌 천연의 자연과 원생적인 감정이 단순한 현실적 정경으로서의 제주가 아니라 원형으로의 회귀의식을 불러일으켰다는데 이왈종 예술의 진정한 면모가 있다. 그의 화면은 제주의 자연 속으로 우리를 이끌어가지만 단순한 자연이 아니라 원형으로서의 자연, 원생적인 삶의 영역으로서의 초대이다. 어느덧 작품을 보고 있는 사람들도 현실과 꿈이 서로 교직되는 독특한 환상의 여울에 자신도 모르게 함몰되어가고 있음을 직감할 것이다.

『이왈종』 2008년 화집

〈제주생활의 中道〉 2010년 장지 위에 혼합 150x221cm

황창배

HWANG CHANGBAE

1947 서울 출생
1970 서울대학교 미술대학 회화과 졸업
1974~1982 명지 전문대학 부교수
1975 서울대학교 대학원 회화과 졸업
1982~1984 동덕여자대학교 조교수
1984~1986 경희대학교 조교수
1986~1991 이화여자대학교 부교수
1988 미국무성 초청 New York Artist's Colony(Yaddo)에서 작업
1997 중앙일보 통일문화연구소 "북한 문화유산 조사단" 북한 방문
1999~2001 동덕여자대학교 초빙교수
2001 9월 작고

개인전

1981 동산방 화랑 서울
1987 선화랑 서울
1990 Gallery Carlo Grosetti 밀라노
1991 갤러리 상문당 두손갤러리
월드갤러리
1993 Gallery Fine Art 보스톤
1996 예화랑
1997 Galerie Gana-Beaubourg 파리
1998 개인전 북한기행 그림전 선화랑

단체전

1973~1979 한국전각협회전
1974~1978 국전 출품
1976~2000 그룹 일연회전
한국전각협회전
1979 국전 추천작가전
한국의 자연전 국립현대미술관
1980 아시아 현대미술제 Asian Contemporary Arts Festival 방글라데시
1981 한국 수묵화 대전 국립현대미술관
1982 정예작가 초대전 롯데 미술관
1983 한국현대 미술전 Viscontea Hall 밀라노
오늘의 표정전 동산방
1984 박대성·황창배 2인전 샘터화랑
1984~1991 현대미술 초대전 국립현대미술관
1985 한국화 오늘과 내일의 전망 워커힐 미술관
국제 수묵화 특선 Taipei Fine Arts Museum 타이페이
정예작가 초대전 서울갤러리
1986 4인의 시각전 예화랑
한국화 100년전 호암미술관
아시아 현대 채묵전 미술회관
동방 수묵대전 홍콩
1987~1993 서울 미술대전 서울시립미술관
1987 '86 문제작가 전 서울미술관
동서의 융합전 East and West Exhibition in Contemporary Arts
East-West Culture Center 하와이
1988 화랑 미술제 호암 갤러리
현대 한국 회화전 호암 갤러리
1989 서울 현대 한국화전 서울시립미술관
1990 현대 한국 회화전 호암 갤러리
서울 현대 한국화전 서울시립미술관
1991 동경 아트 엑스포 동경 국제 견본시장
한국 현대미술 유고 순회전 자그레브
'91 화랑 미술제 예술의 전당
1992 현대 한국화 9인 초대전 갤러리도올
개관 기념전 서화갤러리
한국 현대미술전(일본순회전) 동경
현대 한국화의 한국화 흐름 한원갤러리
중견 작가 3인전 다도화랑
한국 현대 미술의 1992 표정전 새갤러리
소품전 서화갤러리
개념과 형상전 시공화랑
6인의 작가전 청화랑
경복 고등학교 동문전 유경갤러리
1993 송년 작은 그림 100점 전 갤러리타임
개관 2주년 초대전 미사화랑
1994 예화랑 추천 작가전 예화랑
에로시티즘 그 미학의 언어 다도화랑
현대 미술 20인의 얼굴전 호암갤러리
'94 현대 한국회화 한국미술 빛과 색 호암미술관
한국의 미 그 현대적 변용 호암미술관
1995 현대 한국화 현황전 종로갤러리
'95 화랑 미술제 예술의 전당
제5회 제주 신라 미술전 제주 신라호텔
5월 미술 축제 동산방
토탈 미술 수상 작가전 토탈미술관 한국화 7인전
현대 한·중 작가전
'95현대 한국화전 종로갤러리
현대 미술 가깝게 이해하기 조선일보미술관
코리안 평화 미술전
한국 현대미술 조형의 모델전 갤러리지현
1996 실크로드 미술기행전 동아갤러리
동시대 작가전 아라리오갤러리
'96 화랑미술제 예술의 전당
1997 미술인 사랑의 나눔전 예술의 전당
한국화 4인전 롯데화랑
화랑 미술제 예술의 전당
제주 신라 미술제 제주 신라호텔
구상과 추상의 만남전 플러스 갤러리
한국미술 엔타시스전 동덕아트갤러리
1998 잘못된 만남전 갤러리 사비나
대전 시립미술관 개관기념전 대전시립미술관
한국의 현대미술 National Gallery 프라하
1999 한중회화 교류전 서울갤러리
코리안 평화미술전 동경
삽화로 찾아가는 문학의 향기 박영덕화랑
31인의 작은 누드전 르네갤러리
세기말의 가을 노래전 가야미술관
깃발展 국립중앙극장
2000 한국의 현대미술 Funoon Gallery 쿠웨이트
아시아평화미술전 에비수 가든 플레이스 동경
화랑미술제 예술의 전당
2001 변혁기의 한국화 투사와 조망 공평아트센터
한국현대미술 해외전 중국산동미술관 산동성

수상

1976 국전 특선
1977 국전 문화공보부 장관상
1978 국전 대통령상 수상
1987 선미술상

일탈의 미학

황창배黃昌培는 다재다능한 작가로 알려져 있다. 그림뿐 아니고 운동도 못하는 것이 없었으며 대학 시절에는 연극반에서 활동하였다고 한다. 그가 출연한 연극만도 10여 편에 이르고 있다는 것이다. 석사 학위는 전각에 대한 연구를 쓸 정도로 전각에도 일가를 이루었다. 다재다능한 만큼 그의 본령인 한국화에도 풍부한 재능과 넘치는 능력을 보여 주었다.

한동안 '황창배 신드롬'이라는 말이 유통될 정도로 신선함과 파격으로 시대를 풍미했다. 인간적인 매력도 매력이거니와 봇물처럼 쏟아지는 실험의 충격은 주변을 단연 아연하게 만들었다. 그에 대한 작가론, 전시 서문을 쓴 비평가만도 20여 명에 이른다. 한 작가를 대상으로 이토록 많은 논객이 동원되었다는 것은 확실히 예외에 속하는 일이다. '황창배 신드롬'이란 젊은 작가들에 미친 영향과 감화에 못지않은 많은 논객들의 관심의 적에서도 살펴볼 수 있다.

황창배의 데뷔는 1977년 국전에서의 문공부 장관상, 1978년 국전에서의 대통령상 수상으로 이루어졌다. 잇따른 수상은 가히 선망의 대상이었다. 그리고 1981년 동산방에서 첫 개인전을 가진 이후, 많은 초대전과 개인 발표전을 가졌다. 그는 이미 데뷔시부터 오랜 관념의 틀을 일탈하는데 그 전체를 던졌다. 그리고 죽을 때까지 그러한 태도를 지속시켰다. 어쩌면 이 태도야말로 숨가쁜 질주에 비유될 수 있을 듯하다. 그 자신이 표현했듯 '자동차가 언덕에서 굴러가듯' 그렇게 온몸으로 질주했다. 거기에는 어떤 통제도 어떤 규칙도 존재할 수 없었다. 최광진이 지적했듯 무법과 자유는 그가 평생동안 일관되게 추구한 화두였다.

무법과 자유는 같이 가는 것이다. 무법은 틀을 깨는 것이고, 자유는 틀 없음에서의 길이다. 이미 주어진 틀은 사람으로 하여금 안정감을 부여한다. 틀 속에 들어가기만 해도 안주할 수 있기 때문이다. 그런데 이 틀을 벗어난다는 것은 스스로 안주를 거부한 용기 있는 몸짓이다. 여기서 시작되는 자유는 때로 방황으로 끝날 수도 있고 한때의 객기로 비칠 수도 있다. 자유가 자유로움을 획득하기 위해서는 더욱 치열한 정신의 불꽃이 필요하게 된다. 자기 작품이 정형화되는 것을 견디지 못하고 스스로가 만든 법에서 벗어나기 위한 몸부림이야말로 찬연한 정신의 불꽃이 아니겠는가. 황창배는 자신을 활활 태운 정신의 불꽃 속에 살았다.

황창배는 대학에서 한국화를 전공했고 한국화가로 데뷔했다. 그는 '한국적 이미지를 찾고 드러내는 작업, 그것이 저의 관심'이라고 피력하면서도 재료와 일정한 방법론 따위는 무시하려고 했다. 그가 자주 한 말 '밀가루로 빵만 만드는 게 아니라 수제비도, 국수도 만들 수 있다'는 것은 어떤 방법론에도 구애되지 않겠다는 의지의 표명이다. 그의 작화상의 변모는 이 같은 의지의 산물임은 물론이다.

시대별로 황창배의 변모의 양상은 시각에 따라 다소 차이가 있을 것이나 필자는 서성록의 분류방법을 따르고자 한다. 서성록은 황창배의 작품의 추이를 세 단계로 압축해 놓고 있다. 1980년 초에서 1980년대 후반에 이르는 민화적 요소가 가미된 설화적 내용의 시기, 1980년대 후반에서 1990년대 초반에 걸친 색면의 강조가 독특한 평면 인식으로 발전된 시기, 1990년대 초반에서 1990년대 말에 이르는 소재의 다양성과 평면의 역동성이 두드러진 시기가 그것이다.

〈무제〉 1983년 화선지에 채색 60x68cm

이 같은 분류는 황창배가 1981년 동산방에서의 첫 개인전을 가지면서부터 말년에 이르는 약 20년에 걸친 작품 편력을 구획한 것이다. 1977년, 1978년의 국전을 통한 데뷔기는 제외되었는데 아직도 뚜렷한 자기세계로 표방할 수 있는 단계에 미치지 못함에서 기인된 것이다. 1978년 국전에서의 대통령상을 수상한 〈비秘 51〉에서도 이미 그의 작화의 비상함을 드러낸 바였다. 종이 바탕을 사용하지 않고 마직 천에다 수묵으로 환상적인 이미지를 구현해 보였던 작품이었다. 그러나 작화의 비상함에도 불구하고 이후 황창배가 보여주었던 일탈의 분방함과는 맥락이 닿지 않는, 그 나름으로 완성되고 귀결된 느낌의 작품이라는 인상을 주고 있다. 이를 발전시킨 흔적도 찾을 수 없다.

1980년대 초에서 그 후반에 이르는 시기는 대체로 1981년 동산방에서의 개인전과 1987년 선화랑에서의 개인전까지로 구획할 수 있을 것 같다. 변화는 있었지만 비교적 민화적인 치기와 문인화적인 일필의 요소가 꾸준한 맥락을 이룬 시대이다. 1980년대 후반에서 1990년대 초반에 걸친 두 번째 시기는 1988년 미 국무성 초청으로 뉴욕 북부의 한 예술가 촌에서 2개월간 머문 시기에서부터 1991년 이화여대 교수직을 사임하고 전업 작가로서의 길에 들어섰을 즈음에까지의 기간이다. 비록 짧기는 하지만 일탈의 증후가 농후하게 드러나고 있다. 그리고 세 번째 시기는 1992년에서 말년에 이르는, 거의 무질서한 표현의 구가가 지배했던 시대이다. 이런 과정을 두고 보면 초기는 자기양식을 개척해 가려는 의욕이 편린되고 후반으로 올수록 자기몰입과 자기일탈의 숨 가쁜 변주가 지배되고 있음을 만나게 된다. 대개는 초기에 왕성한 실험기를 거쳐 점차 안정된 자기양식이 완성으로 진행되는 일반적인 사례와는 정반대의 모습이다. 그가 말했듯 '자동차가 언덕에서 굴러가듯' 진행되면서 더욱 가속화되는 형국과 비유된다. 처음 언덕을 내려올 때는 조심스러움과 절제가 지배되지만 내려올수록 속도 자체에 자신도 모르게 취하게 되고 종내는 차가 굴러가는대로 내맡기는 식이다. 다음 대목은 그의 작업 방식을 가장 간명하게 들려주고 있다.

"작업이란 자신이 경험했던 많은 조형적인 체험 위에 바로 먼저 만들었던 작업이 다음 작업에 직접적인 에너지로 작용한다. 때문에 그 에너지가 소멸되기 전에 다음 작업으로 넘어가야 한다고 믿는다. 그런데 그 에너지는 쓰면 쓸수록 소멸되는 것이 아니고 더욱 강한 힘을 발휘하여 마치 언덕 위에서 굴러 내려오는 눈덩이처럼 갈수록 큰 힘과 속력을 내는 것과 같다. 그래서 나는 쉬지 않고 매일같이 계속 작업해 나가는 것만이, 머리와 손으로 그리지 않고 가슴으로 쏟아내는 그림을 그릴 수 있는 것만이 오직 나의 한 길이라는 생각에서 변함이 없다."

언덕에서 굴러 내려가는 차나 눈덩이가 점차 가속화될 뿐 아니라 엄청난 에너지가 솟아난다는 것은 그의 전체적인 편력으로 보았을 때 정곡을 찌른 표현이다. 후반으로 올수록 폭발하는 에너지의 주체할 수 없는 지경을 보여주고 있기 때문이다.

초기에 해당되는 1980년대의 작품경향은 문인화적 발상과 민화적 구현으로 요약될 수 있을 것 같다. 운필의 자유스러움과 치기만만한 표현의 결구는 도무지 어울릴 것 같지 않은 문인화의 세계와 민화의 세계를 얼버무려 놓은 느낌이다. 가장 고급한 선비 문화와 가장 서민적인 예술 형식이 이토록 스스럼없이 어우러진다는 것은 놀라운 일이다. 벌써 그는 이 무렵부터 경계를 깨고 간극을 좁히는 작업의 서막을 펼쳐 보였다. 문인화의 현대적 변주나, 민화의 현대적 해석은 있었지만 문인화와 민화를 혼합하고 이를 다시 현대적 조형언어로 결구해낸 작업은 없었다. 따라서 그의 작업이 주는 의미는 우리의 과거 속에 편재된 예술혼을 오늘날 또 다른 모습으로 일깨워낸다는 데서 먼저 찾을 수 있다.

그런 연유에서인지 이 시기의 작품 전체에 관류하는 것은 발견과 깨달음의 희열이다. 고목에서 꽃을 피우듯, 죽은 가지에 새순을 돋게 하듯 의외로움과 경이가 넘쳐나고 있다. 그것은 곧 생성의 에너지로 대변되었다. 나무에서 꽃이 피어나지만 동시에 나무에서 인간도 태어난다. 낙원의 아득함이 있는가 하면 남녀열락의 숨막히는 희열이 간단없이 서로 교직되기도 한다. 무질서한 이미지의 혼거는 도무지 맥락을 가늠할 수 없게 한다. 즉물적卽物的이고 범신적汎神的이다. 미리 구상하지 않고 직접 제작에 임한다는 작화의 태도는 무한한 상상력의 전개일 수밖에 없다. 수묵과 채색, 운염暈染과 응결凝結의 표현의 자재로움도 상상력의 전개에 직접적으로 반응한다. “창배 형의 그림은 격조 높은 유가儒家풍의 문인화관에서 보면 다분히 상스러운 점이 없지 않다. 그이의 그림은 ‘생각거리’를 제공하는 단일한 구성과 산뜻한 여백보다는 보는 사람에게 작가의 상

〈무제〉 1991년 캔버스 위 혼합재료 128x162cm

상의 여로를 따라가게 하는 '볼거리'의 재미를 제공한다."고 본 김병종의 견해도 황창배의 작품이 지니는 풍부한 상상력의 진작을 간명하게 표명하고 있다. 그래서 화면에 부유하는 이미지는 그려지기보다는 태어나는 것이라고 보아야 옳다. 그린다는 작가의 의지가 탈각되고 그림 스스로가 자유스러운 생성의 논리를 지니는 것으로 말이다.

그러면서도 황창배의 작품에는 자아의 욕망이나 어떤 사회적 관심이 심심치 않게 넘쳐 나온다. 1987년 선화랑에서의 전시작품 가운데서 이미 이 같은 토로와 비판의 요소가 짙게 배어져 나왔다. 필자는 이를 두고 다음과 같이 쓴 적이 있다.

"그가 펼쳐준 문인화의 세계는 단아한 선비의 격조 있는 문방에서 나온 것이라기보다는 포의布衣의 해맑은 일탈에서 획득된 자유와 해탈이었다. 전통적인 사대부의 여기에서 기대되는 일격의 집약된 조형이기보다는 주유천하周遊天下, 응어리진 울분을 안고 떠도는 실의가 문득 어느 자리에서 쏟아 붓기도 하는 토로의 형식이라고 보는 편이 더욱 적격이었다."

그런 만큼 2기의 색면에 의한 평면구성의 패턴에서부터 해학과 비판이 더욱 극명하게 자리를 확보해가고 있다. 3기는 어느 면에서 1기와 3기를 연결해 주는 과도기적인 성향이 강한 편으로, 1기의 색채구사가 더욱 평면적인 구성으로 응결되면서 동시에 환경, 생태의 문제와 사회 비판적 요소가 간단없이 명멸한다. 비판적 고발적 요소가 증가되면서 화면은 서서히 색면구성이라는 패턴에서 벗어나 이미지와 기호의 혼거로 진행되고 있다. 낙서처럼 즉물적이면서도 해학적인 토로와 치기가 화면을 지배하기 시작했다. 로봇 같은 인체의 기계적인 구현이 있는가 하면, 내장을 드러낸 물고기가 등장하기도 한다. 장닭을 그리고 그 울음 소리를 '곡고댁哭高宅'이라고 한자로 표기하기도 한다. 고대광실高臺廣室 부자집을 곡한다는 시니컬한 내용이다. 김병종이 황창배의 작품을 가리켜 '생각거리'를 제공하는 것이 아니라 '볼거리'의 재미를 제공한다고 한 표현은 이 무렵부터 후반에 걸친 전 작품에 해당된다고 할 수 있다. 볼거리란 직설적이고 구체적이면서 언제나 풍부한 해학적 요소를 지니지 않으면 안된다. 바로 보고 바로 감응을 자아내야 한다. 머리와 손으로 그리지 않고 가슴으로 쏟아내는 그림이라는 작가의 말도 이에 상응되는 것이다.

"황창배의 작품은 소극적으로 보면 동양화가 갖는 고정관념에 '때문히기'로부터 시작한다고 해도 틀린 말은 아니다. 그는 파격적으로 동양화의 회화적 규범을 개혁시키기 위해 전심전력하는 작가이다." 라고 서성록은 쓴 바 있다. 서성록의 지적이 아니더라도 누구나 한 눈에 황창배의 작품은 동양화가 아님을 눈치챈다. 특히 3기에 해당되는 후반에 와서 말이다.

황창배는 동양화로 출발했지만 그가 종내 이른 지점은 그냥 회화로서 명명될 뿐이지 어디에서고 동양화라는 요소를 찾아보기는 힘들다. 1기까지만 하더라도 문인화의 현대적 변주라는 맥락을 지니고 있었다. 재료의 범주나 방법의 진폭에 있어 동양화라는 장르의식에서 크게 벗어난 것은 아니었다. 그러나, 2기에 해당되는 1980년대 후반과 1990년대 초반 경에 오면 장르의식은 완전히 탈각된다고 보아야 한다. 그리고 3기는 이러한 현상의 더욱 심화되는 양상의 전개로 규정지을 수 있다.

이 같은 변모의 급진적 진행은 작화의 의식에서 뿐 아니라 다양한 재료의 수용에서 기인되고 있다. 1기의 매재는 수묵과 채색과 종이라는 전통적 매재에 국한되었다. 그러나 2기에서부터 점차 다양한 매재의 섭렵이 눈에 띄기 시작한다. 종이나 마대, 캔버스 위에 아크릴릭, 피그먼트, 오일, 파스텔, 흑연가루 등 거의 무차별적이라 할 만치 사용할 수 있는 모든 재료가 동원된다. 방법이 재료를 수용하지만 재료가 방법을 유도하기도 한다. 황창배의 초기 작품은 방법이 재료를 수용한 수준이었지만 후기작품은 전도된 양상, 즉 재료가 방법을 유도한 국면이 두드러진다. 김병종이 황창배를 두고 “행위의 흔적과 열정으로 호소했다”는 말도 매재가 의식을 앞질러간 현상의 또 다른 표현이다.

3기의 작품은 확실히 행위의 흔적으로 일관되고 있다고 해도 과언이 아니다. 행위는 의도를 앞지르고 매재의 풍부한 원용은 우연의 결과를 양산하기 마련이다. 붓 이외에 나이프나 심지어 손으로 그려나가는 행위의 연속은 도무지 정제된 어떤 것으로 기대할 수 없게 한다. 덕지덕지 발라 올라간 색층과 낙서처럼 휘청거리는 드리핑, 그리고 장난스럽기도 하고 요괴스러운 이미지의 해체와 이미지의 재구성은 걷잡을 수 없는 시각적 회오리를 펼쳐 놓는다. “너무 정제된 그림은 재미가 없고 아슬아슬하게 경계를 넘을 듯 말 듯하는 것이 재미가 있다”고 한 작가의 말이 이 같은 시각적 회오리를 적절히 대변해준다.

3기의 작품은 어린 아이들의 그림 같기도 하고 뉴욕 낙서파 화가들의 그림을 연상시키기도 한다. 어린 아이들의 잠재의식의 세계, 그러한 잠재의식을 빌린 작가의 자의식, 그리고 낙서파 화가들의 유희적인 배설의 쾌감이 뒤엉킨다. "마치 난무하듯 배설하듯 단순하나 대담한 필법과 필획의 제스처. 그 근저에 내비치는 리비도Libido적 감성과 에로티시즘은 관조와 명상들의 관념적이고 초월적인 정신세계만을 허용하는 듯싶은 격조 높은 유가풍의 문인화관과 가히 대조를 이룬다"고 지적한 송미숙의 언급은 황창배의 후기 경향을 적절히 구현해준 것이다. 문인화관과 대조를 이룰 뿐 아니라 일반적인 회화관도 대조를 이룬다고 볼 수 있다. 어쩌면 회화라는 자체마저도 뛰어넘으려고 했는지 모른다. "아슬아슬하게 경계를 넘을 듯 말 듯"한 것이 재미가 있다고 한 작가의 언명은 회화의 경계선상에서 작업을 하고 있음을 여실히 반영한 것이다.

동양화는 해방 이후에 오면서 오랜 전통의 억압에서 벗어나려는 몸부림이 꾸준히 이어 내렸다. 전통의 억압은 이른바 관념화된 형식의 틀을 이름이다. 대체로 동양화 실험의 양상은 두 갈래로 문맥을 잡을 수 있다. 전통적 매재를 벗어나지 않으면서 내용과 형식면에서 새로운 의식을 불어넣고 있다는 경향과, 일체의 전통적 매재관념을 적극적으로 불식하려는 경향이 그것이다. 전자의 경우는 여전히 주 매재가 수묵기조에 모필의 사용이 지속된다. 내용과 형식면에서 과거의 동양화의 범주를 완전히 벗어나고 있으나 누가 보아도 여전히 동양화라는 전통의 문맥에서 벗어나지 않는 것을 볼 수 있다. 고암과 운보가 그 대표적인 예이다. 이들이 보여주는 신선함은 전통의 굴레를 대담하게 일탈함으로써 일어나는 충격의 그것이 아니라 동양의 회화라는 근간에서 벗어나지 않으면서 그 내용을 더욱 풍부히 가꾸어온 데서 오는 것이다. 그것은 동양화의 잠재성을 그만큼 일깨운 것이기도 하다.

고암과 운보의 방법적 전개에 비하면, 황창배는 전혀 다른 문맥에 위치한다고 할 수 있다. 황창배의 경우는 일체의 전통적 매재 관념뿐 아니라 조형의식마저도 팽개치는데서 그의 방법의 실체를 파악할 수 있게 된다. 이미 지적한 바대로 동양화뿐 아니라 회화라는 경계마저도 뛰어넘으려는 데서 그의 방법이 주는 충격은 컸다. '황창배 신드롬'을 만들어낸 요체가 다름 아닌 이 대담한 일탈에 있음은 누구도 부정하지 못할 것 같다. 생각하는 그림, 의미를 캐는 그림에서 볼거리의 재미를 제공함으로써 특히 젊은 감성의 호응은 더욱 폭넓을 수 있었다.

그럼에도 불구하고 그는 언젠가 화선지와 먹의 세계로 되돌아갈 것이라고 소망을 털어놓고 있다. "소설가가 글에 미치면 소설 속의 주인공을 어디든지 데리고 다닌다는 것처럼 붓이 나를 끌고 다니는 무아지경의 세계로의 몰입을 소망하며 훗날 어머니 같은 고향 같은 화선지와 묵만의 세계로 돌아갈 것이다."

3기의 작품세계가 거의 자동기술에 의한 작화의 지속이고 보면 붓 가는 대로의 무아지경에 접근한 것이라 진단할 수 있다. 그러한 무아지경을 더욱 깊이 여행하지 못하고 그는 애석하게도 타계하였다. 먼 훗날 어머니 같고 고향 같은 화선지와 묵만의 세계로 돌아갈 것을 염원한 것은 그의 출발로 되돌아가려는 회귀본능, 귀소본능과 같은 것이리라. 동양화에서 출발한 자신의 본향을 그리워한 것을 보면 그의 정신의 뿌리는 여전히 동양화에 있음을 파악케 한다.

『황창배』 2003년 화집

〈무제〉 1997년 캔버스 위 혼합재료 100×135cm

우리 시대의 미술가들

2011년 3월 14일 초판 1쇄 인쇄
2011년 3월 21일 초판 1쇄 발행

지은이 | 오광수
발행인 | 전재국

편집 | 한국미술연구소

발행처 (주)시공사
출판등록 1989년 5월 10일(제3-248호)

주소 | 서울특별시 서초구 서초동 1628-1(우편번호 137-879)
전화 | 편집(02)2046-2844 영업(02)2046-2800
팩스 | 편집(02)585-1755 영업(02)588-0835
홈페이지 www.sigongart.com

ISBN 978-89-527-6105-7 03650